Małgorzata Gł

ANGIELSKI

w cztery tygodnie

Redakcja **Bożena Wiercińska**
Projekt okładki **Paweł Rusiniak**
Ilustracje **Marek Łukasik**

ISBN 83-7141-327-0

Wydanie II, Warszawa 2005

Skład i łamanie ANTER Warszawa
Druk i oprawa Zakład Poligraficzno-Wydawniczy POZKAL

Wprowadzenie

„Angielski w cztery tygodnie" jest skierowany do wszystkich samouków, którzy stawiają pierwsze kroki w języku angielskim, choć z powodzeniem może służyć jako repetytorium dla tych, którzy angielski już poznali i chcą jedynie powtórzyć jego podstawy.

Podręcznik składa się z 28 lekcji. Przerabiając jedną lekcję dziennie, opanujesz zawarty w nim materiał w cztery tygodnie.

Każda z dwudziestu ośmiu lekcji jest podzielona na pięć części.

Część pierwsza: DIALOG
Dialog jest napisany językiem naturalnym i żywym, i nagrany na kasecie. Każdy dialog jest przetłumaczony na język polski.

Część druga: GRAMATYKA
Część ta podaje nowe zagadnienia gramatyczne, które pojawiły się w dialogu, lub rozszerza zagadnienia wprowadzone wcześniej. W tym drugim przypadku pojawia się odsyłacz wskazujący, do której lekcji należy wrócić.

Część trzecia: FUNKCJE JĘZYKOWE
W tej części podano zwroty i wyrażenia, które pojawiają się w określonych sytuacjach, np. gdy przepraszamy, umawiamy się lub rezerwujemy pokój w hotelu. Większość zwrotów w tej części jest zaczerpnięta z dialogu, ale czasem lista jest rozszerzona o zwroty, które się w dialogu nie pojawiły.

Część czwarta: ĆWICZENIA
W każdej lekcji jest około 5–6 różnorodnych ćwiczeń, które sprawdzają stopień opanowania materiału językowego. Klucz do ćwiczeń znajduje się na końcu książki.

Część piąta: SŁOWNICTWO
Nowe słowa i zwroty pojawiające się w dialogu oraz w częściach 2 i 3 każdej lekcji są podane w kolejności alfabetycznej wraz z polskim tłumaczeniem i transkrypcją fonetyczną [objaśnienie symboli transkrypcji fonetycznej – patrz rozdział *Wymowa angielska*]. W każdej części są też listy tematyczne nawiązujące do tematu dialogu. Występują w nich słowa z dialogu, ale również słownictwo dodatkowe.

Każda lekcja powinna zostać podzielona na kilka etapów.

1. Wysłuchanie dialogu bez patrzenia w tekst pozwoli na osłuchanie się z angielską wymową i zapobiegnie wielu błędom. Słuchając, próbuj zorientować się, kto mówi i gdzie się znajduje.

2. Wysłuchanie dialogu z jednoczesnym patrzeniem w angielski tekst. Słuchając kasety, czytaj dialog w myślach. Staraj się zorientować, o czym jest mowa w dialogu.

3. Zapoznanie się z polskim tłumaczeniem i ponowne wysłuchanie dialogu – tym razem z pełnym zrozumieniem. Słuchając kasety, czytaj dialog w myślach. Sprawdź znaczenie niezrozumiałych słów w części SŁOWA I ZWROTY.

4. Kilkukrotne głośne czytanie dialogu razem z kasetą. Czytaj kolejno wszystkie role – Pawła, Marka itd. Powtarzanie dialogu pomoże Ci opanować poprawną wymowę i zapamiętać słowa oraz zwroty.

5. Zapoznanie się z objaśnieniami w części WIADOMOŚCI GRAMATYCZNE i opanowanie pamięciowe materiału, np. zaimków, odmiany czasownika „be" itd. Poszukaj w dialogu przykładów ilustrujących wiadomości gramatyczne podane w tej części.

6. Zapoznanie się ze zwrotami w części FUNKCJE JĘZYKOWE. Poszukaj tych zwrotów w dialogu (pamiętając, że nie wszystkie się tam znajdują). Wszystkich zwrotów naucz się na pamięć.

7. Wykonanie ćwiczeń pisemnych i sprawdzenie za pomocą klucza na końcu książki.

Uwaga dla posiadaczy zestawu z programem multimedialnym!
Na płycie CD z programem multimedialnym dialogi należące do każdej jednostki lekcyjnej zostały podzielone na zdania, a w przypadku dłuższych zdań złożonych – na krótsze sekwencje (z zachowaniem ich logicznej spójności). Wielokrotne ich odtwarzanie ułatwia uczącemu się intensywny trening i utrwala sprawność:
– słyszenia i rozumienia wypowiedzi w języku obcym,
– opanowania właściwej dla języka intonacji i melodii zdania,
– zapamiętania i powtórzenia całych wypowiedzi.

Istnieje powiedzenie, że uczniowie dzielą się na samouków i nieuków. Innymi słowy, jeśli sami się czegoś nie nauczymy, nikt nas tego nie nauczy. Wierzymy, że nasz samouczek pomoże Ci opanować samodzielnie podstawy gramatyki języka angielskiego i najpotrzebniejsze słownictwo. Mamy nadzieję, że będzie dla Ciebie dobrym wstępem do nauki tego języka i zachętą do rozszerzania jego znajomości.

SPIS TREŚCI

GRAMATYKA: • zaimki osobowe • czasownik **to be** - zd. twierdzące • przeczenie i potwierdzenie • zaimek wskazujący - **this** • przyimki - **in, on, from;** • przedimek nieokreślony - **a/an**
FUNKCJE JĘZYKOWE: • przedstawianie się • powitanie (1) - hi/hello • przeprosiny (1) • kraj pochodzenia i narodowość
SŁOWNICTWO: • kraje i narodowości

GRAMATYKA: • czasownik **to be** - pytania • czasownik **to be** - przeczenia • czasownik **to be** - krótkie odpowiedzi • zaimki wskazujące - **this/that** • czasownik modalny - **can/can't** • przymiotniki dzierżawcze (1) - **my, your, our** • przysłówki miejsca - **here/there** • liczebniki 0 - 10
FUNKCJE JĘZYKOWE: • podziękowania • pożegnania (1) • prośby (1) **(can you..., please?** • podawanie adresów • **pardon?** • **there you go!** • **here we are!**
SŁOWNICTWO: • w mieście

GRAMATYKA: • zaimki pytające - **when? where? what?** • czasownik **have got** - zd. twiedzące • liczba mnoga rzeczowników • przymiotnik - miejsce w zdaniu • przedimek określony - **the** • liczebniki porządkowe 1 - 3 • przyimki - **on, with**
FUNKCJE JĘZYKOWE: • przeprosiny (2) - **excuse me/sorry** • powitania (2) • pożegnania (2) • podawanie godziny **(from... to...)** • pytanie o dane osobowe
SŁOWNICTWO: • posiłki • dane osobowe

GRAMATYKA: • **there is/there are** - zd. twiedzące/pytania/przecze-
nia • okoliczniki miejsca **(near, far, nearby...)** • tryb rozkazujący •
any - w pytaniach i przeczeniach • przyimek to • liczebniki 11 - 100
FUNKCJE JĘZYKOWE: • pytania o drogę • wskazówki • prośby (2) -
could...? • pytanie o godzinę • godziny
SŁOWNICTWO: • nazwy sklepów

GRAMATYKA: • czas teraźniejszy prosty (1) - zd. twiedzące/pyta-
nia/przeczenia • przysłówki częstości • **how much? /how many?** •
rzeczowniki policzalne i niepoliczalne • **some/a few/any** • zaimki
wskazujące - **these/those** • zaimki osobowe - dopełnienie • **each**
FUNKCJE JĘZYKOWE: • zakupy • ceny • prośba o powtórzenie •
pytanie o angielskie słowa **(What do you call this?)**
SŁOWNICTWO: • jedzenie

GRAMATYKA: • czas teraźniejszy prosty (2) - 3. osoba liczby pojedynczej • pytania • **let's...** • czasownik modalny - **could**
FUNKCJE JĘZYKOWE: • pozdrowienia (1) **(how are you?)** •
umawianie się • wyrażanie zgody **(yes, why not/fine)**
SŁOWNICTWO: • dni tygodnia

GRAMATYKA: • czasowniki - **love, like** i **prefer** • zaimek pytający -
what (= jaki) • dopełniacz • czasownik - **listen (to...)** • przysłówki
- miejsce w zdaniu • opuszczanie przedimka nieokreślonego • liczebniki - powyżej 100
FUNKCJE JĘZYKOWE: • wiek ludzi i rzeczy • daty • upodobania
i zainteresowania
SŁOWNICTWO: • sport

GRAMATYKA: • czas teraźniejszy ciągły - zd. twierdzące/pytania •
czas teraźniejszy ciągły - określenia czasu • **lots of/a lot of** • tryb

rozkazujący - przeczenie • czasowniki - **phone/telephone** • wyrażenia z **have** (1)
FUNKCJE JĘZYKOWE: • opisywanie charakteru i wyglądu • rozmowa przez telefon (1)
SŁOWNICTWO: • przymiotniki opisujące charakter i wygląd

GRAMATYKA: • czas teraźniejszy ciągły - wyrażanie przyszłości • czas teraźniejszy ciągły - przeczenia • **would like** • **would love** • **I love going/I'd love to go** • **every** • przyimki na końcu zdania (1) • przymiotniki dzierżawcze (2) • liczba mnoga rzeczowników **(-es)**
FUNKCJE JĘZYKOWE: • zaproszenie • odmowa • kupowanie biletów • pytanie o szczegóły podróży
SŁOWNICTWO: • podróżowanie autobusem

GRAMATYKA: • czasy teraźniejsze prosty i ciągły - porównanie • czasowniki modalne - **must/can't** • czasowniki **do** i **make** • rzeczowniki niepoliczalne
FUNKCJE JĘZYKOWE: • podawanie przepisów • zachowanie się przy stole • powitania (3)
SŁOWNICTWO: • gotowanie

GRAMATYKA: • stopniowanie przymiotników • przymiotniki nieregularne • nieregularna liczba mnoga rzeczowników • opuszczanie przedimka określonego
FUNKCJE JĘZYKOWE: • porównania **(... than... / like)** • mówienie o umiejętnościach • zmiana tematu rozmowy
SŁOWNICTWO: • członkowie rodziny • zawody

GRAMATYKA: • czas przeszły prosty - **to be** - zd. twierdzące/pytania/przeczenia • czas przeszły prosty - czasowniki regularne - zd. twierdzące • czas przeszły prosty - określenia czasu • **a cup/ spoon of...** • wyrażenia z czasownikiem **take** • liczebniki porządkowe

FUNKCJE JĘZYKOWE: • proponowanie pomocy • **never mind** • **it's called...**
SŁOWNICTWO: • zabytki i miejsca warte zwiedzenia

GRAMATYKA: • czas przeszły prosty - pytania i przeczenia • czas przeszły prosty - czasowniki nieregularne (1) • **home**
FUNKCJE JĘZYKOWE: • opowiadanie - kolejność zdarzeń • wyrażanie konieczności - **have/has to** (1) • wyrażanie zdenerwowania/zmartwienia • pozdrowienia (2)
SŁOWNICTWO: • opisywanie przedmiotów

GRAMATYKA: • pytania przeczące • przysłówki (1) • czasownik z przymiotnikiem **(looks fine)** • **too** • czasowniki nieregularne (2) • czasowniki **suit i fit** • wykrzykniki **(what a...!)**
FUNKCJE JĘZYKOWE: • wymiana pieniędzy • płacenie w sklepie • pożegnania (2) • pytanie o opinię
SŁOWNICTWO: • kolory • materiały • ubrania

GRAMATYKA: • wyrażanie przyszłości - **be going to** • porównanie **be going to** i czasu teraźniejszego ciągłego • **to** - bezokolicznik i przyimek • **borrow/lend** • przyimki **on** i **for**
FUNKCJE JĘZYKOWE: • wyrażanie celu - bezokolicznik celu • przeczenie **(I'm afraid not)** • prognoza pogody
SŁOWNICTWO: • pogoda

GRAMATYKA: • wyrażanie przyszłości - **will** - zd. twierdzące/pytania/przeczenia • mowa zależna (1) • **until/in** • **anything, something, everything, nothing**
FUNKCJE JĘZYKOWE: • daty • pytanie o ceny • polecanie i proponowanie
SŁOWNICTWO: • miesiące • pory roku

GRAMATYKA: • pierwszy okres warunkowy • mowa zależna (2) •
czasowniki złożone - **put up** • **otherwise**
FUNKCJE JĘZYKOWE: • wyrażanie konieczności (2) • wyrażanie
wątpliwości **(I doubt it)** • pytanie o instrukcje **(How do I...?)**
SŁOWNICTWO: • zwierzęta • na wsi

GRAMATYKA: • czas teraźniejszy dokonany - zd. twierdzące/pyta-
nia/przeczenia • czas teraźniejszy dokonany - zastosowanie • czas teraźniejszy dokonany - określenia czasu • przedimek określony przed
nazwami geograficznymi • **once / twice**
FUNKCJE JĘZYKOWE: • mówienie o trudnościach **(What's
wrong?)**
SŁOWNICTWO: • nazwy geograficzne • części samochodu

GRAMATYKA: • czas teraźniejszy dokonany - czasowniki nieregularne • **since/for** • czasowniki modalne - s**hould, might, could** • **somewhere, nowhere, anywhere, everywhere**
FUNKCJE JĘZYKOWE: • pisanie kartek pocztowych
SŁOWNICTWO: • meble i przedmioty domowego użytku

GRAMATYKA: • porównanie czasów teraźniejszego dokonanego
i przeszłego prostego • **used to** • **somebody, anybody, everybody, nobody**
FUNKCJE JĘZYKOWE: • porównywanie - **as... as...** • **I'm dying
for...**
SŁOWNICTWO: • środowisko

GRAMATYKA: • zaimki dzierżawcze • wyrażenia z czasownikiem **get**
• **as far as** • **as soon as**
FUNKCJE JĘZYKOWE: • pytanie o pozwolenie • wyrażanie współ-
czucia **(poor...!)** • **bless you!** • pytanie o wykonywany zawód
SŁOWNICTWO: • zdrowie (1)

FUNKCJE JĘZYKOWE: • zamawianie posiłku w restauracji • sugerowanie **(Shall...?)**
SŁOWNICTWO: • w restauracji

GRAMATYKA: • strona bierna (2) - czas przeszły • drugi okres warunkowy (1) • przedimek określony **(the Queen)** • **it's supposed** • **news**
FUNKCJE JĘZYKOWE: • wyrażanie zdziwienia
SŁOWNICTWO: • media

GRAMATYKA: • drugi okres warunkowy (2) - **could** • porównanie pierwszego i drugiego okresu warunkowego • przyimki **in, on, at** z określeniami czasu
FUNKCJE JĘZYKOWE: • kupowanie biletów na samolot • wyrażanie żalu • pożegnania (3)
SŁOWNICTWO: • podróżowanie samolotem

Wymowa angielska

Wymowa słów w języku angielskim niewiele ma wspólnego z pisownią, a reguły, jakie istnieją, są skomplikowane i pełne wyjątków. Dlatego większość słowników angielskich podaje wymowę słów zapisaną w transkrypcji fonetycznej. W samouczku również używamy transkrypcji fonetycznej, przede wszystkim w części słownikowej każdej lekcji. Po opanowaniu alfabetu fonetycznego, można bez trudu sprawdzić, jak się wymawia każde słowo.

Oto lista symboli fonetycznych wraz z ich przybliżoną wymową:

SAMOGŁOSKI

symbol fonetyczny	przykłady angielskie	przybliżona wymowa lub opis
[ɑː]	art March far	zgaga
[ʌ]	up love cut	przymknięte a
[æ]	animal map lamp	niania
[e]	egg set many	lejek
[ɜː]	earth learn fur	samogłoska centralna, długa (brzmi trochę jak otwarte y)
[ə]	apart woman corner	samogłoska centralna, krótka (brzmi jak e w szybko wypowiedzianym słowie „może"; czasem jest tak krótka, że jej w ogóle nie słychać)
[iː]	eat leave key	mijać
[ɪ]	in sit big	y
[ɔː]	order water more	długie o
[ɒ]	on top wrong	krótkie o
[uː]	rude group blue	długie u
[ʊ]	put good full	krótkie u

DYFTONGI

symbol fonetyczny	przykłady angielskie	przybliżona wymowa lub opis
[aɪ]	eye nice buy	ai
[eɪ]	age fake say	ei
[ɔɪ]	oyster voice boy	oi
[əʊ]	open moat go	ou
[aʊ]	out power how	au
[ɪə]	ear nearby dear	ie (brzmi jak ije w szybko wypowiedzianym słowie pije)
[ʊə]	cruel pure tour	ue
[eə]	air fairly wear	[e] + [ə] (brzmi jak grupa samogłosek w słowie wziąłem wypowiedzianym szybko i niestarannie jako wzieem)

SPÓŁGŁOSKI

symbol fonetyczny	przykłady angielskie	przybliżona wymowa lub opis
[b]	big lobster mob	b
[tʃ]	chap butcher patch	cz
[d]	dark badly food	d
[dʒ]	jam pyjama judge	dż
[f]	foot offer loaf	f
[g]	group ago mug	g
[h]	heat house perhaps	h
[j]	yes young argue	j
[k]	car baker rock	k
[l]	lamb yellow pull	l
[m]	man lemon sum	m
[n]	no manner sun	n
[ŋ]	sing finger stink	bank (n tylnojęzykowe)
[p]	poor opera top	p
[r]	raw red foreign	r
[s]	so fussy loss	s
[ʃ]	shop cushion dish	sz

[t]	team motor sit	t
[v]	veal cover move	w
[w]	win twelve always	ł
[z]	zoo easy noise	z
[ʒ]	gigolo pleasure beige	ż
[θ]	thief author path	s (koniuszek języka między zębami)
[ð]	there father with	z (koniuszek języka między zębami)

INNE SYMBOLE

symbol	przykład	wyjaśnienie
[ː]	Could you draw me a map, please? [kəd‿ju 'drɔː mi‿ə 'mæp 'pliːz]	Dwukropek po samogłosce oznacza, że jest ona długa. W języku angielskim jest **5 długich samogłosek** - iː, ɔː, ɑː, uː, ɜː
[‿]	Would you like to sit inside or outside? [wəd‿ju 'laɪk tə sɪt‿'ɪnsaɪd‿ɔːr‿'aʊtsaɪd]	Łuk łączący dwa wyrazy oznacza, że występuje między nimi **łączenie międzywyrazowe** - są wymawiane jak jeden wyraz.
[']	Could I get a receipt, please? [kəd‿aɪ 'get‿ə rɪ'siː t 'pliːz]	Górna kreska oznacza **akcent główny** - tak oznaczone sylaby są wymawiane wyraźniej i głośniej od pozostałych.
[ˌ]	Where are the fitting rooms? ['weər‿ə ðə 'fɪtɪŋ ˌruː mz]	Dolna kreska oznacza **akcent poboczny** - tak oznaczone sylaby są akcentowane, ale nie tak silnie, jak te z akcentem głównym.

Lesson one: On the ferry

Richard	Hello, I think we're on the same coach.
Paweł	Hi. Yes, we are. My name's Paweł. I'm Polish. I'm from Warsaw.
Richard	I'm Richard, and this is my wife, Susan.
Paweł	Hi, Susan.
Susan	Nice to meet you, Paweł.
Paweł	Paweł. In English it's Paul. Are you English, Richard?
Susan	No! He's from Wales.
Paweł	Whoops! I'm sorry!
Richard	It's okay. But she's English, she's from Manchester. And we both live in Cambridge.
Paweł	Really? I've got a friend in Cambridge. I think it's an interesting city.
Richard	Yes, it is. Look! The white cliffs of Dover.
Paweł	They're beautiful. And really they are white.

Lekcja pierwsza: Na promie

Richard	Cześć, wydaje mi się, że jesteśmy w tym samym autokarze.
Paweł	Cześć. Tak. Mam na imię Paweł. Jestem Polakiem. Jestem z Warszawy.
Richard	Jestem Richard, a to moja żona, Susan.
Paweł	Cześć, Susan.
Susan	Miło cię poznać, Paweł.
Paweł	Paweł. Po angielsku Paul. Jesteś Anglikiem, Richard?
Susan	Nie! Jest z Walii.
Paweł	Och! Przepraszam!
Richard	Nic się nie stało. Ale ona jest Angielką, jest z Manchesteru. A mieszkamy oboje w Cambridge.
Paweł	Naprawdę? Mam znajomego w Cambridge. Wydaje mi się (dosł. myślę), że to ciekawe miasto.
Richard	Tak. Patrzcie! Białe klify Dover.
Paweł	Są piękne. I naprawdę białe.

GRAMATYKA

ZAIMKI OSOBOWE

I	ja	**we**	my
you	ty, Pan, Pani	**you**	wy, Państwo
he	on	**they**	oni, one
she	ona		
it	ono, to		

Zaimek **I** - „ja" pisany jest zawsze dużą literą.
You oznacza „ty", ale również „Pan" i „Pani". Paweł pyta Richarda:
Are **you** English?, mimo że się nie znają. W angielskim nie ma formy
grzecznościowej „Pan", „Pani". **You** to również liczba mnoga – „wy".
It odnosi się do przedmiotów i zwierząt, które nie mają w angielskim
rodzaju gramatycznego.

This is a coach. **It** is new.   To jest autokar. On jest nowy.
This is a book. **It** is black.   To jest książka. Ona jest czarna.

CZASOWNIK TO BE - ZDANIA TWIERDZĄCE

Czasownik **to be** - „być" ma trzy formy - **am** [əm], **is** [ɪz] oraz **are** [ə]
- używane zależnie od osoby. W języku mówionym używa się
najczęściej form skróconych: **'m** [m], **'s** [z] oraz **'re** [ə6].

I **am** Polish. I**'m** Polish.	Jestem Polakiem / Polką.
You **are** English. You**'re** English.	Jesteś Anglikiem / Angielką.
We **are** on the same coach.	Jesteśmy z tego samego
We**'re** on the same coach.	autokaru.
You **are** Richard and Susan.	
You**'re** Richard and Susan.	Jesteście Richard i Susan.
They **are** beautiful.	
They**'re** beautiful.	Są piękni/piękne.
He **is** from Wales. He**'s** from Wales.	On jest z Walii.
She **is** from Manchester.	
She**'s** from Manchester.	Ona jest z Manchesteru.
It **is** an interesting city.	
It**'s** an interesting city.	To jest interesujące miasto.
This **is** my wife.	To jest moja żona.

PRZECZENIE I POTWIERDZENIE

yes - tak   **no** - nie

Często oprócz samego potwierdzenia – **yes** – Brytyjczycy powtarzają
jeszcze zaimek i odpowiednią formę czasownika **to be:**

We're on the same coach.   Jesteśmy z tego samego
Yes, we are.   autokaru. Tak.
It's an interesting city. **Yes, it is.**   To interesujące miasto. Tak.
[krótkie odpowiedzi przeczące z **to be** - lekcja 2]

ZAIMEK WSKAZUJĄCY - THIS

Gdy się kogoś lub coś wskazuje, używa się zaimka **this**.

This is my wife.	To jest moja żona.
This is my coach.	To jest mój autokar.

PRZYIMKI - IN, ON, FROM

In oznacza „w".

in Cambridge   w Cambridge

In używa się też w zwrocie:

in English   po angielsku / w języku angielskim

On oznacza „na". Tego przyimka używa się z nazwami środków transportu:

on the ferry   na promie / na pokładzie promu
on the coach   w autokarze

From oznacza „z".

I'm **from** Warsaw.   Jestem z Warszawy.
He's **from** Wales.   On jest z Walii.

PRZEDIMEK NIEOKREŚLONY - A / AN

W języku angielskim bardzo często używa się przed rzeczownikiem przedimka. Przedimek nieokreślony oznacza „jakiś, pewien, jeden" i występuje tylko przed rzeczownikami w liczbie pojedynczej. W języku polskim przedimki nie występują i prawie nigdy się ich nie tłumaczy.

Przedimek nieokreślony ma dwie formy: **a** [ə] i **an** [ən]. **A** stawia się przed rzeczownikami zaczynającymi się na spółgłoskę; **an** – na samogłoskę.

a friend [ə ˈfrend] przyjaciel
a book [ə ˈbʊk] książka
an apple [ənˈæpl] jabłko
an interesting city [ənˈɪntrəstɪŋ ˈsɪti] interesujące miasto

FUNKCJE JĘZYKOWE

PRZEDSTAWIANIE SIĘ

Przedstawianie siebie:

My name is ... . / My name's ..... .   Nazywam się ... .
I am ... . / I'm ... .   Jestem ... .

W odpowiedzi mówi się:
Nice to meet you.   Miło mi cię poznać.

Przedstawianie kogoś:
This is ... .   To jest ... .

POWITANIE (1)

Najczęstszym powitaniem jest **hello**. Oznacza zarówno „cześć", jak
i „dzień dobry"; używany jest wobec znajomych, jak i obcych. **Hi** jest
powitaniem bardziej nieformalnym i używanym wobec przyjaciół lub
ludzi młodych.

PRZEPROSINY (1)

I'm sorry.   Przepraszam.
Sorry.   Przepraszam.

W odpowiedzi na czyjeś przeprosiny można powiedzieć:
It's okay.   Nic się nie stało.
It's all right.   Nic nie szkodzi.

KRAJ POCHODZENIA I NARODOWOŚĆ

They're from England.   Są z Anglii.
They're English.   Są Anglikami.
She's from Scotland.   Ona jest ze Szkocji.
She's Scot.   Jest Szkotką.
We are from Poland.   Jesteśmy z Polski.
We are Poles.   Jesteśmy Polakami.

ĆWICZENIA

Uzupełnij luki w poniższym tekście odpowiednią formą czasownika **to be**, w formie pełnej lub skróconej. **1**

I _____ (1) Peter. I'_____ (2) from Glasgow. This _____ (3) my friend, Richard, and this _____ (4) my wife, Susan. They _____ (5) English. He _____ (6) from London and she' _____ (7) from Liverpool.

Uzupełnij zdania tak, aby były prawdziwe o Tobie. **2**

1. My name _____ _____ .
2. I'm _____ .
3. I _____ from _____ .

Uporządkuj wyrazy tak, by utworzyły zdania. **3**

Tom / my / is / this / friend _____

is / from / he / London _____

English / he / is _____

wife / this / my / is / Kate _____

Manchester / from / she / is _____

you / to meet / nice / Kate _____

Uzupełnij luki w poniższych zdaniach. **4**

Paweł, Richard and Susan are _____ (1) the ferry.

Paweł is _____ (2) Poland, Richard is _____ (3) Wales and Susan is _____ _____ (4)

Susan and Richard live _____ (5) Cambridge.

They are _____ (6) the same coach.

5   Jak po angielsku powiedzieć

przepraszam?   _____

nic się nie stało?   _____

miło mi cię poznać?   _____

cześć?   _____

SŁOWNICTWO

all right: it's all right [ɪts‿ɔːl 'raɪt] nic nie szkodzi

and [ənd] i; a

apple ['æpl] jabłko

beautiful ['bjuːtəfl] piękny

black [blæk] czarny

book [bʊk] książka

both [bəʊθ] obaj

but [bət] ale

city ['sɪti] miasto

cliffs of Dover ['klɪfs‿əv 'dəʊvə] klify Dover

coach [kəʊtʃ] autokar

on the coach [ɒn ðə 'kəʊtʃ] w autokarze

English ['ɪŋglɪʃ] Anglik, Angielka, angielski

in English [ɪn‿'ɪŋglɪʃ] po angielsku

ferry ['feri] prom

on the ferry [ɒn ðə 'feri] na promie

friend [frend] przyjaciel

from [frəm] z

he [hi] on

he's = he is hiz = [hi‿ɪz] on jest

hello [hə'ləʊ] cześć, dzień dobry

hi [haɪ] cześć

I [aɪ] ja

I'm = I am [aɪm = aɪ‿əm] jestem

I'm sorry! [aɪm 'sɒri] przepraszam!

I've got [aɪv 'gɒt] mam

in [ɪn] w

in Cambridge [ɪn 'keɪmbrɪdʒ] w Cambridge

interesting ['ɪntrəstɪŋ] interesujący

it [ɪt] to

it's = it is [ɪts = ɪt‿ɪz] to jest

lesson ['lesn] lekcja

live [lɪv] mieszkać

look! [lʊk] patrz! patrzcie!

my [maɪ] mój

my name [maɪ 'neɪm] moje imię

my wife [maɪ 'waɪf] moja żona

name [neɪm] imię

my name's = my name is [maɪ 'neɪmz = maɪ 'neɪm‿ɪz] nazywam się

new [njuː] nowy

nice to meet you ['naɪs tə 'miːt juː] miło cię poznać

no [nəʊ] nie

okay [əʊ'keɪ] w porządku, OK

one [ʌn] jeden
really ['riːli] naprawdę
she [ʃi] ona
she's = she is [ʃiz = ʃi‿ɪz] ona
  jest
sorry ['sɒri] przepraszam
the same [ðə 'seɪm] ten sam
they [ðeɪ] oni
they're = they are [ðeə =
  ðeɪ‿ə] oni są
think [θɪŋk] myśleć
I think [aɪ 'θɪŋk] wydaje mi się,
  myślę
this [ðɪs] to

this is [ðɪs‿ɪz] to jest
Warsaw ['wɔːsɔː] Warszawa
we [wi] my
we're = we are [wɪə = wi‿ə]
  jesteśmy
white [waɪt] biały
whoops! [wʊps] wykrzyknik
  używany, gdy coś nam upadnie
  lub gdy popełnimy gafę
wife [waɪf] żona
yes [jes] tak
you [ju] ty
you're = you are [jɔː = ju‿ɑː]
  ty jesteś, wy jesteście

KRAJE I NARODOWOŚCI

England ['ɪŋglənd] • English ['ɪŋglɪʃ] • Anglia / angielski

France ['frɑːns] • French [frentʃ] • Francja / francuski

Germany ['dʒɜːməni] • German ['dʒɜːmən] • Niemcy / niemiecki

Great Britain [ˌgreɪt 'brɪtn] British ['brɪtɪʃ] • Wielka Brytania / brytyjski

Italy ['ɪtəli] • Italian [ɪ'tæljən] • Włochy / włoski

Northern Ireland [ˌnɔːðən‿'aɪələnd] • Northern Irish [ˌnɔːðən‿'aɪrɪʃ]
• Irlandia Północna / północno-irlandzki

Poland ['pəʊlənd] • Polish ['pəʊlɪʃ] • Polska/polski

Russia ['rʌʃə] • Russian ['rʌʃən] • Rosja/rosyjski

Scotland ['skɒtlənd] • Scottish ['skɒtɪʃ] • Szkocja/szkocki

Spain [speɪn] • Spanish ['spænɪʃ] • Hiszpania/hiszpański

the United States [ðə juˌnaɪtəd 'steɪts] • American [ə'merɪkn] • Stany
Zjednoczone / amerykański

Wales [weɪlz] • Welsh [welʃ] • Walia/walijski

Lesson two: In London at last

Paweł	We're in London at last. Are we late?
Richard	No, we aren't. We're on time. Is this your bag?
Paweł	No, it's not. That's my bag.
Susan	Can you help me, Richard? I can't find our case.
Richard	Yes. There you go!
Susan	Oh, come on, Richard. This isn't our case!
Richard	You're right. I'm sorry. It's there.
Susan	Is your hotel far from here?
Paweł	No, it's not. But I can't walk there. My bag's very heavy.
Richard	You can take a taxi from here. The taxi rank is outside the bus station.
Paweł	Thanks, that's a good idea. Well, goodbye!
Richard	Bye! Enjoy your stay in London.
Susan	Bye!
Paweł	Can you take me to 10 George Street, please?
Taxi driver	Of course, Sir.
Paweł	Is it far?
Taxi driver	No, only 5 hours.
Paweł	Pardon?
Taxi driver	Sorry, 5 minutes.
Paweł	Good.
Taxi driver	Here we are.
Paweł	Thanks very much.

Lekcja druga: Wreszcie w Londynie

Paweł	Jesteśmy wreszcie w Londynie. Czy jesteśmy spóźnieni?
Richard	Nie. Jesteśmy punktualnie. Czy to jest twoja torba?
Paweł	Nie. Tam jest moja torba.
Susan	Możesz mi pomóc, Richard? Nie mogę znaleźć naszej walizki.
Richard	Tak. Proszę, oto ona!
Susan	No nie, Richard. To nie jest nasza walizka!
Richard	Masz rację. Przepraszam. Jest tam.
Susan	Czy twój hotel jest daleko stąd?
Paweł	Nie. Ale nie mogę tam iść pieszo. Moja torba jest bardzo ciężka.
Richard	Możesz tutaj wziąć taksówkę. Postój taksówek jest przed dworcem autobusowym.
Paweł	Dzięki, to dobry pomysł. No cóż, do widzenia!
Richard	Cześć! Miłego pobytu w Londynie.
Susan	Cześć!
Paweł	Może mnie pan zabrać na George Street numer 10?
Taksówkarz	Oczywiście, proszę pana.
Paweł	Czy to daleko?
Taksówkarz	Nie, tylko 5 godzin.
Paweł	Słucham?
Taksówkarz	Przepraszam, 5 minut.
Paweł	To dobrze.
Taksówkarz	Jesteśmy na miejscu.
Paweł	Dziękuję bardzo.

GRAMATYKA

CZASOWNIK TO BE - PYTANIA

Pytania z czasownikiem **to be** tworzy się przez inwersję, czyli zmianę szyku zdania – czasownik staje przed podmiotem. Po polsku pytania takie zaczynają się od słowa „czy?".

We are late.	Jesteśmy spóźnieni.
Are we late?	Czy jesteśmy spóźnieni?
This is your bag.	To twoja torba.
Is this your bag?	Czy to jest twoja torba?
Your hotel is far.	Twój hotel jest daleko.
Is your hotel far?	Czy twój hotel jest daleko?
It is far.	To daleko.
Is it far?	Czy to daleko?
You are English.	Jesteś Anglikiem.
Are you English?	Czy jesteś Anglikiem?
I am late.	Jestem spóźniony.
Am I late?	Czy jestem spóźniony?
They are here.	Oni są tutaj.
Are they here?	Czy oni są tutaj?

CZASOWNIK TO BE - PRZECZENIA

Przeczenie tworzy się przez dodanie słowa **not** do czasownika **to be**.
Is i **are** często występują w formie skróconej:

is not [ɪz 'nɒt] = isn't ['ɪznt]
are not [ə 'nɒt] = aren't ['ɑːnt]

I'm not late.	Nie jestem spóźniony.
You **aren't** Welsh.	Nie jesteś Walijczykiem.
We **are not** on time.	Nie jesteśmy punktualnie.
They**'re not** here.	Nie ma ich tutaj.
He **isn't** Pole.	Nie jest Polakiem.
She **is not** in London.	Nie ma jej w Londynie.
This **isn't** our case.	To nie jest nasza walizka.
It**'s not** far.	To nie jest daleko.

CZASOWNIK TO BE - KRÓTKIE ODPOWIEDZI

Krótkie odpowiedzi twierdzące z czasownikiem **to be** pojawiły się już
w lekcji 1.

'Am I late?' 'Yes, **you are**.'   „Czy jestem spóźniony?" „Tak."
'Is she here?' 'Yes, **she is**.'   „Czy ona jest tutaj?" „Tak."

W zaprzeczeniu, podobnie jak w potwierdzeniu, często oprócz słowa
no powtarza się czasownik z odpowiednim zaimkiem.

'Are we late?' 'No, **we aren't**.'   „Czy jesteśmy spóźnieni?" „Nie."
'Is this your bag here?'   „Czy to twoja torba?" „Nie."
'No, **it's not**.'
'Am I on time?' 'No, **you're not**.'   „Czy jestem punktualnie?" „Nie."

ZAIMKI WSKAZUJĄCE - THIS / THAT

This używa się, gdy coś znajduje się blisko nas. Oznacza „ten tutaj",
„ta tutaj". [por. lekcja 1]
That – gdy wskazuje się coś oddalonego od nas. Oznacza „tamten",
„tamta".

Is **this** your bag?	Czy to twoja torba?
	wskazujemy na torbę blisko nas
No, **that**'s my bag.	Nie, to jest moja torba.
	wskazujemy na torbę oddaloną od nas
This isn't our case.	To nie jest nasza walizka.
	wskazujemy na walizkę blisko nas
That's our case there.	To jest nasza walizka.
	wskazujemy na walizkę oddaloną od nas

That czasem oznacza „to":

That's a good idea.   To jest dobry pomysł.

CZASOWNIK - CAN / CAN'T

can - móc   **can't** - nie móc

Jest to czasownik modalny i używa się go z innymi czasownikami, które stoją bezpośrednio po nim.

You **can take** a taxi.	Możesz wziąć taksówkę.
I **can't find** our case.	Nie mogę znaleźć naszej walizki.
I **can't walk** there.	Nie mogę tam iść pieszo.
You **can do** it.	Możesz to zrobić.

PRZYMIOTNIKI DZIERŻAWCZE (1) - MY, YOUR, OUR

Przymiotniki te odpowiadają na pytanie: czyj? czyja? czyje? i pozostają w tej samej formie niezależnie od liczby i rodzaju rzeczownika, przed którym stoją.

my bag	moja torba
my name	moje imię
your bag	twoja torba
your hotel	twój hotel
our case	nasza walizka

[pozostałe przymiotniki dzierżawcze - lekcja 9]

PRZYSŁÓWKI MIEJSCA - HERE / THERE

here - tutaj   **there** - tam

Przysłówki te stoją na końcu zdania.

He's **there**.	On jest tam.
My bag's **here**.	Moja torba jest tutaj.

LICZEBNIKI 0 - 10

0 zero ['zɪərəʊ]   6 six [sɪks]
1 one [wʌn]   7 seven ['sevn]
2 two [tuː]   8 eight [eɪt]
3 three [θriː]   9 nine [naɪn]
4 four [fɔː]   10 ten [ten]
5 five [faɪv]

FUNKCJE JĘZYKOWE

PODZIĘKOWANIA

Thanks.   Dzięki.
Thank you.   Dziękuję.

Można jeszcze dodać **very much**, czyli „bardzo":

Thanks very much.   Wielkie dzięki.
Thank you very much.   Dziękuję bardzo.

W odpowiedzi na podziękowanie mówi się:

Not at all.   Nie ma za co.
You're welcome.   Proszę bardzo.

POŻEGNANIA (1)

Goodbye.   Do widzenia / Żegnaj.
Bye.   Cześć / Do widzenia. (Bardziej
nieformalne niż **"goodbye"**)

Richard do swojego pożegnania dodaje:

Enjoy your stay in London.   Miłego pobytu w Londynie. (*dosł.*
Ciesz się swoim pobytem ...)

Podobnie można też życzyć komuś udanych wakacji:

Enjoy your holiday.   Udanych wakacji.

PROŚBY (1)

Aby o coś poprosić, można użyć zwrotu **Can you...?**
Ważna jest uprzejma intonacja głosu i słówko **please**, czyli „proszę",
które stoi na końcu zdania.

Can you help me, **please?**   Czy możesz mi pomóc?
Can you take me to 10   Czy może mnie pan zawieźć na
George Street, **please?**   ulicę George 10?

A oto inne przykłady:

Can you open it, **please?**   Czy możesz to otworzyć?
Can you carry it, **please?**   Czy możesz to ponieść?
Can you find it, **please?**   Czy możesz to znaleźć?
Can you take it, **please?**   Czy możesz to wziąć?

PODAWANIE ADRESÓW

Najpierw podaje się numer domu, potem nazwę ulicy lub placu, na
końcu słowo **street / road** - „ulica" lub **square** - „plac".

10 George Street ['ten 'dʒɔːdʒ ˌstriːt] ulica George 10
8 Old Kent Road ['eɪt ˌəʊld 'kent ˌrəʊd] ulica Old Kent 8
4 Leicester Square ['fɔː 'lestə ˌskweə] plac Leicester 4

PARDON?

Gdy Paweł prosi kierowcę o powtórzenie, mówi: **Pardon?**
Polski odpowiednik to „Słucham?" lub „Proszę?"

THERE YOU GO!

Gdy coś komuś podajemy, mówimy: **There you go!** albo **There you are!**
Polski odpowiednik: „Proszę!"

HERE WE ARE!

Kiedy są już na miejscu, kierowca taksówki mówi do Pawła: **Here we are.**
Polski odpowiednik: „Jesteśmy na miejscu!" albo „No to jesteśmy."

ĆWICZENIA

Uzupełnij zdania odpowiednią formą czasownika **to be**. W odpowiedziach użyj form skróconych.

1

1. _____ I on time? Yes, you' _____ on time.

2. _____ he on time? No, he _____ . He'_____ late.

3. _____ she there? No, she _____ . She' _____ in York.

4. _____ they late? Yes, they _____ .

5. _____ Mark in London? Yes, he _____ . He' _____ here.

6. _____ we late? No, we _____ . We' _____ on time.

2 Uzupełnij luki odpowiednią formą czasownika **to be** w formie twierdzącej lub przeczącej.

Well, Susan, we' _____ (1) in Cambridge at last.

Yes, we _____ (2). _____ (3) this our case?

No, it _____ (4). That'_____ (5) our case there.

(przez telefon)

Hello, Kate. _____ (6) you on the ferry?

No, I' _____ (7). I' _____ (8) on the coach. We'
_____ (9) in London. We _____ (10) late.

_____ (11) Tom there?

Yes, he _____ (12) here.

_____ (13) you Paweł?

Yes, my name _____ (14) Paweł.

Hello. I' _____ (15) Peter and this _____ (16) Ann.

Hi. Nice to meet you. _____ (17) you English?

No, we _____ (18) English. Ann _____ (19) Scottish and I _____ (20) Irish.

3 Uzupełnij luki w zdaniach odpowiednim słowem.

Richard, my bag _____ (1) very heavy.

_____ (2) you carry it, _____ (3)?

Yes, of course. _____ (4) your hotel far _____
_____ (5) here?

This _____ (6) the address.

Oh, Sussex Road. It _____ (7) very far. Only 10
minutes.

_____ (8) you help me, please?

Yes?

I _____ (9) find my case. _____ (10) you find

it, please?

Of course. Is _____ (11) your case?

Yes, _____ _____ (12) very much.

Uporządkuj słowa tak, by powstał dialog.   **4**

1. to / you / can / please / take / me / 6 / street / Oxford? _____

   _____

2. of / yes / course / sir _____

3. far / it / is? _____

4. it / no / is / far / not _____

5. are / here / we _____

6. much / thank / very / you _____

Jak po angielsku?   **5**

1. Pożegnać się? _____

2. Życzyć komuś udanych wakacji? _____

   _____

3. Podziękować? _____

4. Życzyć komuś miłego pobytu w Yorku? _____

   _____

3. Powiedzieć: „Jesteśmy na miejscu"? _____

   _____

SŁOWNICTWO

address [ə'dres] adres
aren't [ɑːnt] nie jesteś / nie jesteśmy / nie są
at last [ət 'lɑːst] w końcu, nareszcie
bag [bæg] torba
bye [baɪ] cześć, do widzenia
can [kæn] móc
can't [kɑːnt] nie móc
carry ['kæri] nieść
case [keɪs] walizka
come on ['kʌm‿ɒn] tu: okrzyk wyrażający irytację
driver ['draɪvə] kierowca
enjoy: enjoy your stay in...
   [ɪn'dʒɔɪ jə 'steɪ‿ɪn] udanego pobytu w...
far [fɑː] daleko
find [faɪnd] znaleźć
good [gʊd] dobry
goodbye [gʊd'baɪ] do widzenia
heavy ['hevi] ciężki
help [help] pomóc
here [hɪə] tutaj
here we are ['hɪə wi‿'ɑː] jesteśmy na miejscu
holiday ['hɒlɪdeɪ] wakacje
hotel [həʊ'tel] hotel
hours [aʊəz] godziny
idea [aɪ'dɪə] pomysł
   that's a good idea [ðæts‿ə gʊd‿aɪ'dɪə] to dobry pomysł
isn't ['ɪznt] nie jest
late [leɪt] późno
   be late [bi 'leɪt] być spóźnionym
me [mi] mnie, mi

minutes ['mɪnɪts] minuty
near [nɪə] blisko
not [nɒt] nie
not at all ['nɒt‿ət‿'ɔːl] nie ma za co
of course [əv 'kɔːs] oczywiście
only ['əʊnli] tylko
open ['əʊpn] otwierać
our [aʊə] nasz, nasza, nasze
ours [aʊəz] nasz, nasza, nasze
outside [aʊt'saɪd] na zewnątrz
pardon ['pɑːdn] proszę słucham
please [pliːz] proszę
right: you are right [ju‿ə 'raɪt] masz rację
sir [sɜː] proszę pana
soon [suːn] wkrótce
stay [steɪ] pobyt
take [teɪk] wziąć
thanks [θæŋks] dzięki
thank you [θæŋk ju] dziękuję
that [ðæt] tamten, tamta, tamto
there [ðeə] tam
there you are ['ðeə ju‿'ɑː] proszę (przy podawaniu)
there you go ['ðeə ju 'gəʊ] proszę (przy podawaniu)
this [ðɪs] ten, ta, to
time [taɪm] czas
   on time [ɒn 'taɪm] na czas, punktualnie
to [tə] do, na (ulicę)
very ['veri] bardzo
very much ['veri 'mʌtʃ] bardzo dużo
walk [wɔːk] iść pieszo

welcome: you're welcome [jɔː
ˈwelkəm] proszę bardzo (*w odpowiedzi na „dziękuję"*)
well [wel] a więc, no cóż
your [jɔː] twój, twoja, twoje

w mieście

bus [bʌs] autobus
bus station [ˈbʌs ˌsteɪʃn] dworzec
autobusowy
bus stop [ˈbʌs ˌstɒp] przystanek
autobusowy

car [kɑː] samochód
road [rəʊd] ulica
square [skweə] plac
street [striːt] ulica
taxi [ˈtæksi] taksówka
taxi rank [ˈtæksi ˌræŋk] postój
taksówek
town centre [ˈtaʊn ˌsentə] centrum miasta
train station [ˈtreɪn ˌsteɪʃn] dworzec kolejowy
tram [træm] tramwaj

Lesson three: In a guest house

Paweł	Hello, I've got a reservation. My name's Paweł Grocki.
Receptionist	Good afternoon, Mr Grocki. Your room is ready. Can you fill in this form, please?
Paweł	Of course. First and middle names... Surname... Address...
Receptionist	And can you sign here, at the bottom, please?
Paweł	Certainly. There you are.
Receptionist	Thank you. Can I see your passport, please?
Paweł	Here you are. Is breakfast included in the price?
Receptionist	Yes, it is. But dinner isn't included. Here's your key. Your room is on the third floor. I hope you enjoy your stay with us.
Paweł	Thanks. When is breakfast?
Receptionist	From 7 to 9 o'clock.
Paweł	And where is the dining room?
Receptionist	On the first floor. We've got a bar, too. It's open from noon to 11 o'clock at night.
Paweł	Good to know. And what's this room here?
Receptionist	That's the bar.
Paweł	I see. It's nice. Where is the lift?
Receptionist	Here on the left.
Paweł	Thanks a lot.

Lekcja trzecia: W hotelu

Paweł	Dzień dobry, mam rezerwację. Nazywam się Paweł Grocki.
Recepcjonistka	Dzień dobry, panie Grocki. Pański pokój jest gotowy. Czy może pan wypełnić ten formularz?
Paweł	Oczywiście. Pierwsze i drugie imię... Nazwisko... Adres...
Recepcjonistka	I proszę podpisać tutaj na dole.
Paweł	Oczywiście. Proszę bardzo.
Recepcjonistka	Dziękuję. Czy mogę zobaczyć pana paszport?
Paweł	Proszę. Czy śniadanie jest wliczone w cenę?
Recepcjonistka	Tak. Ale obiad nie jest wliczony. Oto pański klucz. Pański pokój jest na trzecim piętrze. Mam nadzieję, że będzie pan miał przyjemny pobyt u nas.
Paweł	Dziękuję. Kiedy jest śniadanie?
Recepcjonistka	Od 7 do 9.
Paweł	A gdzie jest jadalnia?
Recepcjonistka	Na pierwszym piętrze. Mamy też bar. Jest otwarty od południa do 11 wieczorem.
Paweł	Dobrze wiedzieć. A co to za pokój tutaj?
Recepcjonistka	To właśnie ten bar.
Paweł	Rozumiem. Sympatycznie wygląda (*dosł.* Jest miły). Gdzie jest winda?
Recepcjonistka	Tutaj na lewo.
Paweł	Bardzo dziękuję.

(at the lift)

Laura	Excuse me! Wait, please! Thanks.
Paweł	I can help you with your bags.
Laura	Thanks. You're very kind. I've got too many bags.
Paweł	Not bad. You've got three big bags.
Laura	Yes, it's not very practical. Where are you from?
Paweł	From Poland.
Laura	Really? I've got friends in Poland. In Gdansk.
Paweł	I'm from Warsaw. My name's Paweł. What's your name?
Laura	I'm Laura. Right. This is my floor. See you later, Paweł.

(*przy windzie*)

Laura	Przepraszam! Proszę poczekać! Dzięki.
Paweł	Mogę ci pomóc z tymi torbami.
Laura	Dzięki. Jesteś bardzo miły. Mam zbyt wiele to-reb.
Paweł	Nieźle. Masz trzy duże torby.
Laura	Tak, to nie bardzo praktyczne. Skąd jesteś?
Paweł	Z Polski.
Laura	Naprawdę? Mam przyjaciół w Polsce. W Gdańsku.
Paweł	Ja jestem z Warszawy. Mam na imię Paweł. Jak ty się nazywasz?
Laura	Jestem Laura. No cóż. To moje piętro. Do zobaczenia, Paweł.

GRAMATYKA

ZAIMKI PYTAJĄCE - WHEN? WHERE? WHAT?

when - kiedy

When is breakfast?	Kiedy jest śniadanie?
When is the bar open?	Kiedy jest otwarty bar?

where - gdzie

Where is the dining room?	Gdzie jest jadalnia?
Where is the lift?	Gdzie jest winda?

a także:

Where are you **from**?	Skąd jesteś?

what - co

What's this?   Co to jest?
What's this room here? Co to za pokój tutaj?

a także:

What's your name?   Jak się nazywasz?

W pytaniach z zaimkami pytającymi szyk zdania jest odwrócony – czasownik **to be** stoi przed podmiotem [por. lekcja 2].

CZASOWNIK HAVE GOT - ZDANIA TWIERDZĄCE

have got [həv 'gɒt] - mieć
've got [v 'gɒt] - forma skrócona czasownika have got

I **have got** a reservation.   Mam rezerwację.
You**'ve got** three big bags.   Masz trzy duże torby.
We**'ve got** a bar, too.   Mamy też bar.
They **have got** your key.   Oni mają twój klucz.

Czasownik ten ma inną formę dla 3. osoby liczby pojedynczej:

has got [həz 'gɒt] - ma
's got [z 'gɒt] - forma skrócona **has got**

She **has got** a friend in Gdansk.   Ona ma przyjaciela w Gdańsku.
He**'s got** friends in Cambridge.   On ma przyjaciół w Cambridge.
The hotel **has got** a bar.   Hotel ma bar.

Uwaga!
's = is lub **has**

She**'s** my friend. (=is)   Ona jest moją przyjaciółką.
She**'s got** a friend in London.   Ona ma przyjaciółkę w Londynie.
(=has)

LICZBA MNOGA RZECZOWNIKÓW

Liczbę mnogą tworzy się przez dodanie końcówki **-s** do formy liczby pojedynczej:

a name	imię	**names**	imiona
a bag	torba	**bags**	torby
a friend	przyjaciel	**friends**	przyjaciele

PRZYMIOTNIK - MIEJSCE W ZDANIU

Przymiotniki stawia się po czasowniku **to be**:

Your room is **ready**.	Pański pokój jest gotowy.
It's **nice**.	Jest ładne / miłe.
You're very **kind**.	Jesteś bardzo uprzejmy.
It's not very **practical**.	To nie bardzo praktyczne.

lub przed rzeczownikiem, który opisują (nigdy po rzeczowniku):

three **big** bags	trzy duże torby
an **interesting** city	interesujące miasto
a very **heavy** bag	bardzo ciężka torba

Very przed przymiotnikiem oznacza „bardzo".

PRZEDIMEK OKREŚLONY - THE

Przedimek określony **the** oznacza „ten, wiesz który" i stawia się go przed rzeczownikiem, gdy słuchacz wie, o którą osobę lub rzecz chodzi. Można go używać przed rzeczownikami w liczbie mnogiej i pojedynczej. Najczęściej nie tłumaczy się go na język polski, podobnie jak przedimka nieokreślonego [lekcja 1].

That's **the** bar.	To ten bar. (ten, o którym właśnie wspominałam)
Is breakfast included in **the** price?	Czy śniadanie jest wliczone w cenę? (tę cenę, którą płacę za pokój)

Przedimek ten wymawia się [ðə] przed spółgłoskami i [ði] przed samogłoskami.

the road [ðə ˈrəʊd] (ta) ulica
the afternoon [ði‿ɑːftəˈnuːn] (to) popołudnie

LICZEBNIKI PORZĄDKOWE 1-3

1 - one	**1st - first** [fɜːst]
2 - two	**2d - second** [ˈsekənd]
3 - three	**3d - third** [θɜːd]

PRZYIMKI - ON, WITH

on - na

on the first floor	na pierwszym piętrze
on the third floor	na trzecim piętrze
on the left	po lewej stronie
on the right	po prawej stronie

with - z

with us	z nami
Susan **with** friends	Susan z przyjaciółmi
I've got bags **with** me	mam ze sobą torby

FUNKCJE JĘZYKOWE

PRZEPROSINY (2)

Excuse me używa się, aby zwrócić na siebie czyjąś uwagę bądź o coś kogoś zapytać. **Sorry** lub **I'm sorry** – aby za coś przeprosić.
Po polsku w obu tych wypadkach używa się słowa „przepraszam" [lekcja 1].

POWITANIA (2)

W zależności od pory dnia używa się innego zwrotu przy powitaniu:

Good morning. [ˌɡʊd ˈmɔːnɪŋ]	rano
Good afternoon. [ˌɡʊd ˌɑːftəˈnuːn]	po południu
Good evening. [ˌɡʊd ˈiːvnɪŋ]	wieczorem

Hi i **Hello** są używane o każdej porze dnia [lekcja 1].

POŻEGNANIA (2)

See you later.	Do zobaczenia później.
See you.	Do zobaczenia.

[patrz też - lekcja 2]

PODAWANIE GODZINY

Przy podawaniu pełnych godzin można dodać słowo **o'clock**:

nine **o'clock**	godzina 9
ten **o'clock**	godzina 10

„od _ do _" to po angielsku **from _ to _**:

from seven **to** eight	od 7 do 8
from morning **to** night	od rana do nocy

[godziny - lekcja 4]

PYTANIE O DANE OSOBOWE

What's your name / surname?	Jak się nazywasz? / Jak masz na nazwisko?
What's your address / telephone number?	Jaki jest twój adres / numer telefonu?
What's your passport number?	Jaki jest numer twojego paszportu?
Where are you from?	Skąd jesteś?

ĆWICZENIA

Wstaw odpowiednie słowo - **where**, **when** lub **what**.

1

1. '_____ are your bags?' 'They're over there.'
2. '_____ is dinner?' 'At 6 o'clock.'

3. '_____ are you?' 'I'm here!'

4. '_____ is your name?' 'Tony.'

5. '_____'s this?' 'It's a lift.'

6. '_____ is it open?' 'From 8 to 12.'

2 Uzupełnij zdania, wpisując **have got** lub **has got** w formie skróconej lub pełnej.

1. The hotel is nice. It'_____ a bar and a dining room.

2. I'_____ a reservation. My name's Smith.

3. Laura _____ too many bags. She'_____ three big bags. It's not very practical.

4. Frank and Richard _____ your passport. They'_____ _____ your key, too.

3 Uporządkuj słowa tak, aby utworzyły dialog.

1. 'is / lift / where / the?' _____

2. 'on / is / the right / it.' _____

3. 'have / hello / I / a friend / got / me / with.' _____

_____

4. 'nice / that / is.' _____

5. 'evening / good / Smith / Mr.' _____

6. 'evening / your / good / what / name / is?' _____

_____

4 Uzupełnij luki w zdaniach, używając **excuse me** lub **sorry**.

1. '_____ , can you help me, please?' 'Yes, of course.'

2. 'Are you English?' 'No, Irish.' 'Whoops, _____.'

3. '_____, where is the lift?' 'Over there.' 'Thank you.'

4. 'It's 3 o'clock.' '3 o'clock?!' 'Oh, _____ - 2 o'clock.'

Jak po angielsku

1. Spytasz, kiedy jest podwieczorek? _____

_____

2. Spytasz gdzie jest twoja książka? _____

_____

3. Powiesz, że twój pokój jest na trzecim piętrze? _____

_____

4. Powiesz, że masz tutaj rezerwację? _____

_____

SŁOWNICTWO

at [ət] przy, w
  at night vət 'naɪt] w nocy
  at the lift [ət ˌðə 'lɪft] przy windzie
bad [bæd] zły
bar [bɑː] bar
big [bɪg] duży
bottom ['bɒtəm] spód
certainly ['sɜːtnli] oczywiście
dining room ['daɪnɪŋ ˌruːm] jadalnia

excuse me vɪk'skjuːz mi] przepraszam
fill in [ˌfɪl‿'ɪn] wypełnić
first [fɜːst] pierwszy
floor [flɔː] piętro
form [fɔːm] formularz
good [gʊd] dobry
good afternoon [gʊd‿ˌɑːftə'nuːn] dzień dobry (*po południu*)
good evening [ˌgʊd‿'iːvnɪŋ] dobry wieczór

good morning [ˌgʊd ˈmɔːnɪŋ] dzień dobry (*rano*)

good to know [ˈgʊd tə ˈnəʊ] dobrze wiedzieć

guest house [ˈgest ˌhaʊs] pensjonat

have got [həv ˈgɒt] mieć

here you are [ˈhɪə juˑˈɑː] proszę bardzo

here's [ˈhɪəz] oto

hope [həʊp] mieć nadzieję

I've got [aɪv ˈgɒt] mam

included in [ɪnˈkluːdɪd ɪn] wliczony w

key [kiː] klucz

kind [kaɪnd] uprzejmy

know [nəʊ] wiedzieć

left [left] lewa strona

lift [lɪft] winda

me [mi] mnie, mną

Mr [ˈmɪstə] pan (*przed nazwiskiem*)

Mrs [ˈmɪsɪz] pani (*przed nazwiskiem*)

nice [naɪs] miły, ładny

night [naɪt] noc

noon [nuːn] południe

not bad [ˈnɒt ˈbæd] nieźle

o'clock [əˈklɒk] godzina

on ɒn na

  on the left [ɒn ðə ˈleft] po lewej stronie

  on the right [ɒn ðə ˈraɪt] po prawej stronie

open [ˈəʊpn] otwarty

practical [ˈpræktɪkl] praktyczny

price [praɪs] cena

ready [ˈredi] gotowy

receptionist [rɪˈsepʃənɪst] recepcjonistka

reservation [ˌrezəˈveɪʃn] rezerwacja

right [raɪt] dobrze

room [ruːm] pokój

second [ˈsekənd] drugi

see: I see [aɪ ˈsiː] rozumiem

sign [saɪn] podpisać

thanks a lot [ˈθæŋks ə ˈlɒt] wielkie dzięki

third [θɜːd] trzeci

too [tuː] także

too many [ˈtuː ˈmeni] zbyt wiele

us [əs] nam, nami

wait [weɪt] czekać

we've got [wiv ˈgɒt] mamy

what [wɒt] co

  what's your name? [ˈwɒts jɔː ˈneɪm] jak się nazywasz?

when [wen] kiedy

where [weə] gdzie

  where are you from [ˈweər ə ju ˈfrɒm] skąd jesteś

with [wɪð] z

posiłki

breakfast [ˈbrekfəst] śniadanie

dinner [ˈdɪnə] obiad

lunch [lʌntʃ] lunch

meal [miːl] posiłek

supper [ˈsʌpə] kolacja

tea [tiː] podwieczorek

dane osobowe

address [əˈdres] adres

age [eɪdʒ] wiek
country ['kʌntri] kraj
date of birth [ˌdeɪt_əv 'bɜːθ] data urodzenia
first name ['fɜːst ˌneɪm] pierwsze imię
nationality [ˌnæʃə'nælɪti] obywatelstwo
passport number ['pɑːspɔːt ˌnʌmbə] numer paszportu

place of birth [ˌpleɪs_əv 'bɜːθ] miejsce urodzenia
second name ['sekənd ˌneɪm] drugie imię
sex [seks] płeć
surname ['sɜːneɪm] nazwisko
telephone number ['telɪfəʊn ˌnʌmbə] numer telefonu

Lesson four: I'm lost

Receptionist	How is your room, Mr Grocki? I hope you like it.
Paweł	Yes, it's a lovely room. Could you give me some information?
Receptionist	Yes, of course.
Paweł	Are there any shops near here?
Receptionist	Certainly, there's a newsagent and a butcher's on this street...
Paweł	No, I want to buy bread and fruit. Is there a supermarket nearby?
Receptionist	I'm sorry, but the supermarket is quite far from here. About twenty minutes' walk.
Paweł	What a pity.
Receptionist	But there's a green-grocer's on Bath Street, and a market on the corner of Bath Street and York Place.
Paweł	I love markets – how do I get there?
Receptionist	It's very easy – you can't miss it. Go out and turn left, then go straight on until you come to traffic lights. Cross the road, then turn right...
Paweł	This is hopeless! I'm lost. Excuse me, can you help me?
Man	Yes, what's wrong?
Paweł	I'm lost. I want to get to the market.
Man	The market? That's easy. Go to the end of this street, turn left, and you're there.
Paweł	Great, thanks very much.
Man	No problem. Oh, could you tell me the time?
Paweł	Yes, it's half past eleven.
Man	Thanks. Remember, turn left!

Lekcja czwarta: Zgubiłem się

Recepcjonistka	Jak pański pokój, panie Grocki? Mam nadzieję, że się panu podoba.
Paweł	Tak, to uroczy pokój. Czy mogłaby mi pani udzielić pewnej informacji?
Recepcjonistka	Tak, oczywiście.
Paweł	Czy są tu w pobliżu jakieś sklepy?
Recepcjonistka	Naturalnie, na tej ulicy jest kiosk i rzeźnik...
Paweł	Nie, chcę kupić chleb i owoce. Jest tu w pobliżu supermarket?
Recepcjonistka	Przykro mi, ale supermarket jest dosyć daleko. Około dwudziestu minut spacerem.
Paweł	Co za szkoda.
Recepcjonistka	Ale na ulicy Bath jest warzywniak, no i targ na rogu ulicy Bath i York Place.
Paweł	Uwielbiam targi — jak się tam dostanę?
Recepcjonistka	To bardzo proste — nie można go przeoczyć. Proszę wyjść i skręcić w lewo, potem iść prosto aż pan dojdzie do świateł. Proszę przejść przez ulicę, potem skręcić w prawo...
Paweł	To beznadziejne! Zgubiłem się. Przepraszam, czy mógłby mi pan pomóc?
Mężczyzna	Tak, co się stało?
Paweł	Zgubiłem się. Chcę dojść do targu.
Mężczyzna	Do targu? To proste. Proszę iść do końca tej ulicy, skręcić w lewo, i jest pan na miejscu.
Paweł	Świetnie, dziękuję bardzo.
Mężczyzna	Proszę bardzo. Ach, mógłby mi pan powiedzieć, która jest godzina?
Paweł	Tak, jest jedenasta trzydzieści.
Mężczyzna	Dzięki. Proszę pamiętać, niech pan skręci w lewo!

GRAMATYKA

THERE IS / THERE ARE - ZDANIA TWIERDZĄCE / PYTANIA / PRZECZENIA

There is [ðeər‿ɪz] oznacza „jest / znajduje się".
There's [ðeəz] to forma skrócona.
There are [ðeər‿ə] oznacza „są / znajdują się".

Szyk zdania zawierającego te wyrażenia różni się od polskiego: **there is / are** stoją na początku zdania; okolicznik miejsca na końcu.

There is a green-grocer's on Bath Street.

Na ulicy Bath jest warzywniak.

There are two supermarkets in this town.

W tym mieście są dwa supermarkety.

Pytania tworzy się przez inwersję: czasownik **is / are** staje przed **there**.

Are there any shops near here?   Czy są w pobliżu jakieś sklepy?
Is there a good butcher's in   Czy jest na tej ulicy dobry sklep
this street?   mięsny?

Przeczenia tworzy się przez dodanie **not** do czasownika **to be**.

There aren't any shops in   Na tej ulicy nie ma żadnych skle-
this street.   pów.
There isn't a supermarket   W pobliżu nie ma supermarketu.
nearby.

OKOLICZNIKI MIEJSCA (NEAR, FAR, NEARBY, ...)

Okoliczniki miejsca mówią, gdzie się coś znajduje. Stoją zwykle na
końcu zdania.

The shop is **near here**.   Ten sklep jest **niedaleko stąd**.
It's **near**.   To jest **blisko**.
There's a bus stop **nearby**.   **W pobliżu** jest przystanek auto-
   busowy.

It's not **far**.   To nie jest **daleko**.
The market is **far from here**.   To targowisko jest **daleko stąd**.
They are **on this street**.   Oni są **na tej ulicy**.
There's a hotel **on the corner**   **Na rogu ulicy West i ulicy East**
of West Street and East Street.   jest hotel.

TRYB ROZKAZUJĄCY

Do wyrażenia poleceń, rozkazów czy instrukcji w języku angielskim
używa się **formy podstawowej czasownika**.

Go out.   Wyjdź / Niech pan wyjdzie.
Cross the road.   Przejdź przez ulicę / Niech pan
   przejdzie przez ulicę.
Remember.   Pamiętaj / Niech pan pamięta.

ANY - W PYTANIACH I PRZECZENIACH

Przymiotnik ten jest używany w pytaniach i przeczeniach. W pytaniach oznacza „jakiś", a w przeczeniach - „żaden":

Are there **any** shops here?	Czy są tu jakieś sklepy?
Have you got **any** friends in Poland?	Masz (jakichś) przyjaciół w Polsce?
There aren't **any** butcher's here.	Nie ma tu żadnych sklepów mięsnych.
We haven't got **any** rooms free.	Nie mamy żadnych wolnych pokoi.

PRZYIMEK TO

to - do

Go **to** the shop.	Idź do sklepu.
How do I get **to** the centre?	Jak się dostanę do centrum?

LICZEBNIKI 11-100

11 eleven [ɪ'levn]	25 twenty-five [ˌtwenti 'faɪv]
12 twelve [twelv]	26 twenty-six [ˌtwenti 'sɪks]
13 thirteen [θɜː'tiːn]	27 twenty-seven [ˌtwenti 'sevn]
14 fourteen [fɔː'tiːn]	28 twenty-eight [ˌtwenti_'eɪt]
15 fifteen [fɪf'tiːn]	29 twenty-nine [ˌtwenti 'naɪn]
16 sixteen [sɪks'tiːn]	30 thirty ['θɜːti]
17 seventeen [ˌsevn'tiːn]	40 forty ['fɔːti]
18 eighteen [eɪ'tiːn]	50 fifty ['fɪfti]
19 nineteen [naɪn'tiːn]	60 sixty ['sɪksti]
20 twenty ['twenti]	70 seventy ['sevnti]
21 twenty-one [ˌtwenti 'wʌn]	80 eighty ['eɪti]
22 twenty-two [ˌtwenti 'tuː]	90 ninety ['naɪnti]
23 twenty-three [ˌtwenti 'θriː]	100 a hundred [ə 'hʌndrɪd]
24 twenty-four [ˌtwenti 'fɔː]	

FUNKCJE JĘZYKOWE

PYTANIE O DROGĘ

How do I get there? [ˈhaʊ duˍaɪ ˈget ðeə] Jak się tam dostanę?
How do I get to ...? [ˈhaʊ duˍaɪ ˈget tə] Jak się dostanę do ...?
Could you tell me the way to ...? [kədˍju ˈtel mi ðə ˈweɪ tə]
Proszę mi powiedzieć jak się dostać do...?

WSKAZÓWKI

Wskazówki, jak dokądś dojść, udzielane są w trybie rozkazującym.

Go out. [ˌgəʊˍˈaʊt] Proszę wyjść na zewnątrz.
Turn left / right. [ˌtɜːn ˈleft / ˈraɪt] Proszę skręcić w lewo / prawo.
Go straight on (until you come to...) [ˈgəʊ ˌstreɪtˍˈɒn (ˍənˈtɪl ju ˈkʌm tə...] Proszę iść prosto (aż do...)
Go to the end of this street. [ˈgəʊ tə ðiˍˈendˍəv ðɪs ˈstriːt] Proszę iść do końca tej ulicy.
Go to the other side of this road / square. [ˈgəʊ tə ðiˍˈʌðə ˈsaɪdˍəv ðɪs ˈrəʊd / ˈskweə] Proszę przejść na drugą stronę ulicy / placu.
Cross the road / bridge. [ˈkrɒs ðə ˈrəʊd / ˈbrɪdʒ] Proszę przejść przez ulicę / most.
Go back. [ˌgəʊ ˈbæk] Proszę zawrócić.

PROŚBY (2) - COULD ...?

W prośbach można użyć słowa **can** [lekcja 2]:

Can you help me, please?   Proszę mi pomóc.

albo słowa **could**:

Could you help me, please?   Proszę mi pomóc.
Could you give me some   Proszę mi udzielić pewnej infor-
information?   macji.
Could you tell me the time,   Proszę mi powiedzieć, która jest
please?   godzina.

Could jest formą grzeczniejszą od **can** i częściej używaną wobec obcych.
Na końcu prośby dodaje się słowo **please** - proszę.

PYTANIE O GODZINĘ

Could you tell me the time, please? [kəd‿ju 'tel mi ðə 'taɪm
'pliːz] Proszę mi powiedzieć, która jest godzina.
What's the time, please? ['wɒts ðə 'taɪm 'pliːz] Która godzina?
Excuse me, what time is it? [ɪk'skjuːz mi ˌwɒt 'taɪm‿ɪz‿ɪt] Przepraszam, która godzina?

GODZINY

2.00 **two o'clock** ['tuː‿ə'klɒk]
3.05 **five (minutes) past three** ['faɪv (ˌmɪnɪts) paːst 'θriː]
4.07 **seven minutes past four** ['sevn ˌmɪnɪts paːst 'fɔː]
5.15 **quarter past five** ['kwɔːtə paːst 'faɪv]
6.20 **twenty (minutes) past six** ['twenti (ˌmɪnɪts) paːst 'sɪks]
7.30 **half past seven** ['haːf paːst 'sevn]
8.32 **twenty-eight minutes to nine** [ˌtwenti‿'eɪt ˌmɪnɪts tə 'naɪn]
9.45 **quarter to ten** ['kwɔːtə tə 'ten]
10.49 **eleven minutes to eleven** [ɪ'levn ˌmɪnɪts tu‿ɪ'levn]
11.55 **five (minutes) to twelve** ['faɪv (ˌmɪnɪts) tə 'twelv]

Brytyjczycy używają zegara 12-godzinnego, a nie 24-godzinnego. Gdy
z kontekstu nie wynika, o jaką porę dnia chodzi, dodają odpowiednio
a.m. (przed południem; od północy do południa) lub **p.m.** (po południu; od południa do północy).
  1.00 **one a.m.** ['wʌn‿eɪ‿'em]
  8.00 **eight a.m.** ['eɪt‿eɪ‿'em]
13.00 **one p.m.** ['wʌn piː‿'em]
23.00 **eleven p.m.** [ɪ'levn piː‿'em]

Zamiast słów **a.m.** i **p.m.** można dodać zwroty określające porę dnia:
in the morning [ɪn ðə 'mɔːnɪŋ rano]
in the afternoon [ɪn ðɪ‿ɑːftə'nuːn] po południu
in the evening [ɪn ðɪ‿'iːvnɪŋ] wieczorem
at night [ət 'naɪt] w nocy

ĆWICZENIA

Uporządkuj słowa tak, aby utworzyły zdania.   **1**

1. near / supermarket / is / there / a / here _____
2. Street / is / a / hotel / Regent / there / in _____
3. are / three / Square / shops / in / there / Queen_____
4. the corner of / there / this / two / shops / on / street / are

   _____

5. nearby / there / a chemist's / is ? _____
6. any / nearby / newsagent's / are / there ? _____

Uzupełnij luki w zdaniach, używając **there are, there is, they are**   **2**
lub **it is** w odpowiedniej formie.

(1)_____ any shops in this street? (2)_____ many shops in this street.
(3)_____ a butcher's and (4)_____ a florist. (5)_____ very near.
(6)_____ also two newsagents. (7)_____ quite far away from here.
(8)_____ any hotels near here? Yes, (9)_____ one hotel in Ferguson
Street. (10)_____ a good hotel. (11)_____ also two hotels in Baker
Street but (12)_____ not very good.

Zadaj odpowiednie pytanie.   **3**

1. '_____ ?' 'No, it's not very far.'
2. '_____ ?' 'No, there aren't any
   shops in this street.'
3. '_____ ?' 'No, there isn't a lift
   here, I'm afraid.'
4. '_____ ?' 'Well, there are two
   hotels, but they're not very good.'

4 Uzupełnij luki w zdaniach odpowiednim przyimkiem.

1. The centre is not far _____ here.
2. The chemist's is _____ the second floor.
3. I'm _____ a supermarket now. Where are you?
4. Have you got many bags _____ you?
5. There's a green-grocer's _____ this street.
6. Go _____ the shop and buy some bread.

---

5 Jak po angielsku

1. Zapytać o godzinę? _____
2. Zapytać o drogę do targowiska? _____
3. Poprosić o pomoc? _____
4. Zapytać, czy w pobliżu znajduje się sklep muzyczny? _____

_____

5. Powiedzieć komuś, aby przeszedł przez ulicę i skręcił w lewo? ___

_____

6. Powiedzieć komuś, aby szedł prosto, a potem skręcił w prawo? ___

_____

SŁOWNICTWO

about [əˈbaʊt] około
back [bæk] z powrotem
bread [bred] chleb
bridge [brɪdʒ] most
bus stop [ˈbʌs ˌstɒp] przystanek autobusowy
corner [ˈkɔːnə] róg
could: could you [kəd ju] mógłbyś

cross [krɒs] przejść
easy [ˈiːzi] prosty, łatwy
end [end] koniec
far [fɑː] daleko
  far from here [ˈfɑː frəm ˈhɪə] daleko stąd
fruit [fruːt] owoc / owoce
get to [get tə] dostać się do
give [gɪv] dawać

give some information ['gɪv
  səm‿ˌɪnfə'meɪʃn] udzielać informacji
go [gəʊ] iść
  go out [ˌgəʊ‿'aʊt] wychodzić
  go straight on ['gəʊ streɪt‿'ɒn]
  iść prosto
  go back [ˌgəʊ 'bæk] wracać
great [greɪt] świetnie
hopeless ['həʊpləs] beznadziejny
left [left] lewa strona
like [laɪk] lubić
  you like it [ju 'laɪk‿ɪt] podoba
  ci się
lost [lɒst] zgubiony
  I'm lost [aɪm 'lɒst] zgubiłem
  się, zabłądziłem
love [lʌv] kochać, bardzo lubić
lovely ['lʌvli] uroczy
miss [mɪs] przeoczyć, nie trafić
  you can't miss it [ju 'kɑːnt
  'mɪs‿ɪt] nie można go przeoczyć
near [nɪə] blisko
  near here [nɪə 'hɪə] blisko stąd
nearby [nɪə'baɪ] niedaleko
of course [əv 'kɔːs] oczywiście
on [ɒn] na
  on the corner [ɒn ðə 'kɔːnə]
  na rogu
pity ['pɪti] szkoda
  what a pity ['wɒt‿ə 'pɪti] co za
  szkoda
problem ['prɒbləm] kłopot
  no problem [nəʊ 'prɒbləm]
  proszę bardzo, żaden kłopot
quite [kwaɪt] dosyć
remember [rɪ'membə] pamiętać
right [raɪt] prawa strona
shop [ʃɒp] sklep

side [saɪd] strona
straight [streɪt] prosty
  straight on [ˌstreɪt‿'ɒn] prosto
street [striːt] ulica
tell [tel] powiedzieć
  tell the time ['tel ðə 'taɪm] powiedzieć, która godzina
there're = there are [ðərə =
  ðər‿ə] są, znajdują się
there's = there is [ðəz =
  ðər‿ɪz] jest, znajduje się
turn [tɜːn] skręcić
turn back [ˌtɜːn 'bæk] zawracać
until [ən'tɪl] aż do
walk [wɔːk] spacer
way [weɪ] droga
wrong [rɒŋ] zły
  what's wrong? ['wɒts 'rɒŋ] co
  się stało?

nazwy sklepów

bakery ['beɪkri] piekarnia
bookshop ['bʊkʃɒp] księgarnia
butcher's ['bʊtʃəz] mięsny
clothes' shop ['kləʊðz ʃɒp]
  odzieżowy
florist ['flɒrɪst] kwiaciarnia
green-grocer's [ˈgriːnˌgrəʊsəz]
  warzywny
market ['mɑːkɪt] targ
newsagent ['njuːzˌeɪdʒənt] kiosk
  z gazetami
off-licence ['ɒfˌlaɪsəns] monopolowy
record shop ['rekɔːd ʃɒp] sklep
  muzyczny
supermarket ['suːpəˌmɑːkɪt] supermarket

Lesson five: At the market

Paweł	Excuse me, how much is this loaf of bread?
Seller	Eighty pence.
Paweł	And how much are these rolls?
Seller	They're thirty pence each.
Paweł	Have you got any wholemeal rolls?
Seller	I'm not sure. You're lucky - I've got some left. They're thirty-five pence each. How many do you want?
Paweł	Three, please. And some cake.
Seller	How much cake? This much?
Paweł	Yes, OK.
Seller	That's one pound five pence and one pound thirty pence, two pounds thirty five pence altogether.
Paweł	Sorry, can you say that again?
Seller	Two pounds thirty five pence please.
Paweł	Here you are.
Paweł	Hello, Laura.
Laura	Hi, Paweł. What have you got there?
Paweł	Just a few rolls. I want to buy some fruit too.
Laura	Me too. This is a good market.
Paweł	Yes, it's quite cheap. Is it open every day?
Laura	No, it's closed on Sundays. Do you like shopping?
Paweł	Yes, I do.
Laura	I don't, but I like shopping for food.
Paweł	I want some oranges and ... Damn, I don't remember the word. What do you call these in English?

Lekcja piąta: Na targowisku

Paweł	Przepraszam, ile kosztuje ten bochenek chleba?
Sprzedawca	Osiemdziesiąt pensów.
Paweł	A po ile są te bułki?
Sprzedawca	Po trzydzieści pensów.
Paweł	Czy ma pan bułki razowe?
Sprzedawca	Nie jestem pewien. Ma pan szczęście - zostało mi jeszcze kilka. Są po trzydzieści pięć pensów sztuka. Ile pan chce?
Paweł	Poproszę trzy. I trochę ciasta.
Sprzedawca	Ile ciasta? Tyle?
Paweł	Tak, może być.
Sprzedawca	To będzie funt pięć pensów i funt trzydzieści pensów, razem dwa funty trzydzieści pięć pensów.
Paweł	Przepraszam, czy mógłby pan powtórzyć?
Sprzedawca	Proszę dwa funty i trzydzieści pięć pensów.
Paweł	Proszę bardzo.
Paweł	Cześć, Laura.
Laura	Cześć, Paweł. Co tam masz?
Paweł	Tylko kilka bułek. Chcę również kupić trochę owoców.
Laura	Ja też. To dobre targowisko.
Paweł	Tak, jest dosyć tanie. Jest otwarte codziennie?
Laura	Nie, w niedziele jest zamknięte. Lubisz robić zakupy?
Paweł	Tak.
Laura	Ja nie, ale lubię kupować żywność.
Paweł	Chcę trochę pomarańczy i ... Cholera, nie pamiętam tego słowa. Jak się te owoce nazywają po angielsku?

Laura	Pears.
Paweł	Pears! Of course. Do you like pears?
Laura	I quite like them but I rarely buy them. I prefer apples and plums.
Paweł	I never eat plums. OK, excuse me, can I have half a kilo of oranges and pears, please. And a plum for my friend.

Laura	Gruszki.
Paweł	Gruszki! Oczywiście. Lubisz gruszki?
Lauraż	Dosyć je lubię, ale rzadko kupuję. Wolę jabłka i śliwki.
Paweł	Nigdy nie jem śliwek. OK, przepraszam, mogę prosić pół kilo pomarańczy i gruszek. I śliwkę dla mojej przyjaciółki.

GRAMATYKA

CZAS TERAŹNIEJSZY PROSTY (1) - ZDANIA TWIERDZĄCE / PYTANIA / PRZECZENIA

Czas teraźniejszy prosty (Simple Present Tense) mówi o rzeczach stałych, nie tymczasowych, takich jak zwyczaje lub upodobania. Używa się podstawowej formy czasownika.

I quite **like** pears but I **prefer** apples.	Dosyć lubię gruszki, ale wolę jabłka.
I never **eat** plums.	Nigdy nie jem śliwek.
I **like** shopping for food.	Lubię kupować żywność.

Pytania tworzy się ze słowem posiłkowym **do** [du], które stoi przed podmiotem.

Do you like shopping?	Czy lubisz robić zakupy?
Do you like pears?	Czy lubisz gruszki?
Do they live in London?	Czy oni mieszkają w Londynie?

Przeczenia tworzy się ze słowem posiłkowym **don't** [dəʊnt], które stoi przed czasownikiem. **Don't** to forma skrócona słów **do not** [də 'nɒt].

I **don't** like shopping.	Nie lubię robić zakupów.
I **don't** remember the word.	Nie pamiętam tego słowa.
They **don't** cost much.	Nie kosztują dużo.

W krótkich odpowiedziach używa się odpowiedniego zaimka i słowa posiłkowego.

'Do you like it?' 'Yes, **I do.**'   „Lubisz to?" „Tak."
'Do they like it?' 'No, **they**   „Czy oni to lubią?" „Nie."
don't.'

[Forma czasu teraźniejszego prostego dla 3. osoby liczby pojedynczej - patrz lekcja 6]

PRZYSŁÓWKI CZĘSTOŚCI

Czasu teraźniejszego prostego często używa się z przysłówkami częstości, które stoją między podmiotem a orzeczeniem.

I **always** carry your bag.   Zawsze noszę twoją torbę.
They **sometimes** help us.   Czasem nam pomagają.
We **often** see them here.   Często ich tu widujemy.
I **rarely** buy them.   Rzadko je kupuję.

Oto niektóre przysłówki częstości i ich wymowa:

always ['ɔːlweɪz] zawsze
often ['ɒfn] często
every day ['evri 'deɪ] codziennie
sometimes ['sʌmtaɪmz] czasami
once a week ['wʌns‿ə 'wiːk] raz na tydzień
rarely ['reəli] rzadko
once a year ['wʌns‿ə 'jɪə] raz w roku
never ['nevə] nigdy

HOW MUCH? / HOW MANY?

How much - ile? jak dużo?

How much używa się z rzeczownikami niepoliczalnymi:

How much cake?   Jak dużo ciasta?
How much do you want?   Ile chcesz?

a także, gdy w pytaniu o cenę:

How much is it?   Ile to kosztuje?

How many - ile? jak wiele?

How many używa się z rzeczownikami policzalnymi:

How many apples?   Ile jabłek?
How many do you want?   Ile chcesz?

RZECZOWNIKI POLICZALNE I NIEPOLICZALNE

Rzeczowniki policzalne mają liczbę mnogą, a w liczbie pojedynczej muszą być poprzedzone przedimkiem - **a/an** lub **the**.

a car - two cars   samochód - dwa samochody
the girl - five girls   ta dziewczyna - pięć dziewczyn
an apple - three apples   jabłko - trzy jabłka

Rzeczowniki niepoliczalne nie mają liczby mnogiej i nie używa się ich z rodzajnikiem **a/an**.

water   woda
love   miłość
food   żywność

Niektóre rzeczowniki są policzalne w języku polskim, a niepoliczalne w angielskim.

fruit   owoc / owoce
information   informacja / informacje
advice   rada / rady
money   pieniądz / pieniądze

SOME / A FEW / ANY

Some - trochę, kilka

I want to buy **some** fruit.   Chcę kupić trochę owoców.
I want **some** oranges.   Chcę kilka pomarańczy.
Do you want **some** fruit?   Chcesz trochę owoców?

A few - kilka, parę

używa się tylko z rzeczownikami policzalnymi;

I've got **a few** rolls here.   Mam tu parę bułek.
It costs **a few** pounds.   To kosztuje kilka funtów.

Any - jakieś (w pytaniach); żadne
        (w przeczeniach) [lekcja 4]

Have you got **any** fruit?   Masz jakieś owoce?
Have you got **any** rolls?   Masz jakieś bułki?
I haven't got **any** rolls.   Nie mam żadnych bułek.

ZAIMKI WSKAZUJĄCE - THESE / THOSE

Zaimków **these** i **those** używa się z rzeczownikami w liczbie mnogiej.

These - te / ci; używamy, gdy wskazujemy na coś znajdującego się blisko nas; **Those** - tamte / tamci; używamy, gdy wskazujemy na coś oddalonego od nas

How much are **these** rolls?   Po ile są te bułki?
And how much are **those**?   A po ile są tamte?

[por. this / that - lekcja 2]

ZAIMKI OSOBOWE - DOPEŁNIACZ

Niektóre zaimki mają w dopełniaczu inną formę. Pełnią one funkcję dopełnienia.

I like **them**.   Lubię je.
Help **me**.   Pomóż mi.
Do you see **her**?   Widzisz ją?
Stay with **us**.   Zostań z nami.

Oto zestawienie zaimków w mianowniku i dopełnieniu:

I	me	we	us
you	you	you	you
he	him	they	them
she	her	it	it

W wyrażeniu **me too** - „ja też" używa się zaimka w dopełnieniu.

EACH

Each -	„za sztukę, każdy"
They are 30 p **each**.	Są po 30 pensów (za sztukę).
They cost 1 pound **each**.	Kosztują 1 funt sztuka / po 1 fun-cie.

FUNKCJE JĘZYKOWE

ZAKUPY

Have you got any ...?	Czy macie ...?
..., please.	Poproszę ...
I'd like ..., please.	Chciałbym ...
Can I have ..., please?	Czy mogę dostać ...?

CENY

Pytanie o cenę.

How much is it?	Ile to kosztuje?
How much are ...?	Ile kosztują ...?

Podawanie ceny.

It's fifty pence.	Pięćdziesiąt pensów.
They're one pound fifty pence each.	Są po funt pięćdziesiąt sztuka.
That's two pounds eighty altogether.	Razem dwa funty osiemdziesiąt.

75p / £ 0.75 **seventy five p / pence** ['sevnti ˌfaɪv 'pi / 'pens]
£ 1.40 **one pound forty (pence)** ['wʌn ˌpaʊnd 'fɔːti (ˌpens)]
£ 5.90 **five pounds ninety (p)** ['faɪv ˌpaʊndz 'naɪnti (ˌpi)]
£ 100 **one hundred pounds** [ˌwʌn 'hʌndrɪd 'paʊndz]

PROŚBA O POWTÓRZENIE

Sorry, can you say that again? ['sɒri kən ju 'seɪ ðæt‿ə'gen] Przepraszam, możesz powiedzieć jeszcze raz?
Sorry, I didn't catch that. ['sɒri aɪ 'dɪdnt 'kætʃ ðæt] Przepraszam, nie usłyszałem.
Could you repeat, please? [kəd‿ju rɪ'piːt pliːz] Czy możesz powtórzyć?

[por. **Pardon?** - lekcja 2]

PYTANIE O ANGIELSKIE SŁOWA

What do you call this in English? [wɒt də jə 'kɔːl 'ðɪs ɪn‿'ɪŋglɪʃ] Jak się to nazywa po angielsku?
What's this in English? [wɒts 'ðɪs ɪn‿'ɪŋglɪʃ] Jak to się nazywa po angielsku?

ĆWICZENIA

1

Powiedz po angielsku, jak często jesz te produkty:

1. apples _____
2. pizza _____
3. bread _____
4. fish _____
5. spinach _____

2

Uporządkuj słowa tak, aby utworzyły dialog.

1. 'live / do / in / you / Britain?' _____
2. 'live / London / in / I / yes.' _____
3. 'like / Britain / do / you?' _____

  4. 'do / I / yes' _____

  5. 'London / you / like / do?'_____

  6. 'don't / no / I.'_____

  7. 'some / want / do / apples / you?' _____

  8. 'apples / no / like / I / don't.' _____

  9. 'want / do / some / grapes / you?' _____

10. 'I / do / yes.' _____

11. 'do / how / much / you / want?' _____

12. 'please / me / a kilo / give.'_____

How much czy **how many**?   **3**

1. _____ pears have we got there?

2. _____ are the apples?

3. _____ water do you want?

4. _____ girls do you know?

5. _____ is this car?

Uzupełnij luki w zdaniach jednym ze słów: **a few, some, any**.   **4**

1. Have you got _____ plums?

2. They've got _____ good peaches.

3. There are _____ interesting markets in this city.

4. I've got _____ fruit. Do you want _____?

Wstaw odpowiedni zaimek.   **5**

1. Where is Mark? I don't see _____ .

2. They've got nice apples but I rarely buy _____ here.

3. I think it's a nice car. Do you like _____?

4. Mary? I don't like _____ .

5. We can't find it. Can you help _____?

6. Nice oranges. How much are _____?

---

6   Jak po angielsku

1. Poprosisz o kilo jabłek?

_____

2. Zapytasz o cenę bochenka chleba?

_____

3. Zapytasz o cenę gruszek?

_____

4. Poprosisz rozmówcę o powtórzenie czegoś?

_____

SŁOWNICTWO

a few [ə 'fjuː] kilka

advice [əd'vaɪs] rada

altogether [ɔːltə'geðə] razem

call [kɔːl] nazywać

catch: I didn't catch that [aɪ 'dɪdnt 'kætʃ ðæt] nie usłyszałem

cheap [tʃiːp] tani

closed [kləʊzd] zamknięty

cost [kɒst] kosztować
  cost much ['kɒst 'mʌtʃ] dużo kosztować

damn [dæm] cholera (*przekleństwo*)

day [deɪ] dzień

each [iːtʃ] sztuka, za sztukę

every ['evri] każdy
  every day [evri 'deɪ] codziennie, każdego dnia

girl [gɜːl] dziewczyna

half [hɑːf] pół
  half a kilo ['hɑːf ə 'kiːləʊ] pół kilo

how many [haʊ 'meni] ile

how much is / are [haʊ 'mʌtʃ ɪz / ə] ile kosztuje / kosztują

information [ˌɪnfə'meɪʃn] informacja

interesting ['ɪntrəstɪŋ] ciekawy, interesujący

kilo ['kiːləʊ] kilo

left [left] pozostały
I've got some left [aɪv ˈɡɒt səm ˈleft] zostało mi trochę
love [lʌv[miłość
lucky [ˈlʌki] szczęśliwy
money [ˈmʌni] pieniądze
noisy [ˈnɔɪzi] głośny, hałaśliwy
open [ˈəʊpn] otwarty
pence [pens] pens
pound [paʊnd] funt
prefer [prɪˈfɜː] woleć
repeat [rɪˈpiːt] powtórzyć
say [seɪ] powiedzieć
seller [ˈselə] sprzedawca
shopping [ˈʃɒpɪŋ] robienie zakupów
shopping for food [ˈʃɒpɪŋ fə ˈfuːd] kupowanie żywności
sure [ʃʊə] pewny
I'm not sure aɪm [ˈnɒt ˈʃʊə] nie jestem pewny
too [tuː] także
me too [mi ˈtuː] ja też
want [wɒnt] chcieć
water [ˈwɔːtə] woda
word [wɜːd] słowo

produkty spożywcze

apple [ˈæpl] jabłko
banana [bəˈnɑːnə] banan
beef [biːf] wołowina
bread [bred] chleb
wholemeal [ˈhəʊlmiːl] razowy
cake [keɪk] ciasto
chicken [ˈtʃɪkn] kurczak
egg [eg] jajo
fish [fɪʃ] ryba / ryby
food [fuːd] jedzenie
fruit [fruːt] owoc / owoce
grape [greɪp] winogrono
lettuce [ˈletɪs] sałata
loaf [ləʊf] bochenek
loaf of bread [ˌləʊf_əv ˈbred] bochenek chleba
meat [miːt] mięso
milk [mɪlk] mleko
orange [ˈɒrɪndʒ] pomarańcza
peach [piːtʃ] brzoskwinia
pear [peə] gruszka
pizza [ˈpiːtsə] pizza
plum [plʌm] śliwka
pork [pɔːk] wieprzowina
roll [rəʊl] bułka
sausage [ˈsɒsɪdʒ] kiełbasa
spinach [ˈspɪnɪdʒ] szpinak
tomato [təˈmɑːtəʊ] pomidor

Lesson six: Problems with the hotel room

Paweł	Hello, Laura. How are you?
Laura	I'm fine, thanks. It's very early. Do you always get up at this time?
Paweł	No, I usually get up late. When does the reception open?
Laura	At seven. Alec likes to get up late, too.
Paweł	Reception only opens at seven? And if there's a problem?
Laura	Just ring the bell.
Paweł	Oh, I see.
Laura	What's wrong?
Paweł	I have some problems with the room. The shower doesn't work and the window doesn't shut. I want to change room. Where is he?
Laura	Alec never hurries.
Paweł	But he doesn't ignore his guests completely, I hope.
Laura	No, he doesn't. He's not a bad guy.
Paweł	Why are you up at this time, Laura?
Laura	I start work at eight o'clock.
Paweł	I see. When do you finish?
Laura	I usually stop work early, at two o'clock, only on Wednesdays I finish at four.
Paweł	We could meet today after work, if you want.
Laura	Yes, why not. I've got a good idea. Let's go to the British Museum. We could go for a drink afterwards.
Paweł	That's a great idea. Why don't we meet outside the museum at three o'clock?
Laura	Fine. See you later.
Paweł	Yes, see you.

Lekcja szósta: Problemy z pokojem hotelowym

Paweł	Cześć, Laura. Jak się masz?
Laura	Dobrze, dziękuję. Jest bardzo wcześnie. Zawsze wstajesz o tej porze?
Paweł	Nie, zwykle wstaję późno. Od której otwarta jest recepcja?
Laura	O siódmej. Alec też lubi późno wstawać.
Paweł	Recepcja jest otwarta dopiero od siódmej? A jeśli jest jakiś problem?
Laura	Po prostu zadzwoń.
Paweł	Aha, jasne.
Laura	Co jest nie tak?
Paweł	Mam trochę kłopotów z pokojem. Prysznic nie działa, a okno się nie zamyka. Chcę zmienić pokój. Gdzie on jest?

Laura	Alec nigdy się nie spieszy.
Paweł	Ale nie ignoruje swoich gości zupełnie, mam nadzieję.
Laura	Nie. Nie jest złym facetem.
Paweł	Dlaczego jesteś na nogach o tej godzinie, Laura?
Laura	Zaczynam pracę o ósmej.
Paweł	Rozumiem. Kiedy kończysz?
Laura	Zwykle kończę pracę wcześnie, o drugiej, tylko w środy kończę o czwartej.
Paweł	Moglibyśmy się spotkać dziś po pracy, jeśli chcesz.
Laura	Dobrze, czemu nie. Mam dobry pomysł. Chodźmy do British Museum. Moglibyśmy potem pójść na drinka.
Paweł	To świetny pomysł. Spotkajmy się przed muzeum o trzeciej.
Laura	Dobrze. Do zobaczenia później.
Paweł	Tak, do zobaczenia.

GRAMATYKA

CZAS TERAŹNIEJSZY PROSTY (2) - 3. OSOBA LICZBY POJEDYNCZEJ

Forma czasu teraźniejszego prostego dla 3. osoby liczby pojedynczej różni się od pozostałych - do czasownika dodaje się końcówkę **-s** [z]. Czasowniki zakończone na **-y** tworzą 3. osobę liczby pojedynczej przez dodanie końcówki **-ies**. Po czasownikach zakończonych na **-s, -sh, -ch, -x** dodaje się końcówkę **-es** [ɪz].

I **like** to get up early.	Lubię wstawać wcześnie.
Alec **likes** to get up late.	Alec lubi wstawać późno.
I always **hurry.**	Zawsze się spieszę.
Alec never **hurries.**	Alec nigdy się nie spieszy.
I **finish** work late.	Kończę pracę późno.
She **finishes** work early.	Ona kończy pracę wcześnie.

W pytaniach zamiast słowa posiłkowego **do** używa się **does** [dʌz].

Do they **work** here?	Czy oni tu pracują?
Does Alec **work** here?	Czy Alec tu pracuje?
When **do** you **finish?**	Kiedy kończysz?
When **does** Laura **finish?**	Kiedy Laura kończy?

W przeczeniach zamiast **don't** używa się **doesn't** [dʌznt] lub formy pełnej - **does not** [dʌz 'nɒt].

The showers **don't work.**	Prysznice nie działają.
The shower **doesn't work.**	Prysznic nie działa.
The doors **don't shut.**	Drzwi się nie zamykają.
The window **doesn't shut.**	Okno się nie zamyka.

PYTANIA

Niektóre pytania zaczynają się od słów posiłkowych **do** lub **does**, które stoją przed podmiotem.

Do you always **get up** at this time?	Czy zawsze wstajesz o tej porze?
Does Alec **start** work early?	Czy Alec zaczyna pracę wcześnie?

Inne pytania zaczynają się od zaimka pytającego - **when, where, why, what.** Również w tych pytaniach **do / does** stoją przed podmiotem.

When does he **open** the reception?	Kiedy on otwiera recepcję?
Where do you **work?**	Gdzie pracujesz?
Why do you **work** in this shop?	Dlaczego pracujesz w tym sklepie?
What do you **want?**	Co chcesz?

LET'S

Tryb rozkazujący 1. osoby liczby mnogiej tworzy się ze słowem **let's**.

Let's go to the British Museum.	Chodźmy do British Museum.
Let's do that.	Zróbmy to.

CZASOWNIK MODALNY - COULD

Could jest czasownikiem modalnym wyrażającym możliwość. Stoi bezpośrednio przed czasownikiem.

We **could** meet today.   Moglibyśmy się dziś spotkać.
We **could** go for a drink.   Moglibyśmy iść na drinka.

FUNKCJE JĘZYKOWE

POZDROWIENIA (1)

How are you?   Jak się masz?
Fine, thanks.   Dobrze, dziękuję.
OK, thanks.   W porządku, dziękuję.

UMAWIANIE SIĘ

We could meet today /   Moglibyśmy się spotkać dziś /
tomorrow at eight p.m.   jutro o 20.00.

Let's go to the cinema /   Chodźmy do kina / muzeum.
a museum.

Why don't we meet outside /   Może się spotkamy przed kawiar-
inside the cafe.   nią / w kawiarni.

WYRAŻANIE ZGODY

Yes, why not.   Dobrze, czemu nie.
That's a good idea.   To dobry pomysł.
Fine / OK.   W porządku / OK.
I'm afraid I can't.   Obawiam się, że nie mogę.

ĆWICZENIA

Uzupełnij luki w tekście odpowiednimi słowami z ramki.   **1**

> finish   get up   gets up   go   likes
> meet   opens   starts   work   works

Alec and Brian _____ (1) in a hotel. Alec _____
(2) in the reception, and Brian in the kitchen. Alec _____
(3) to get up late. He doesn't _____ (4) until six fourty-
five. He _____ (5) the reception at seven. Brian
_____ (6) early. He _____ (7) work at six. They
both _____ (8) at five in the afternoon. After work they
_____ (9) for a drink and _____ (10) friends.

Opisz dzień Laury.   **2**

Laura_____

_____

_____

Uporządkuj słowa tak, aby utworzyły zdania.   **3**

1. shut / door / the / doesn't_____

2. shower / does / the / work? _____

3. work / does / Laura / when / finish? _____

4. work / does / where / Alec? _____

5. late / I / don't / get up / always _____

6. early / do / finish / you? _____

4   Zadaj odpowiednie pytanie.

1. _____? I get up at seven.
2. _____? She works in a shop.
3. _____? I want some fruit.
4. _____? Yes, they work here.
5. _____? No, he doesn't live there.

---

5   Odpowiedz na pytania.

1. Does Paweł always get up early? _____
2. Does Alec work in the reception? _____
3. Does Laura get up at eight? _____
4. When does Laura finish work? _____
5. What time do you usually get up? _____
6. When do you start and finish work? _____

---

6   Jak po angielsku

1. Umówić się z kimś do kina?

_____

2. Zasugerować spotkanie o godzinie 19.00?

_____

3. Pozdrowić kogoś?

_____

4. Spytać, co jest nie tak?

_____

5. Powiedzieć „do zobaczenia"?

_____

SŁOWNICTWO

afraid [əˈfreɪd] obawiać się
 I'm afraid ... [aɪm‿əˈfreɪd]
 obawiam się, że ...
after [ˈɑːftə] po
afterwards [ˈɑːftəwɜːdz] potem
bell [bel] dzwonek
change [tʃeɪndʒ] zmieniać
cinema [ˈsɪnəmə] kino
completely [kəmˈpliːtli] całkowicie, zupełnie
doors [dɔːz] drzwi
early [ˈɜːli] wcześnie
fine [faɪn] dobrze
finish [ˈfɪnɪʃ] kończyć
get up [ˌɡet‿ˈʌp] wstawać
go for a drink [ˈɡəʊ fər‿ə ˈdrɪŋk]
 iść na drinka
guest [ɡest] gość
guy [ɡaɪ] facet
hurry [ˈhʌri] spieszyć się
idea [aɪˈdɪə] pomysł
if [ɪf] jeśli
 if you want [ɪf ju ˈwɒnt] jeśli
 chcesz
ignore [ɪɡˈnɔː] ignorować, lekce-
 ważyć
just [dʒʌst] po prostu
late [leɪt] późno
let's: let's go to ... [ˈlets ˈɡəʊ tə]
 chodźmy do ...
meet [miːt] spotykać się

museum [mjuˈziːəm] muzeum
only [ˈəʊnli] dopiero, tylko
problem [ˈprɒbləm] kłopot
ring [rɪŋ] dzwonić
shower [ˈʃaʊə] prysznic
shut [ʃʌt] zamykać
start [stɑːt] zaczynać
stop [stɒp] kończyć
today [təˈdeɪ] dzisiaj
tomorrow [təˈmɒrəʊ] jutro
up: be up [ˈbiː‿ˈʌp] być na nogach
why [waɪ] dlaczego
 why not [waɪ ˈnɒt] dlaczego nie
window [ˈwɪndəʊ] okno
work [wɜːk] działać
 it doesn't work [ɪt ˈdʌznt
 ˈwɜːk] nie działa
work [wɜːk] praca

dni tygodnia

Monday [ˈmʌndeɪ] poniedziałek
Tuesday [ˈtjuːzdeɪ] wtorek
Wednesday [ˈwenzdeɪ] środa
Thursday [ˈθɜːzdeɪ] czwartek
Friday [ˈfraɪdeɪ] piątek
Saturday [ˈsætədeɪ] sobota
Sunday [ˈsʌndeɪ] niedziela

week [wiːk] tydzień

Lesson seven: In a museum

Paweł	The museum's very big. Are you tired, Laura?
Laura	Not at all. I love going to museums.
Paweł	This museum's collection is amazing but I usually prefer going to art galleries.
Laura	When I'm in a new city I always go to the local museum.
Paweł	And I prefer going to the local shops! What's this? Is it a helmet?
Laura	No, it isn't. I think it's a king's crown.
Paweł	You're probably right. How old is it?
Laura	The label says thirteen-twenty. It's almost seven hundred years old. How old are you, Pawel?
Paweł	I'm twenty six years old. And you?
Laura	I'm twenty nine. But at the moment I feel seven hundred - let's sit down for a second.
Paweł	OK, just for a moment. What other hobbies do you have?
Laura	I like sports.
Paweł	Me too. What sports do you like?
Laura	My favourite sports are tennis and swimming. And I love listening to music.
Paweł	What type of music do you like?
Laura	I like all types of music, but jazz is my favourite. What about you?
Paweł	I like jazz, too. My brother's favourite musician is Coltrane, so I listen a lot to his music. But I prefer reggae. OK, are you ready to see the Greek statues?
Laura	Yes, let's go!

Lekcja siódma: W muzeum

Paweł	To muzeum jest bardzo duże. Jesteś zmęczona, Lauro?
Laura	Ani trochę. Uwielbiam chodzić do muzeów.
Paweł	Zbiory tego muzeum są zdumiewające, ale zwykle wolę chodzić do galerii sztuki.
Laura	Kiedy jestem w nowym mieście zawsze idę do miejscowego muzeum.
Paweł	A ja wolę chodzić do miejscowych sklepów! Co to jest? Czy to hełm?
Laura	Nie, myślę, że to korona królewska.
Paweł	Pewnie masz rację. Ile ma lat?
Laura	Tabliczka podaje rok tysiąc trzysta dwudziesty. Ma prawie siedemset lat. Ile masz lat, Pawle?
Paweł	Dwadzieścia sześć. A ty?
Laura	Dwadzieścia dziewięć. Ale w tej chwili czuję się na siedemset - usiądźmy na sekundę.
Paweł	OK, tylko na chwilę. Jakie jeszcze masz zainteresowania?
Laura	Lubię sport.
Paweł	Ja też. Jakie sporty lubisz?
Laura	Moje ulubione sporty to tenis i pływanie. I uwielbiam słuchać muzyki.
Paweł	Jaki rodzaj muzyki lubisz?
Laura	Lubię wszystkie rodzaje muzyki, ale jazz jest moim ulubionym. A ty?
Paweł	Też lubię jazz. Ulubionym muzykiem mojego brata jest Coltrane, więc słucham dużo jego muzyki. Ale wolę reggae. OK, jesteś gotowa, żeby zobaczyć greckie posągi?
Laura	Tak, chodźmy!

GRAMATYKA

CZASOWNIKI - LOVE, LIKE I PREFER

Love - kochać, bardzo coś lubić
Like - lubić
Prefer - woleć

Czasowniki te mogą być użyte z rzeczownikami.

I **love** music.	Uwielbiam muzykę.
I **prefer** shops.	Wolę sklepy.
I **like** pizza.	Lubię pizzę.

Można też ich użyć z innymi czasownikami. Do czasowników stojących po **love / like / prefer** dodaje się końcówkę **-ing**:

go - go**ing**, listen - listen**ing**, meet - meet**ing**

I **like meeting** people.	Lubię spotykać ludzi.
I **love listening** to music.	Uwielbiam słuchać muzyki.
I **prefer going** to art galleries.	Wolę chodzić to galerii sztuki.

Very much na końcu zdania oznacza „bardzo".

I like it **very much.**	Bardzo to lubię.

ZAIMEK PYTAJĄCY - WHAT (=JAKI)

What oznacza nie tylko „co" [lekcja 3], ale także „jaki" „jaka" „jakie" itd.

What hobbies do you have?	Jakie masz zainteresowania?
What sports do you like?	Jakie lubisz dyscypliny sportowe?
What types of music does she like?	Jakie ona lubi rodzaje muzyki?

What stoi bezpośrednio przed rzeczownikiem, o który pyta. Tak jak w innych pytaniach w czasie teraźniejszym prostym, **do / does** stoją przed podmiotem.

DOPEŁNIACZ

Dopełniacz odpowiada na pytania: kogo? czego? W angielskim tworzy się go przez dodanie końcówki **'s** do rzeczownika. Szyk rzeczowników jest odwrotny niż w języku polskim.

my brother**'s** favourite musician	ulubiony muzyk mojego brata
this museum**'s** collection	zbiory tego muzeum
king**'s** crown	korona królewska (*dosł.* korona króla)
Laura**'s** car	samochód Laury

Mówiąc o rzeczach, najczęściej używa się zwrotu z **of** zamiast końcówki **'s**:

a type **of** music   rodzaj muzyki
a loaf **of** bread   bochenek chleba
a kilo **of** oranges   kilogram pomarańczy

CZASOWNIK - LISTEN (TO)

Czasownik **listen** - „słuchać" jest używany z przyimkiem **to**. W języku polskim z tym czasownikiem nie używa się żadnego przyimka.

I don't **listen to** music.   Nie słucham muzyki.
Listen to me!   Słuchaj mnie!
I like **listening to music**.   Lubię słuchać muzyki.

PRZYSŁÓWKI - MIEJSCE W ZDANIU

Przysłówki bardzo często stoją pomiędzy podmiotem a czasownikiem [por. lekcja 5].

I **usually** prefer going to art   Zwykle wolę chodzić do galerii
galleries.   sztuki.
I **always** go to the local   Zawsze chodzę do miejscowych
museums.   muzeów.

Ale jeśli czasownikiem jest **to be**, przysłówek stoi po nim.

You are **probably** right.   Masz prawdopodobnie rację.
It is **almost** seven hundred   Ma prawie siedemset lat.
years old.

Przysłówek **too** stoi na końcu zdania.

I like jazz, **too**.   Też lubię jazz.

OPUSZCZANIE PRZEDIMKA NIEOKREŚLONEGO

Przedimka nieokreślonego **a / an** nie używa się przed rzeczownikami
w liczbie mnogiej.

an art gallery	galeria sztuki
I like going to **art galleries.**	Lubię chodzić do galeri sztuki.
a museum	muzeum
I don't like **museums.**	Nie lubię muzeów.

Przedimków **a / an** nie używa się z rzeczownikami niepoliczalnymi.

I like listening to **music.**	Lubię słuchać muzyki.
I prefer **reggae.**	Wolę reggae.

LICZEBNIKI - POWYŻEJ 100

100 **a hundred** [ə 'hʌndrɪd]
101 **a hundred and one** [ə 'hʌndrɪd_ən 'wʌn]
244 **two hundred and forty four** ['tuː ˌhʌndrɪd_ən 'fɔːti 'fɔː]
500 **five hundred** ['faɪv ˌhʌndrɪd]
1000 **a thousand** [ə 'θaʊznd]
1050 **a thousand and fifty** [ə 'θaʊznd_ən 'fɪfti]
3000 **three thousand** ['θriː ˌθaʊznd]
1000000 **a million** [ə 'mɪljən]

FUNKCJE JĘZYKOWE

WIEK LUDZI I RZECZY

Przy podawaniu wieku nie używa się czasownika „mieć", jak w języku
polskim, ale „być": **I am ..., you are ...,** itd. Zwrot **years old** można
pominąć.

I'm twenty (years old).	Mam dwadzieścia lat.
They are fifty (years old).	Oni mają pięćdziesiąt lat.
It is seven hundred (years old).	To ma siedemset lat.

Pytania o wiek zaczyna się od słów **how old**, które dosłownie znaczą „jak stary". Jak w każdym pytaniu występuje inwersja: czasownik stoi przed podmiotem.

How old are you?   Ile masz lat?
How old is it?   Ile to ma lat? / Jakie to jest stare?
How old is she?   Ile ona ma lat?

Oto kilka przymiotników określających wiek:

young [jʌŋ] młody
middle-aged [ˌmɪdl̩ˈeɪdʒd] w średnim wieku
elderly [ˈeldəli] starszy
old [əʊld] stary

DATY

Lata sprzed roku 2000 czyta się jak dwie liczby dwucyfrowe.

1320 thirteen twenty
1930 nineteen thirty
1998 nineteen ninety eight

Do roku 2000 można dodać słowa **the year** - „rok".

2000 (the year) two thousand
2001 two thousand and one
2011 two thousand and eleven

UPODOBANIA I ZAINTERESOWANIA

I love / like animals.   Kocham / Lubię zwierzęta.
I prefer apples.   Wolę jabłka.
My favourite book is 'Master   Moja ulubiona książka to
and Margerita'.   „Mistrz i Małgorzata".
Table tennis **is my favourite**   Tenis stołowy to mój ulubiony
sport.   sport.
I'm interested in history.   Interesuję się historią.

ĆWICZENIA

Przetłumacz na angielski.

1

1. Uwielbiam słuchać jazzu. _____

2. Bardzo ich lubię. _____

3. Lubię muzea, ale wolę galerie. _____

4. Uwielbiam dobrą muzykę. _____

5. Wolę spotykać się z ludźmi . _____

6. Lubię pracować w tym hotelu. _____

Uzupełnij luki odpowiednim zaimkiem pytającym - **what, where** lub **when**.

2

1. _____ music do you like?

2. _____ does the museum open?

3. _____ do you usually go after work?

4. _____ do you usually do in the afternoon?

5. _____ sports do you like?

Wstaw przysłówki z nawiasu w odpowiednie miejsce w zdaniu.

3

1. Swimming and badminton are my favourite sports. (probably)

_____

2. I love it. (too) _____

3. I go home after work. (usually) _____

4. The museum is amazing. (certainly) _____

5. He works in a bank. (probably) _____

6. I'm 10 years old. (almost) _____

4   Uporządkuj wyrazy tak, aby utworzyły zdania.

1. Michael's / is / room / this. _____

2. favourite / plums / Laura's / fruit / are. _____

_____

3. is / this / collection / museum's / great. _____

_____

4. like / what / type / he / music / of / does? _____

_____

5. have / she / hobbies / what / does? _____

_____

6. Laura / fruit / what / prefer / does? _____

_____

5   Jak po angielsku

1. Spytać kogoś o wiek? _____

2. Powiedzieć ile się ma lat? _____

3. Spytać o wiek zamku (castle)? _____

4. Powiedzieć, że zamek ma 600 lat? _____

5. Powiedzieć, że się jest zmęczonym? _____

6   Odpowiedz na pytania.

1. What sports do you like?

_____

2. What fruit do you prefer?

_____

3. How old are you?

_____

4. How old is you mother?

_____

SŁOWNICTWO

almost ['ɔːlməʊst] prawie
amazing [ə'meɪzɪŋ] zdumiewający
animal ['ænɪml] zwierzę
art gallery [ɑːt 'gæləri] galeria sztuki
castle ['kɑːsl] zamek
collection [kə'lekʃn] kolekcja, zbiory
colour ['kʌlə] kolor
crown [kraʊn] korona
elderly ['eldəli] starszy
favourite ['feɪvrɪt] ulubiony
feel [fiːl] czuć się
Greek [griːk] grecki
helmet ['helmɪt] hełm
history ['hɪstəri] historia
hobby ['hɒbi] hobby
interested ['ɪntrəstɪd] zainteresowany
   I'm interested in ...
   [aɪm 'ɪntrəstɪd ɪn] interesuję się ...
jazz [dʒæz] jazz
king [kɪŋ] król
label ['leɪbl] tu: tabliczka
listen ['lɪsn] słuchać
listening ['lɪsnɪŋ] słuchanie
local ['ləʊkl] miejscowy, lokalny
middle-aged ['mɪdl eɪdʒd] w średnim wieku
moment ['məʊmənt] chwila
   at the moment [ət ðə 'məʊmənt] w tej chwili
   for a moment [fər ə 'məʊmənt] na chwilę
music [ˌmjuːzɪk] muzyka
musician [mjuˈzɪʃn] muzyk
not at all ['nɒt ət ɔːl] ani trochę
old [əʊld] stary
   how old are you [haʊ 'əʊld ə ju] ile masz lat

other [ʌðə] inny
   other hobbies ['ʌðə 'hɒbiz] inne zainteresowania
probably ['prɒbəbli] prawdopodobnie
ready ['redi] gotowy
reggae ['regeɪ] reggae
second ['sekənd] sekunda
   for a second [fər ə 'sekənd] na sekundę
sit down [ˌsɪt 'daʊn] usiąść
statue ['stætʃuː] posąg
think [θɪŋk] myśleć
tired ['taɪəd] zmęczony
type [taɪp] rodzaj
   type of music [taɪp əv 'mjuːzɪk] rodzaj muzyki
young [jʌŋ] młody

sport

badminton ['bædmɪntən] badminton
ball [bɔːl] piłka
basketball ['bæskɪtbɔːl] koszykówka
cricket ['krɪkɪt] krykiet
football ['fʊtbɔːl] piłka nożna
horse-racing ['hɔːsˌreɪsɪŋ] wyścigi konne
player ['pleɪə] gracz
racquet ['rækɪt] rakieta
rugby ['rʌgbi] rugby
sport [spɔːt] sport
swimming ['swɪmɪŋ] pływanie
table tennis ['teɪbl ˌtenɪs] tenis stołowy
team [tiːm] drużyna
tennis ['tenɪs] tenis
volleyball ['vɒlibɔːl] siatkówka

Lesson eight: On the phone

Paweł	Hello, can I speak to Mark, please?
Judy	Yes, just a second.
Mark	Hello.
Paweł	Hi, Mark! It's me, Paweł.
Mark	Hi! Where are you? In London?
Paweł	Yes, I'm having a really good time.
Mark	Great, where are you staying?
Paweł	I'm staying at a small guest-house near the station. The staff are very friendly.
Mark	Are you visiting lots of places?
Paweł	Oh yes, I am. I'm phoning you from Madame Tussaud's. You know, the waxwork museum. I'm visiting it with a friend.
Mark	Yes, I know it, it's good fun. Who's your friend?
Paweł	Laura, she's from York, but at the moment she's working in a shop in London. She's staying in the same guest-house.
Mark	What's she like?
Paweł	She's very nice. She likes sport and has a good sense of humour.
Mark	And what does she look like?
Paweł	Don't be nosy!
Mark	I'm only asking.
Paweł	Well, she's quite tall, she's got brown hair.
Mark	I see. I'm glad you're enjoying yourself. Do you still want to come to Cambridge?
Paweł	Yes! Of course. Can I come on Sunday?
Mark	Sure. Have you got your ticket?
Paweł	Not yet. Could you meet me at the station?

Lekcja ósma: **Przez telefon**

Paweł	Dzień dobry, czy mogę rozmawiać z Markiem?
Judy	Tak, chwileczkę.
Mark	Halo?
Paweł	Cześć, Marek! To ja, Paweł.
Mark	Cześć! Gdzie jesteś? W Londynie?
Paweł	Tak, bardzo dobrze się bawię.
Mark	Świetnie, gdzie się zatrzymałeś (*dosł.* mieszkasz)?
Paweł	Mieszkam w małym pensjonacie niedaleko dworca. Obsługa jest bardzo miła.
Mark	Zwiedzasz dużo miejsc?
Paweł	O tak. Dzwonię z Madame Tussaud. Wiesz, to muzeum figur woskowych. Zwiedzam je ze znajomą.
Mark	Tak, znam je, to dobra zabawa. Kim jest twoja znajoma?
Paweł	Laura, jest z Yorku, ale w tej chwili pracuje w sklepie w Londynie. Mieszka w tym samym hotelu.
Mark	Jaka jest?
Paweł	Jest bardzo miła. Lubi sport i ma poczucie humoru.
Mark	A jak wygląda?
Paweł	Nie bądź wścibski!
Mark	Tylko pytam.
Paweł	No dobrze, jest dosyć wysoka, ma ciemne włosy.
Mark	Rozumiem. Cieszę się, że dobrze się bawisz. Czy wciąż chcesz przyjechać do Cambridge?
Paweł	Tak! Oczywiście. Czy mogę przyjechać w niedzielę?
Mark	Pewnie. Masz już bilet?
Paweł	Jeszcze nie. Mógłbyś mnie odebrać ze stacji?

Mark	Yes, naturally. Just phone me when you arrive. I suppose you have a lot of stuff, as usual.
Paweł	Not really.
Mark	I don't believe you. See you at the station on Sunday!
Paweł	Bye!

Mark	Tak, naturalnie. Po prostu zadzwoń, kiedy przyjedziesz. Przypuszczam, że masz mnóstwo rzeczy, jak zwykle.
Paweł	Raczej nie.
Mark	Nie wierzę ci. Do zobaczenia na dworcu w niedzielę!
Paweł	Cześć!

GRAMATYKA

CZAS TERAŹNIEJSZY CIĄGŁY - ZDANIA TWIERDZĄCE / PYTANIA

Czas teraźniejszy ciągły (Present Continuous Tense) składa się z czasownika posiłkowego **to be** w odpowiedniej formie (**am / is / are**), najczęściej skróconego, oraz imiesłowu czasu teraźniejszego, czyli czasownika z końcówką **-ing**.

I**'m having** a really good time at the moment.	Naprawdę dobrze się bawię w tej chwili.
I'm glad you**'re enjoying** yourself.	Cieszę się, że dobrze się bawisz.
She**'s visiting** a musuem now.	(Ona) Zwiedza teraz muzeum.

Pytania tworzy się przez inwersję - czasownik posiłkowy **to be** staje przed podmiotem.

Are you **visiting** lots of places?	Czy zwiedzasz dużo miejsc?
Is she **telephoning** Mark now?	Czy ona dzwoni teraz do Marka?
Where **are** you **staying?**	Gdzie mieszkasz? (Gdzie się zatrzymałeś?)

Zastosowanie:
Czas teraźniejszy ciągły opisuje czynności dziejące się w tej chwili:

I**'m phoning** you from Madame Tussauds.	Dzwonię do ciebie z muzeum Madame Tussaud.
I**'m visiting** it with a friend.	Zwiedzam je ze znajomą.

albo w tych dniach, tymczasowo:

At the moment she's **working** in a shop in London.	W tej chwili pracuje w sklepie. (ale to nie jest stała praca)
She's **staying** in the same guest-house.	Mieszka w tym samym pensjonacie. (jest to tymczasowe miejsce pobytu)

CZAS TERAŹNIEJSZY CIĄGŁY - OKREŚLENIA CZASU

W czasie teraźniejszym ciągłym używa się następujących określeń czasu:

now	teraz
at the moment	w tej chwili
these days	w tych dniach

LOTS OF / A LOT OF

Lots of / a lot of oznaczają „dużo, mnóstwo". **Lots of** jest wyrażeniem bardziej nieformalnym.

He's visiting **lots of** places.	(On) Zwiedza dużo miejsc.
You've got **a lot of** stuff.	Masz mnóstwo rzeczy.
I've got **lots of** fruit.	Mam mnóstwo owoców.
There are **a lot of** restaurants here.	Jest tu mnóstwo restauracji.

Lots of / a lot of zastępują **much** w zdaniach twierdzących:

We haven't got **much** stuff.	Nie mamy dużo rzeczy.
Have you got **much** stuff?	Masz dużo rzeczy?
I've got **a lot of** stuff.	Mam dużo rzeczy.

TRYB ROZKAZUJĄCY - PRZECZENIE

Przed czasownikiem w formie podstawowej dodaje się **don't**.

Don't be nosy!	Nie bądź wścibski!
Don't do this!	Nie rób tego!
Don't go now!	Nie idź teraz!

CZASOWNIKI - PHONE / TELEPHONE

Phone / telephone oznaczają „zadzwonić". **Phone** jest mniej formalne. W języku angielskim po tych czasownikach nie używa się żadnego przyimka.

I'm **phoning you.**	Dzwonię do ciebie.
Phone Mark!	Zadzwoń do Marka!
I want to **telephone my friend.**	Chcę zadzwonić do mojego przyjaciela.

WYRAŻENIA Z HAVE (1)

Czasownik **have** oznacza „mieć" i ma dwie formy - **have** i **has** (dla 3. osoby l.p.).

I **have** a dog.	Mam psa.
She **has** a cat.	Ma kota.

Występuje w wielu wyrażeniach idiomatycznych. Oto kilka z nich:

have a good time	dobrze się bawić
have fun	dobrze się bawić
have problems	mieć problemy
have an idea	mieć pomysł
have a meal	jeść posiłek
have dinner	jeść obiad
have breakfast	jeść śniadanie

FUNKCJE JĘZYKOWE

OPISYWANIE CHARAKTERU I WYGLĄDU

Charakter

She's nice.	Jest miła.
They're friendly.	Są przyjaźni.
You're nosy.	Jesteś wścibski.
What's she / he like?	Jaka / Jaki jest?

Wygląd

She's (quite) tall.	Ona jest (dosyć) wysoka.
He's slim.	On jest szczupły.
He's (a bit) fat.	On jest (trochę) gruby.
She's got dark hair.	Ona ma ciemne włosy.
He's got blue eyes.	On ma niebieskie oczy.
What does she / he look like?	Jak ona / on wygląda?

ROZMOWA PRZEZ TELEFON (1)

Hi, **it's me**, Matthew. [ˈhaɪ ɪts ˈmi ˈmæθjuː] Cześć, to ja, Matthew.

Hello, **this is** Matthew. [həˈləʊ ðɪs_ɪz ˈmæθjuː] Dzień dobry, mówi Matthew.

Is this Mark? [ɪz ðɪs ˈmɑːk] Czy rozmawiam z Markiem?

Can I speak to Mark, **please?** [kən_aɪ ˈspiːk tə ˈmɑːk] Czy mogę prosić Marka?

Is Mark **there, please?** [ɪz ˈmɑːk ðeə ˈpliːz] Czy jest Mark?

Speaking. [ˈspiːkɪŋ] Przy telefonie.

Just a second / moment. [dʒəst_ə ˈsekənd / ˈməʊmənt] Chwilę / Moment.

I'm sorry, Judy's **not here.** [aɪm ˈsɒri ˈdʒuːdiz ˈnɒt hɪə] Przykro mi, Judy nie ma.

ĆWICZENIA

Powiedz, co w tej chwili robią te osoby.

1

Przykład: Sue / speak / to Mark.   *Sue is speaking to Mark.*

1. Mark and Todd / speak / to Paul._____

2. Judy / phone / Mark. _____

3. I / go / to a shop. _____

4. Terry / visit / a museum. _____

Pat opowiada o swoich wakacjach. Utwórz zdania wykorzystując podane słowa.

2

1. We / have / good time. _____

_____

2. We / stay / hotel / centre. _____

_____

3. Two people / Scotland / stay / same place. _____

_____

4. They / work / here / moment._____

_____

5. They / very pleasant. _____

_____

6. We / visit / museums / together. _____

_____

7. We / do / lots / other things. _____

_____

8. I / really / enjoy / my holiday._____

_____

3

Zadaj odpowiednie pytanie.

Hello Pat, this is Judy.

1. Hi, Judy! _____? I'm in Manchester.
2. _____? I'm visiting a friend.
3. _____? Paul.
4. _____? From Birmingham.
5. _____?

He's very nice. He's interested in film.

6. _____?

He's tall and a bit fat. He's got dark hair.

4

Opisz swój wygląd - wzrost, sylwetkę, kolor oczu i włosów.

_____

_____

_____

5

Jak po angielsku

1. Poprosić kogoś do telefonu? _____

_____

2. Powiedzieć komuś, aby nie był nieuprzejmy? _____

_____

3. Powiedzieć komuś, aby nie szedł do kina? _____

_____

4. Poprosić, aby nas odebrano z dworca autobusowego? _____

_____

5. Poprosić kogoś, aby zadzwonił do nas w sobotę? _____

_____

SŁOWNICTWO

arrive [ə'raɪv] przyjeżdżać
ask [ɑːsk] pytać
believe [bɪ'liːv] wierzyć
bit: a bit [ə 'bɪt] trochę
blue [bluː] niebieski
brown [braʊn] brązowy
come [kʌm] przyjść
enjoy: enjoy yourself [ɪn'dʒɔɪ
jɔː'self] dobrze się bawić
eye [aɪ] oko
fun [fʌn] zabawa
it's good fun [ɪts ˌɡʊd 'fʌn] to
dobra zabawa
glad [ɡlæd] zadowolony
I'm glad [aɪm 'ɡlæd] cieszę się
hair [heə] włosy
humour ['hjuːmə] humor
a good sense of humour [ə
'ɡʊd 'sens ˌəv 'hjuːmə] poczucie
humoru
like: what's she like? [wɒts ʃi
'laɪk] jaka jest?
what does she look like? [wɒt
dəz ʃi 'lʊk 'laɪk] jak wygląda?
look [lʊk] wyglądać
lot: a lot of / lots of [ə 'lɒt ˌəv /
'lɒts ˌəv] mnóstwo, dużo
meet [miːt] spotykać
naturally ['nætʃrəli] naturalnie
nice [naɪs] fajny, miły
not yet [nɒt jet] jeszcze nie
phone / telephone [fəʊn /
'telɪfəʊn] telefonować
place [pleɪs] miejsce
pleasant ['pleznt] miły, przyjemny
really ['rɪəli] naprawdę
not really [nɒt 'rɪəli] raczej nie
restaurant ['restərɒnt] restauracja
sense: sense of humour [sens ˌəv
'hjuːmə] poczucie humoru

small [smɔːl] mały
speak [spiːk] mówić
staff [stæf] obsługa
stay [steɪ] zatrzymać się (w hotelu)
still [stɪl] wciąż
stuff [stʌf] rzeczy
a lot of stuff [ə 'lɒt ˌəv 'stʌf]
dużo rzeczy
suppose [sə'pəʊz] przypuszczać
these days [ðiːz 'deɪz] w tych
dniach
ticket ['tɪkɪt] bilet
time [taɪm] czas
have a good time ['hæv ˌə
'ɡʊd 'taɪm] dobrze się bawić
usual: as usual [əz 'juːʒʊəl] jak
zwykle
visit ['vɪzɪt] zwiedzać
wax-work museum ['wæksˌwɜːk
mjuˈziːəm] muzeum figur
woskowych

**przymiotniki opisujące
charakter i wygląd**

charming ['tʃɑːmɪŋ] czarujący
cheerful ['tʃɪəfl] radosny
dark [dɑːk] ciemny
fair [feə] jasny
fat [fæt] gruby
friendly ['frendli] przyjacielski
funny ['fʌni] śmieszny, zabawny
handsome ['hænsəm] przystojny
nosy ['nəʊzi] wścibski
pretty ['prɪti] ładny
rude [ruːd] niegrzeczny
serious ['sɪərɪəs] poważny
short [ʃɔːt] niski
slim [slɪm] szczupły
tall [tɔːl] wysoki

Lesson nine: Buying a bus ticket

(Laura knocks at Pawel's door)

Paweł	Who is it?
Laura	Laura.
Paweł	Come in. The door's open.
Laura	Hi Pawel. What are you doing? Are you busy?
Paweł	No, I'm not doing anything important at the moment. Why?
Laura	I'm going to the cinema tonight with friends. Would you like to come with us?
Paweł	I'd like to but it's impossible. I'm going to the bus station to buy my ticket to Cambridge.
Laura	But you're leaving tomorrow. Can't you buy it tomorrow?
Paweł	The coaches are very busy. I want to buy the ticket tonight. What film are you seeing?
Laura	The new film with John Travolta.
Paweł	I like his films. What a pity I can't go. I'd love to see it.
Laura	Never mind. See you later.

(at the bus station)

Paweł	I'd like a ticket to Cambridge, please.
ticket seller	When are you travelling?
Paweł	Tomorrow morning.
ticket seller	There are coaches every half hour. When would you like to leave?
Paweł	At eleven o'clock.
ticket seller	Single or return?
Paweł	A single.

Lekcja dziewiąta: Kupowanie biletu autobusowego

(Laura puka do drzwi Pawła)

Paweł	Kto tam?
Laura	Laura.
Paweł	Wejdź. Drzwi są otwarte.
Laura	Cześć Paweł. Co robisz? Jesteś zajęty?

Paweł Nie, w tej chwili nie robię nic ważnego. A co?

Laura Idę dziś wieczorem do kina ze znajomymi. Chciałbyś iść z nami?

Paweł Chciałbym, ale to niemożliwe. Idę na dworzec autobusowy kupić bilet do Cambridge.

Laura Ale przecież wyjeżdżasz jutro. Nie możesz kupić go jutro?

Paweł Autokary są bardzo przepełnione. Chcę kupić bilet dziś wieczorem. Na jaki film idziecie?

Laura Nowy film z Johnem Travoltą.

Paweł Lubię jego filmy. Szkoda, że nie mogę iść. Bardzo chciałbym go zobaczyć.

Laura Nic nie szkodzi. Na razie.

(na dworcu autobusowym)

Paweł	Proszę bilet do Cambridge.
kasjerka	Kiedy pan jedzie?
Paweł	Jutro rano.
kasjerka	Autokary są co pół godziny. Kiedy chciałby pan wyjechać?
Paweł	O jedenastej.
kasjerka	Zwykły czy powrotny?
Paweł	Zwykły.

ticket seller	That's four pounds fifty please.
Paweł	Here you are.
ticket seller	That's fifty pence change.
Paweł	How long does the journey take?
ticket seller	About two hours.
Paweł	And which gate does it leave from?
ticket seller	It leaves from gate six.
Paweł	Thanks.

kasjerka	Proszę cztery funty pięćdziesiąt.
Paweł	Proszę.
kasjerka	Pięćdziesiąt pensów reszty.
Paweł	Jak długo trwa podróż?
kasjerka	Około dwóch godzin.
Paweł	A z którego stanowiska odjeżdża?
kasjerka	Odjeżdża ze stanowiska szóstego.
Paweł	Dziękuję.

GRAMATYKA

CZAS TERAŹNIEJSZY CIĄGŁY - WYRAŻANIE PRZYSZŁOŚCI

Czas teraźniejszy ciągły opisuje nie tylko rzeczy dziejące się w tej chwili i w tych dniach, ale także te dziejące się w bliskiej, zaplanowanej przyszłości. W języku polskim też w takiej sytuacji używa się czasu teraźniejszego.

I**'m going** to the cinema tonight.	Idę dziś wieczorem do kina.
You**'re leaving** tomorrow.	Wyjeżdżasz jutro.

Kontekst lub określenie czasu, które stoi na końcu zdania, wyjaśniają, czy mowa jest o teraźniejszości, czy o przyszłości.

I'm going to the bus station **now**.	Idę teraz na dworzec.
I'm going to the bus station **in the afternoon**.	Idę po południu na dworzec.

CZAS TERAŹNIEJSZY CIĄGŁY - PRZECZENIA

Przeczenie w czasie teraźniejszym ciągłym tworzy się przez dodanie do czasownika posiłkowego **to be** słowa **not**. Możliwe są formy skrócone:

is not = isn't
are not = aren't

I'm **not doing** anything important.	Nie robię nic ważnego.
We **aren't leaving** tomorrow.	Nie wyjeżdżamy jutro.
She's **not coming** with us.	Ona nie idzie z nami.
They're **not going** to the station.	Oni nie idą na dworzec.
Tom **isn't working** today.	Tom dziś nie pracuje.

WOULD LIKE

I would like oznacza „chciałbym". Zwrot ten najczęściej skraca się do **I'd like**. **I'd like** może być użyte z rzeczownikiem:

I'**d like** a ticket to Cambridge.	Chciałbym bilet do Cambridge.
He'**d like** a loaf of bread.	Chciałby bochenek chleba.

lub z bezokolicznikiem z **to**:

I'**d like** to come with you.	Chciałbym z wami pójść.
We'**d like** to see this film.	Chcielibyśmy obejrzeć ten film.

Pytania tworzy się przez inwersję - czasownik modalny **would** staje przed podmiotem.

Would you **like** to come with us?	Chciałbyś iść z nami?
Would you **like** a banana?	Chciałbyś banana?
When **would** you **like** to leave?	Kiedy chciałbyś wyjechać?

W krótkiej odpowiedzi **to** zostaje na swoim miejscu po czasowniku.

Would you **like to** come?	Chciałbyś przyjść?
I'd **like to**.	Chciałbym.

WOULD LOVE

I would love, w skróconej formie **I'd love,** oznacza „chciałbym bardzo" i jest bardziej emfatyczne niż **I'd like.**

I'd love to see it.	Bardzo bym chciał to zobaczyć.
I'd love to come.	Bardzo bym chciał przyjść.

I LOVE GOING / I'D LOVE TO GO

I love / like doing	-	„lubię coś robić" (zawsze)
I'd love / like to do	-	„chciałbym coś zrobć" (teraz)

I **love going** to the cinema.	Lubię chodzić do kina.
I'**d love to go** to the cinema.	Chciałbym pójść do kina.
I **like visiting** museums.	Lubię zwiedzać muzea.
I'**d like to visit** this museum.	Chciałbym zwiedzić to muzeum.

EVERY

Aby powiedzieć, w jakich odstępach coś się odbywa, używa się słowa **every**:

The buses leave **every half hour.**	Autobusy odjeżdżają co pół godziny.
The trains leave **every hour.**	Pociągi odjeżdżają co godzinę.
We meet **every Tuesday.**	Spotykamy się co wtorek.
They come here **every day.**	Przychodzą tutaj codziennie.
We see them **every night.**	Widzimy ich co noc.

PRZYIMKI NA KOŃCU ZDANIA (1)

W pytaniach przyimek stoi na końcu zdania:

It leaves **from** gate six.	Odjeżdża ze stanowiska szóstego.
Which gate does it leave **from**?	Z którego stanowiska odjeżdża?
I'm **from** New York.	Jestem z Nowego Jorku.
Where are you **from**?	Skąd jesteś?

PRZYMIOTNIKI DZIERŻAWCZE (2)

Przymiotniki dzierżawcze pojawiły się już w poprzednich lekcjach [lekcja 2]. Oto kilka przykładów:

This isn't **our** bag.	To nie jest nasza torba.
Where's **your** hotel?	Gdzie jest twój hotel?
I'm buying **my** ticket.	Kupuję swój bilet.
I like **his** films.	Lubię jego filmy.

Oto zestawienie wszystkich przymiotników dzierżawczych:

I	**my**	**we**	**our**
you	your	you	your
he	his	they	their
she	her		
it	its		

LICZBA MNOGA RZECZOWNIKÓW (-ES)

Rzeczowniki zakończone na **-s, -z, -x, -sh, -ch** tworzą liczbę mnogą przez dodanie końcówki **-es** [ɪz] [por. lekcja 3].

coach - **coaches** [ˈkəʊtʃɪz]	autokar - autokary
bus - **buses** [ˈbʌsɪz]	autobus - autobusy
box - **boxes** [ˈbɒksɪz]	pudełko - pudełka

FUNKCJE JĘZYKOWE

ZAPROSZENIE

Would you like to come with us?	Chciałbyś iść z nami?
Do you want to go for a trip?	Chcesz pojechać na wycieczkę?
Do you fancy going out tonight?	Masz ochotę wyjść do miasta wieczorem?

ODMOWA

I'd like to but it's impossible.	Chciałbym, ale to niemożliwe.
What a pity I can't go.	Jaka szkoda, że nie mogę iść.
I'm afraid I can't do it.	Obawiam się, że nie mogę tego zrobić.
I'm sorry, but I can't.	Przykro mi, ale nie mogę.

KUPOWANIE BILETÓW

I'd like a ticket to Cambridge, **please.**	Chciałbym bilet do Cambridge.
A single / return to Dover, **please.**	Proszę zwykły / powrotny do Dover.
Could I have two return tickets to Leeds, **please?**	Czy mogę prosić dwa bilety powrotne do Leeds?

PYTANIE O SZCZEGÓŁY PODRÓŻY

When does the bus leave?	Kiedy ten autobus odjeżdża?
How long does the journey take?	Jak długo trwa podróż?
Which gate does the bus leave from?	Z którego stanowiska odjeżdża ten autobus?
When does the bus arrive in Oxford?	Kiedy ten autobus przyjeżdża do Oxfordu?

ĆWICZENIA

Zaprzecz poniższym informacjom.

1

1. We're working at the moment. _____

_____

2. Mark and Angela are leaving London tomorrow. _____

_____

3. I'm going to the cinema tonight. _____

_____

4. Sheryl is buying our tickets. _____

_____

5. You're coming with us. _____

_____

---

2 Uzupełnij luki w poniższym tekście, używając odpowiedniej formy czasowników z ramki.

be   buy   buy   buy   come back   go   go   leave   stay

Tom and Samantha _____ (1) at the train station.
They _____ (2) their tickets. Tom _____
(3) a ticket to Glasgow and Samantha _____ (4) a
ticket to Paris. They _____ (5) tomorrow afternoon.
Tom _____ (6) only for one day. He _____
(7) on Tuesday. Samantha _____ (8) in Paris for a week.

---

3 Dopasuj zdania z lewej strony do zdań z prawej.

1. Would you like to come to   A. Never mind.
   my party?
2. I'm afraid I can't come.   B. Single or return?
3. Here's your change.   C. I'd love to. When is it?
4. I'd like a ticket to Kent, please. D. Yes, that's a good idea.
5. Would you like to go for a meal? E. Thanks.

Uzupełnij luki w zdaniach odpowiednim słowem.

4

1. Where do we leave _____?

2. They come here _____ two hours.

3. 'Would you like to see it?' 'I'd love _____!'

4. We see them _____ day.

5. I _____ like two tickets, please.

6. Tom and Laura have a car. _____ car is a Fiat.

7. Do you see this girl? _____ name is Maria.

8. Tom and _____ wife are here.

Jak po angielsku

5

1. Zaprosić kogoś do teatru (theatre)? _____

_____

2. Odrzucić czyjeś zaproszenie? _____

_____

3. Poprosić o bilet powrotny do Londynu? _____

_____

4. Zapytać, jak długo trwa podróż? _____

_____

5. Zapytać skąd odjeżdża autobus? _____

_____

6. Poprosić kogoś by wszedł do pokoju? _____

_____

6 Opowiedz o planach Kena na najbliższe dni. Wykorzystaj poniższe informacje.

tonight - meet Kate, cinema
tomorrow afternoon - help mother in the garden
Tuesday morning - Rob at the station, Paris for one day
Thursday, 5 p.m. - meet Kate, museum, restaurant

_____

_____

_____

_____

_____

_____

SŁOWNICTWO

anything ['eniθɪŋ] nic
busy ['bɪzi] zajęty, przepełniony
change [tʃeɪndʒ] reszta
come in [ˌkʌm‿'ɪn] wejść
come back [ˌkʌm 'bæk] wracać
drink [drɪŋk] drink
every ['evri] każdy
  every hour ['evri 'haʊə] co godzinę
fancy ['fænsi] mieć ochotę
  do you fancy ...? [də ju 'fænsi]
  masz ochotę na ...?
garden ['gɑːdn] ogród
go out [gəʊ‿'aʊt] wychodzić (*do miasta*)
important [ɪm'pɔːtənt] ważny
impossible [ɪm'pɒsɪbl] niemożliwy

journey ['dʒɜːni] podróż
knock [nɒk] pukać
later ['leɪtə] później
leave [liːv] odjeżdżać, wyjeżdżać
  leave from ['liːv frəm] odjeżdżać z ...
long [lɒŋ] długi, długo
  how long [haʊ 'lɒŋ] jak długo
mind: never mind ['nevə maɪnd] nic nie szkodzi
or [ɔː] lub
see a film ['siː‿ə 'fɪlm] obejrzeć film
tonight [tə'naɪt] dziś wieczorem
trip [trɪp] wycieczka
who [hu] kto

would: would like to [wəd 'laɪk
tə] chcieć

podróż autobusem

book (a ticket) [bʊk (‿ə 'tɪkɪt)]
zarezerwować bilet
bus [bʌs] autobus
bus station ['bʌs ˌsteɪʃn] dworzec
autobusowy
buy a ticket ['baɪ‿ə 'tɪkɪt] kupować bilet
coach [kəʊtʃ] autokar
connection [kə'nekʃn] połączenie

gate [geɪt] stanowisko
get off [get‿'ɒf] wysiadać
get on [get‿'ɒn] wsiadać
reservation [ˌrezə'veɪʃn] rezerwacja
return (ticket) [rɪ'tɜːn ('tɪkɪt)]
bilet powrotny
single (ticket) ['sɪŋgl ('tɪkɪt)]
bilet w jedną stronę
ticket seller ['tɪkɪt ˌselə] sprzedawca biletów
travel ['trævl] podróż, podróżować

Lesson ten: First day in Cambridge

(at the bus station)

Mark	It's quarter past one. It's already fifteen minutes late.
Judy	Don't worry. Buses never arrive on time.
Mark	Look! Something's coming. This must be it.
Mark	Hello Paweł! How are you? It's great to see you again.
Paweł	Hi, Mark, you're looking well. And you must be Judy. Pleased to meet you.
Judy	Nice to meet you, Paweł.
Mark	That can't be your luggage. You always travel with two huge suitcases.
Paweł	This is all I've got. The rest is still at my hotel in London.
Judy	You must be hungry. Let's go home and have lunch.
Mark	That's a good idea.

(at Mark and Judy's house)

Judy	Could you pass the spoon, Paweł?
Paweł	Yes, here. What are you making?
Mark	It's called Yorkshire pudding.
Judy	Traditionally we eat it with roast beef and mashed potatoes.
Paweł	How do you make it?
Judy	It's simple. You mix some milk, flour and eggs together and bake it in the oven. Could you bring me an egg from the fridge, Paweł? I need one more.
Paweł	I don't see any eggs.
Mark	They must be in the cupboard.

Lekcja dziesiąta: Pierwszy dzień w Cambridge

(na dworcu autobusowym)

Mark   Jest kwadrans po pierwszej. Jest już spóźniony o piętnaście minut.

Judy   Nie martw się. Autobusy nigdy nie przyjeżdżają punktualnie.

Mark   Patrz! Coś nadjeżdża. To musi być ten.

Mark   Cześć Paweł! Jak się masz? Świetnie cię znów widzieć.

Paweł   Cześć, Mark, dobrze wyglądasz. A ty musisz być Judy. Miło mi cię poznać.

Judy   Miło mi, Pawle.

Mark   To nie może być twój bagaż. Zawsze podróżujesz z dwoma olbrzymimi walizkami.

Paweł   To wszystko co mam. Reszta jest wciąż w hotelu w Londynie.

Judy   Musisz być głodny. Chodźmy do domu zjeść lunch.

Mark   Dobry pomysł.

(w domu Marka i Judy)

Judy   Mógłbyś podać łyżkę, Pawle?

Paweł   Tak, masz. Co przygotowujesz?

Mark   To się nazywa Yorkshire pudding.

Judy   Tradycyjnie jemy go z rostbefem i tłuczonymi ziemniakami.

Paweł   Jak się to robi?

Judy   To proste. Miesza się razem trochę mleka, mąki i jaj, i piecze w piekarniku. Możesz przynieść mi jajko z lodówki, Pawle? Potrzebuję jedno więcej.

Paweł   Nie widzę żadnych jajek.

Mark   Muszą być w kredensie.

Paweł	This is really tasty. Could I have some more roast potatoes?
Mark	Yes, there are some left. There's some meat left, too.
Paweł	Thanks. So what are we doing tonight?
Judy	Have you got any ideas, Mark? You always know what's happening in town.
Mark	Sunday's quite quiet. Why don't we just go for a drink? There are a lot of good pubs in town.
Paweł	That sounds fine to me.

Paweł	To naprawdę smaczne. Mogę prosić jeszcze trochę pieczonych ziemniaków?
Mark	Tak, trochę ich zostało. Zostało także trochę mięsa.
Paweł	Dzięki. Więc co robimy dziś wieczorem?
Judy	Masz jakieś pomysły, Mark? Ty zawsze wiesz co się dzieje w mieście.
Mark	Niedziela jest dosyć spokojna. Może po prostu pójdziemy na drinka? W mieście jest dużo dobrych pubów.
Paweł	Jeśli o mnie chodzi, brzmi dobrze.

GRAMATYKA

CZASY TERAŹNIEJSZE PROSTY I CIĄGŁY - PORÓWNANIE

Czas teraźniejszy prosty (Present Simple Tense) opisuje czynności stałe, regularne, postrzegane jako niezmienne. Nie mówi o tym, co się dzieje w tej chwili.

Buses never **arrive** on time. Autobusy nigdy nie przyjeżdżają punktualnie.

You always **travel** with two huge suitcases. Zawsze podróżujesz z dwiema olbrzymimi walizkami.

Traditionally we **eat** it with roast beef and mashed potatoes. Tradycyjnie jemy go z rostbefem i tłuczonymi ziemniakami.

Czas teraźniejszy ciągły (Present Continuous Tense) opisuje czynności dziejące się teraz, w tej chwili lub w tych dniach, postrzegane jako tymczasowe.

Something**'s coming.**	Coś nadjeżdża.
What **are** you **making**?	Co robisz?
They **are eating** Yorkshire pudding.	Jedzą Yorkshire pudding.

Porównaj:

The buses **leave** every half hour.	Autobusy odjeżdżają co pół godziny (*stała, powtarzająca się czynność*)
Our bus **is leaving!**	Nasz autobus odjeżdża! (*czynność dziejąca się w tej chwili*)
She always **makes** roast beef on Sunday.	Ona zawsze robi rostbef w niedzielę. (*stały zwyczaj*)
But she **isn't making** roast beef today.	Ale dzisiaj nie robi rostbefu. (*inaczej niż zwykle*)

Niektóre czasowniki opisujące stany emocjonalne i umysłowe oraz odczucia zmysłowe zwykle występują w czasie teraźniejszym prostym. Oto przykłady takich czasowników.

want	chcieć	**know**	wiedzieć
need	potrzebować	**understand**	rozumieć
like	lubić	**believe**	wierzyć
love	kochać	**see**	widzieć
hate	nienawidzieć	**hear**	słyszeć

CZASOWNIKI MODALNE - MUST / CAN'T

Czasowników modalnych **must** i **can't** używa się, gdy wyciąga się logiczne wnioski, że coś musi być prawdą **(must)** lub że coś nie może być prawdą, jest niemożliwe **(can't)**. Używane są z innymi czasownikami, które stoją bezpośrednio po nich i są w formie podstawowej.

This **must** be it.	To musi być to.
You **must** be hungry.	Musisz być głodny.
That **can't** be your bag.	To nie może być twoja torba.
It **can't** be true.	To nie może być prawda.

CZASOWNIKI DO I MAKE

Oba czasowniki oznaczają „robić". **Make** ma podobne znaczenie do „tworzyć", „produkować". Zazwyczaj jest jakiś produkt takiej czynności. **Do** - „robić", „zajmować się czymś".

Paweł pyta Judy, która przygotowuje obiad:

What are you **making**?	Co robisz? (Co przygotowujesz?)
How do you **make** it?	Jak to się robi?

Potem, aby się dowiedzieć, czym będą się zajmować wieczorem:

What are we **doing** tonight?	Co robimy dziś wieczorem?

Porównaj:

What are you **doing**, Judy?	Co robisz Judy? (Czym się zajmujesz?)
I'm **making** pudding.	Robię pudding. (Przygotowuję pudding)

Czasowniki te są używane w wielu idiomatycznych wyrażeniach. Oto przykłady:

make a decision	zdecydować / podjąć decyzję
make a mistake	pomylić się / popełnić błąd
make plans	planować / robić plany
do the dishes	zmyć naczynia
do the shopping	zrobić zakupy
do a good job	wykonać dobrą robotę / dobrze się spisać

RZECZOWNIKI NIEPOLICZALNE

Nazwy produktów spożywczych są często rzeczownikami niepoliczalnymi. Nie używa się ich z rodzajnikiem nieokreślonym **a / an** i nie tworzą liczby mnogiej.

pudding	pudding	**milk**	mleko
beef	wołowina	**flour**	mąka
pork	wieprzowina	**meat**	mięso

Gdy prosimy o „trochę", używamy słowa **some**:

Could I have **some** meat?	Mogę prosić trochę mięsa?
Mix **some** milk and flour.	Wymieszaj trochę mleka i mąki.

[patrz też - lekcja 5]

FUNKCJE JĘZYKOWE

PODAWANIE PRZEPISÓW

Przy podawaniu przepisów kulinarnych używa się czasu teraźniejszego prostego (są to instrukcje, które zawsze wykonuje się tak samo):

You **mix** some milk, flour and eggs together and **bake** it in the oven.	Miesza się razem trochę mleka, mąki i jaj, i piecze w piekarniku.
You **slice** it and **fry** in oil.	Kroi się to na plasterki i smaży na oliwie.
You **serve** it hot.	Podaje się na gorąco.

ZACHOWANIE SIĘ PRZY STOLE

Prośby:

Could I have some roast potatoes?	Czy mogę dostać trochę pieczonych ziemniaków?
Could I have some more juice, please?	Czy mogę dostać trochę więcej soku?
Could you pass me the salt?	Czy mógłbyś mi podać sól?

Oferowanie:

Would you like some salad?	Chciałbyś trochę sałatki?
Would you like some more water?	Chciałbyś trochę więcej wody?
Could I pass you the meat?	Czy mogę ci podać mięso?

Komplementowanie kucharza i podziękowanie:

This is really tasty.	To naprawdę smaczne.
It's delicious / very good.	To jest pyszne / bardzo dobre.
Thank you for the meal.	Dziękuję za posiłek.

POWITANIA (3)

Do powitania często dodaje się poniższe zwroty:

You're looking well.	Dobrze wyglądasz.
You look great.	Świetnie wyglądasz.
It's great to see you again.	Świetnie cię znów widzieć.
I'm glad to see you.	Cieszę się, że cię widzę.

Gdy się kogoś poznaje, mówi się:

Pleased to meet you.	Miło mi cię poznać.

W odpowiedzi na ten zwrot można go powtórzyć lub powiedzieć:

Nice to meet you.	Miło mi cię poznać.

ĆWICZENIA

Użyj czasowniki **go, have** i **leave** w odpowiednim czasie - teraźniejszym prostym lub ciągłym.   **1**

1. We normally _____ lunch at noon but today
   we _____ it at one.
2. The trains to London _____ every twenty minutes. Look! One _____ now.
3. They rarely _____ to pubs but they
   _____ for a drink tonight.

Uzupełnij dialog czasownikami w nawiasach w odpowiedniej formie.   **2**

'What (1. you / do) _____? (2. you / be) ____
_____ busy?'

'I (3. make) _____ soup for dinner.'

'What kind of soup (4. you / make) _____?'

'Tomato. I (5. often / cook) _____ tomato soup
because Jack (6. like) _____ it very much.'

'Where (7. he / be) _____?'
'He (8. work) _____ in the garden. He (9. always
/ work) _____ in the garden in the afternoon.'
'I (10. see) _____.'

---

3 Zadaj odpowiednie pytanie:

1. 'We're going to town.' 'When _____
_____?'

2. 'I'm making dinner.' 'What _____
_____?'

3. 'This dish is called Yorkshire pudding.' 'Oh. How _____
_____?'

4. 'Helen wants to talk to you.' 'What _____
_____?'

5. 'We're going to the cinema.' 'What film _____
_____?'

6. 'The bus to Bristol leaves at 5 p.m.' 'When _____
_____?'

---

4 Przetłumacz na angielski:

1. To nie może być twoja żona. To niemożliwe. _____

_____

2. Oni muszą być teraz w Cambridge. _____

_____

3. Musisz być bardzo zmęczona. _____

_____

4. Oni nie mogą być teraz w sklepie. Sklep nie jest otwarty. _____

_____

5. Zostało trochę ziemniaków. _____

_____

6. Zostało trochę owoców. _____

_____

Do czy **make?**   `5`

1. I'm _____ scrambled egg.

2. They're not _____ anything at the moment.

3. Mary always _____ the shopping and I always

_____ the dishes.

4. 'What are you _____?' 'We're_____

_____ plans for tonight.'

5. Let's ask Ken to _____ it. He usually _____

_____ a good job.

Jak po angielsku   `5`

1. Poprosić o jeszcze trochę sałatki? _____

_____

2.)Powiedzieć, że posiłek jest pyszny? _____

_____

3. Zaproponować komuś trochę tłuczonych ziemniaków? _____

_____

4. Poprosić o podanie soli? _____

_____

5. Powiedzieć komuś, aby się nie martwił? _____

_____

6. Powiedzieć komuś, że dobrze go znów widzieć? _____

_____

SŁOWNICTWO

all [ɔːl] wszystko

bring [brɪŋ] przynieść

cupboard ['kʌbəd] kredens

decision [dəˈsɪʒn] decyzja
  make a decision ['meɪk ə dəˈsɪʒn] podejmować decyzję

eat [iːt] jeść

fridge [frɪdʒ] lodówka

happen ['hæpn] zdarzać się, dziać się

hate [heɪt] nienawidzieć

house [haʊs] dom

huge [hjuːdʒ] olbrzymi

hungry ['hʌŋgri] głodny

job: do a good job ['duː ə ˌgʊd 'dʒɒb] dobrze się spisać

late [leɪt] spóźniony

look [lʊk] wyglądać
  look well ['lʊk 'wel] dobrze wyglądać

luggage ['lʌgɪdʒ] bagaż

make [meɪk] robić

mistake [mɪsˈteɪk] błąd
  make a mistake ['meɪk ə mɪsˈteɪk] pomylić się

must [mʌst] musieć

need [niːd] potrzebować

noon [nuːn] południe

normally ['nɔːməli] normalnie, zwykle

pass [pɑːs] podać

plan [plæn] plan
  make plans ['meɪk 'plænz] robić plany

pleased to meet you ['pliːzd tə 'miːt ju] miło mi cię poznać

pub [pʌb] pub

quiet ['kwaɪət] spokojny

rest: the rest [ðə 'rest] reszta (*pozostałe rzeczy*)

shopping ['ʃɒpɪŋ] zakupy
  do the shopping ['duː ðə 'ʃɒpɪŋ] robić zakupy

simple ['sɪmpl] prosty

sound: sound fine ['saʊnd faɪn] brzmieć dobrze

suitcase ['suːtkeɪs] walizka

town [taʊn] miasto, centrum
  in town [ɪn 'taʊn] w mieście, w centrum

traditionally [trəˈdɪʃnəli] tradycyjnie

true: it's true [ɪts 'truː] to prawda

well [wel] dobrze

worry ['wʌri] martwić się
  don't worry ['dəʊnt 'wʌri] nie martw się

gotowanie

bake [beɪk] piec (*ciasto*)

bowl [bəʊl] miska, głęboki talerz

cold [kəʊld] zimny

cup [kʌp] filiżanka

cut [kʌt] kroić

delicious [dəˈlɪʃəs] pyszny

dish [dɪʃ] danie
  dishes ['dɪʃɪz] naczynia
  do the dishes ['duː ðə 'dɪʃɪz] myć naczynia

flour [flaʊə] mąka

fork [fɔːk] widelec

fry [fraɪ] smażyć
hot [hɒt] gorący
juice [dʒuːs] sok
knife [naɪf] nóż
mashed potatoes ['mæʃt
  pə'teɪtəʊz] tłuczone ziemniaki
mix [mɪks] mieszać
mug [mʌg] kubek
oven ['ʌvn] piekarnik
pepper ['pepə] pieprz
plate [pleɪt] talerz
pudding ['pʊdɪŋ] puding, deser
rinse [rɪns] płukać
roast [rəʊst] piec (*mięso*)

roast beef ['rəʊst biːf] pieczona
  wołowina, rostbef
salad ['sæləd] sałatka
salt [sɔːlt] sól
scrambled egg ['skræmbld‿'eg]
  jajecznica
serve [sɜːv] podawać
slice [slaɪs] kroić w plasterki, plasterek
soup [suːp] zupa
spoon [spuːn] łyżka
tasty ['teɪsti] smaczny

[jedzenie patrz - lekcja 5]

Lesson eleven: In a pub

Mark	Cheers everybody!
Paweł and Judy	Cheers!
Paweł	So, tell me, Mark, how's your family?
Mark	They're very well. My younger brother's still at school. He's taking his exams next year.
Paweł	What's your older sister doing? Is she still at university?
Mark	No, she's working now. She's an accountant.
Paweł	Have you got any brothers and sisters, Judy?
Judy	Yes, I've got two older sisters.
Paweł	That's funny, I'm the youngest in my family, too.
Mark	And the funniest thing is that both his brothers look exactly like Paweł!
Judy	Is that true?
Paweł	They look a bit like me, but Piotr is thinner than I am, and Tomek is taller. But I'm the most handsome, of course.
Judy	And so modest! Are they like you?
Paweł	We're completely different. Tomek is a brilliant singer and I can't sing and they're both good sportsmen and I'm not too good at sport. And they have wives and children.
Mark	Now he is being modest. He's much better at sports than I am. Anyway, what are we doing tomorrow?

Lekcja jedenasta: W pubie

Mark	No to na zdrowie!
Paweł i Judy	Na zdrowie!
Paweł	No więc, powiedz mi Mark, jak się ma twoja rodzina?
Mark	Dobrze. Mój młodszy brat chodzi wciąż do szkoły. Ma egzaminy w przyszłym roku.
Paweł	Co robi twoja starsza siostra? Czy wciąż jest na uniwersytecie?
Mark	Nie, w tej chwili pracuje. Jest księgową.
Paweł	Czy ty masz braci lub siostry, Judy?
Judy	Tak, mam dwie starsze siostry.
Paweł	To śmieszne, ja też jestem najmłodszy w rodzinie.
Mark	A najśmieszniejszą rzeczą jest to, że obaj jego bracia wyglądają dokładnie jak Paweł!
Judy	Czy to prawda?
Paweł	Wyglądają trochę jak ja, ale Piotr jest szczuplejszy ode mnie, a Tomek jest wyższy. Ale ja jestem najprzystojniejszy, oczywiście.
Judy	I taki skromny! Czy są tacy jak ty?
Paweł	Jesteśmy zupełnie inni. Tomek jest genialnym piosenkarzem, a ja nie umiem śpiewać i obaj są dobrymi sportsmenami, a ja nie jestem zbyt dobry, jeśli chodzi o sport. No i obaj mają żony i dzieci.
Mark	Teraz jest skromny. Jest o wiele lepszy, jeśli chodzi o sport, niż ja. A swoją drogą, co robimy jutro?

Judy	Let's visit the town, since it's Paweł's first time in Cambridge.
Paweł	I'd like to see the university. Isn't it the oldest in England?
Mark	No, Oxford is older, but I think it's the most beautiful. Shall we have another beer? It's my round.

Judy	Zwiedźmy miasto, skoro to Pawła pierwszy raz w Cambridge.
Paweł	Chciałbym zobaczyć uniwersytet. Czy nie najstarszy w Anglii?
Mark	Nie, Oxford jest starszy, ale uważam, że jest najpiękniejszy. Jeszcze jedno piwo? Ja stawiam.

GRAMATYKA

STOPNIOWANIE PRZYMIOTNIKÓW

Stopień wyższy przymiotników jednosylabowych i dwusylabowych zakończonych na **-y** tworzy sie przez dodanie koncówki **-er** [ə] do przymiotnika w stopniu równym; stopień najwyższy - przez dodanie końcówki **-est** [ɪst] oraz słowa **the** przed przymiotnikiem.

old stary old**er** starszy **the** old**est** najstarszy
young młody young**er** młodszy **the** young**est** najmłodszy
tall wysoki tall**er** wyższy **the** tall**est** najwyższy

W przymiotnikach zakończonych na **-y** ta samogłoska zamienia się na **i**.

funny śmieszny funn**ier** śmieszniejszy **the** funn**iest** najśmieszniejszy
happy szczęśliwy happ**ier** szczęśliwszy **the** happ**iest** najszczęśliwszy

Po krótkiej samogłosce pojedynczą spółgłoskę się podwaja.

thin szczuply thin**ner** szczuplejszy **the** thin**nest** najszczuplejszy
fat gruby fat**ter** grubszy **the** fat**test** najgrubszy

Przymiotniki dwusylabowe nie zakończone na **-y** oraz przymiotniki dłuższe tworzą stopień wyższy przez dodanie słowa **more** [mɔː] przed przymiotnikiem; stopień najwyższy przez dodanie **the most** [ðə ˈməʊst].

handsome przystojny **more** handsome przystojniejszy **the most** handsome najprzystojniejszy
beautiful piękny **more** beautiful piękniejszy **the most** beautiful najpiękniejszy
modest skromny **more** modest skromniejszy **the most** modest najskromniejszy

PRZYMIOTNIKI NIEREGULARNE

Istnieje kilka przymiotników, które tworzą stopień wyższy i najwyższy w sposób nieregularny.

good dobry **better** [ˈbetə] lepszy **the best** [ðə ˈbest] najlepszy
bad zły **worse** [wɜːs] gorszy **the worst** [ðə wɜːst] najgorszy
many wiele, dużo **more** [mɔː] więcej **the most** [ðə məʊst] najwięcej

NIEREGULARNA LICZBA MNOGA RZECZOWNIKÓW

Rzeczowniki tworzą liczbę mnogą przez dodanie końcówki **-s** do formy liczby pojedynczej [lekcja 3 i 9], np.:

brother	brat	**brothers**	bracia
sister	siostra	**sisters**	siostry

Istnieje kilka rzeczowników, które tworzą liczbę mnogą nieregularnie.

child	dziecko	**children**	dzieci
man	mężczyzna	**men**	mężczyźni
woman	kobieta	**women**	kobiety
wife	żona	**wives**	żony
foot	stopa	**feet**	stopy
wolf	wilk	**wolves**	wilki
person	osoba	**people**	ludzie

Nieregularne są też rzeczowniki złożone.

sportsman	sportowiec	**sportsmen**	sportowcy
policewoman	policjantka	**policewomen**	policjantki
housewife	gospodyni	**housewives**	gospodynie

OPUSZCZANIE PRZEDIMKA OKREŚLONEGO

I'd like to see **the university**.

I work in **the school** round the corner.

Chciałbym zobaczyć uniwersytet.

Pracuję w szkole za rogiem.

W tych zdaniach jest mowa o konkretnych budynkach - sławnego uniwersytetu w Cambridge i szkoły, która znajduje się za rogiem. Używa się przedimka określonego, jak zawsze, gdy mowa jest o rzeczach, osobach czy zjawiskach określonych, które słuchacz jest w stanie zidentyfikować [lekcja 3].

My brother's still **at school**.

Mój brat jest jeszcze w szkole / Chodzi jeszcze do szkoły.

Is she still **at university**?

Czy wciąż jest na uniwersytecie / Czy wciąż studiuje?

Te zdania mówią o szkole i uniwersytecie jako instytucjach, gdzie się uczy i studiuje. W takim wypadku nie używa się przedimka określonego.

Istnieje kilka rzeczowników, które używa się w ten sposób. Oto inne przykłady:

He's **in prison**.

Jest w więzieniu (*odsiaduje wyrok*)

She's going **to the prison** to visit her brother.

Idzie do więzienia, aby odwiedzić brata.

She's going **to hospital** because she's ill.

Idzie do szpitala bo jest chora. (*jako pacjentka*)

He's **in the hospital** to see his sister.

Jest w szpitalu, aby zobaczyć się z siostrą.

FUNKCJE JĘZYKOWE

PORÓWNANIA

Różnice

Aby mówić o różnicach, używa się konstrukcji ze słowem **than** oraz przymiotnika w stopniu wyższym. Przed przymiotnikiem można dodać **a bit / a little** - trochę, albo **much / a lot** - o wiele.

Piotr **is thinner than** I am.	Piotr jest szczuplejszy ode mnie.
He is **much taller than** we are.	On jest o wiele wyższy niż my.
Oxford **is older than** Cambridge.	Oxford jest starszy niż Cambridge.
They are **a bit more modest than** he is.	Oni są trochę skromniejsi od niego.

Aby zwrócić uwagę na różnice, można też użyć słów **and** lub **while** albo przymiotnika **different**.

Tomek is a brilliant singer **and** I can't sing.	Tomek jest świetnym piosenkarzem, a ja nie potrafię śpiewać.
They are thin **while** she is fat.	Oni są szczupli, podczas gdy ona jest gruba.
They are **completely / very different**.	Oni są zupełnie / bardzo różni.

Podobieństwa

Aby mówić o podobieństwach używamy słowa **like**. Można je poprzedzić zwrotami **a bit / a little** - trochę, **exactly / just** - dokładnie.

They look **a little like** me.	Wyglądają trochę tak, jak ja.
He is **exactly like** Paweł.	On jest dokładnie taki, jak Paweł.
She's **just like** you.	Ona jest dokładnie taka, jak ty.

Można też użyć przymiotnika **similar** - podobny.

We are **similar**.	Jesteśmy podobni.
Kate and Judy are **very similar**.	Kate i Judy są bardzo podobne.

Aby powiedzieć, że coś jest najstarsze, najwyższe itp., należy użyć stopnia najwyższego przymiotnika.

Oxford is **the oldest** university in England.	Oxford jest najstarszym uniwersytetem w Anglii.
Paul is **the most handsome** man in our office.	Paul jest najprzystojniejszym mężczyzną w naszym biurze.

MÓWIENIE O UMIEJĘTNOŚCIACH

Do mówienia o umiejętnościach lub ich braku używa się czasownika modalnego **can / can't**. Czasownik występujący po **can / can't** jest w formie podstawowej.

I **can** swim very well.	Umiem bardzo dobrze pływać.
I **can't** sing.	Nie umiem pływać.

Można też użyć wyrażenia **be good at** - „być dobrym w...", albo przymiotnika, np.

(very) good	(bardzo) dobry
excellent / brilliant	wspaniały
poor	słaby
bad	zły

He's **very good at** sport.	Jest dobry w sporcie.
I'm **not too good at** languages.	Nie jestem zbyt dobry w językach.
They're both **very good** sportsmen.	Obaj są bardzo dobrymi sportowcami.
He's an **excellent** singer.	On jest świetnym piosenkarzem.
She's a **poor** worker.	Ona jest słabym pracownikiem.

ZMIANA TEMATU ROZMOWY

Aby zmienić temat rozmowy, używa się słowa **anyway.**

He's much better at sports than I am. **Anyway,** what are we doing tomorrow?	Jest dużo lepszy w sporcie niż ja. A swoją drogą, co robimy jutro?

Innym wyrażeniem, które jest używane dla zmiany tematu jest **by the way** - a propos. Brytyjczycy często używają **by the way**, aby powiedzieć coś zupełnie nie a propos tego, o czym właśnie była mowa.

ĆWICZENIA

1 Wpisz przymiotniki z nawiasów w odpowiednim stopniu - równym, wyższym lub najwyższym.

1. They are really (bad) _____ at sport, but I'm (bad)
   _____ than they are.
2. Mary is (fat) _____ than Bob. Bob is (thin)
   _____ than Mary.
3. I think Oxford is (beautiful) _____ university in England.
4. Philip is (good) _____ singer in our group. Nobody
   is (good) _____ than him.
5. Mark is a very (handsome) _____ man but Ted is
   (handsome) _____ than him.
6. I'm (happy) _____ person in the world.

2 Zdecyduj, czy należy użyć przedimka **the**.

1. Helen's brother is a thief. He's in _____ prison now.
2. She often goes to _____ prison to visit him.
3. My uncle's ill. He's going to _____ hospital tomorrow.
4. Father's in _____ school. He's talking to the director.
5. How old is your brother? He's ten. He's still at _____ school.

Odpowiedz na poniższe pytania. Odpowiedzi szukaj w dialogu na początku lekcji.

3

1. Has Mark got any brothers and sisters? _____

_____

2. Are they older or younger than Mark? _____

_____

3. Has Pawel got any brothers and sisters? _____

_____

4. Are they older or younger than Pawel? _____

_____

5. What do they look like? _____

_____

6. What are they like? _____

_____

7. What is Pawel like? _____

_____

Uzupełnij luki w tym dialogu.

4

'Are you (1) _____ at sport, Phil? '

'Well, I (2) _____ swim well. But I (3) _____

play tennis. '

' (4) _____ you play football? '

'Oh, yes. I'm an (5) _____ footballer. I'm really (6)

_____ at it. How about you? '

'I'm (7) _____ too good at sport. I'm a (8)

_____ sportsman. '

5   Ułóż zdania wykorzystując podane słowa tak, aby opisać trzech braci. Użyj również następujących zwrotów: **a bit, very, much, exactly, completely.**

1. Tom / Paul / Mark / brothers _____

_____

2. Tom / older / Paul _____

_____

3. Mark / oldest _____

_____

4. Paul / like / Mark _____

_____

5. both / tall / thin _____

_____

6. Tom / different _____

_____

7. he / shorter / fatter / his two brothers _____

_____

6   Przetłumacz na angielski.

1. Na zdrowie! _____

2. Ja stawiam. _____

3. Jeszcze jedno piwo? _____

4. Czy to prawda? _____

5. Jak się ma twoja rodzina? _____

6. To śmieszne. _____

SŁOWNICTWO

anyway ['eniweɪ] a swoją drogą
bad ['bæd] zły, słaby
beautiful ['bjuːtəfl] piękny
beer [bɪə] piwo
brilliant ['brɪljənt] genialny, błyskotliwy
by the way ['baɪ ðə 'weɪ] a propos, swoją drogą
cheers [tʃɪəz] na zdrowie (*toast*)
different ['dɪfrənt] różny, inny
everybody ['evrɪbɒdi] wszyscy
exactly [ɪg'zæktli] dokładnie
exam [ɪg'zæm] egzamin
    take an exam
    ['teɪk‿ən‿ɪg'zæm] zdawać
    egzamin
excellent ['eksələnt] świetny
family ['fæmɪli] rodzina
first time [ˌfɜːst 'taɪm] pierwszy raz
foot / feet [fʊt / fiːt] stopa / stopy
good at... ['gʊd‿ət] dobry w...
not too good at... ['nɒt tuː 'gʊd‿ət] niezbyt dobry w....
handsome ['hænsəm] przystojny
happy ['hæpi] szczęśliwy
ill [ɪl] chory
man / men [mæn / men] mężczyzna / mężczyźni
modest ['mɒdəst] skromny
next [nekst] następny
    next year ['nekst 'jɪə] przyszły rok
person / people ['pɜːsn / 'piːpl] osoba / ludzie

poor [pɔː] słaby, kiepski
prison ['prɪzn] więzienie
    in prison [ɪn 'prɪzn] w więzieniu
round ['raʊnd] kolej
    my round [maɪ 'raʊnd] moja kolej, ja stawiam
school [skuːl] szkoła
    at school [ət 'skuːl] w szkole
shall: shall I go? [ʃəl‿aɪ 'gəʊ] czy mam pójść?
similar ['sɪmɪlə] podobny
sing [sɪŋ] śpiewać
swim [swɪm] pływać
thief [θiːf] złodziej
university ˌjuːnɪ'vɜːsɪti uniwersytet
    at university [ət ˌjuːnɪ'vɜːsɪti] na uniwersytecie
woman / women ['wʊmən / 'wɪmɪn] kobieta / kobiety
work [wɜːk] pracować
worker ['wɜːkə] pracownik, robotnik
year [jɪə] rok

członkowie rodziny

aunt [ɑːnt] ciotka
brother ['brʌðə] brat
child / children [tʃaɪld / 'tʃɪldrən] dziecko / dzieci
cousin ['kʌzn] kuzyn
daughter ['dɔːtə] córka
father ['fɑːðə] ojciec
grand-daughter ['grænˌdɔːtə] wnuczka

grandfather ['græn̩ˌfɑːðə] dziadek

grandmother ['græn̩ˌmʌðə] babcia

grandson ['grænsʌn] wnuczek

husband ['hʌzbənd] mąż

mother ['mʌðə] matka

nephew ['nefjuː] bratanek, siostrzeniec

niece [niːs] bratanica, siostrzeniec

parents ['peərənts] rodzice

sister ['sɪstə] siostra

son [sʌn] syn

uncle ['ʌŋkl] wujek

wife / wives [waɪf / waɪvz] żona / żony

zawody

accountant [ə'kaʊntənt] księgowy

actor / actress ['æktə / 'æktrəs] aktor / aktorka

artist ['ɑːtɪst] artysta

banker ['bæŋkə] bankowiec

builder ['bɪldə] budowniczy

chemist ['kemɪst] farmaceuta

doctor ['dɒktə] lekarz

driver ['draɪvə] kierowca

housewife / wives ['haʊswaɪf / haʊswaɪvz] gospodyni domowa / gospodynie domowe

lawyer ['lɔːjə] prawnik

lecturer ['lektʃərə] wykładowca

manager ['mænədʒə] manager

nurse [nɜːs] pielęgniarka

office worker ['ɒfɪs ˌwɜːkə] urzędnik

policeman / men [pə'liːsmən] policjant / policjanci

policewoman / women [pə'liːswʊmən / pə'liːswɪmɪn] policjantka / policjantki

secretary ['sekrətri] sekretarka

shop assistant ['ʃɒp‿ə'sɪstənt] sprzedawca

singer ['sɪŋə] piosenkarz

sportsman / men ['spɔːtsmən] sportowiec / sportowcy

sportswoman / women ['spɔːtswʊmən / 'spɔːtswɪmɪn] sportsmenka / sportsmenki

student ['stjuːdənt] student

teacher ['tiːtʃə] nauczyciel

Pub. Zarówno w wielkim mieście, jak i w małym miasteczku, gdy poczujesz pragnienie, rozejrzyj się i na pewno znajdziesz gdzieś w pobliżu szyld **PUB**. Pod tą nazwą (skrót od „**Public House**") kryje się jedna z bardziej szacownych instytucji Anglii. Każdy **pub** ma swój styl i charakter: są puby w stylu wiejskim, robotnicze (gdzie robotnicy przychodzą w czasie przerwy na piwo i szybki posiłek), wykwintne w stylu wiktoriańskim... Jednak wszystkie puby mają jedną wspólną cechę - idzie się do nich, żeby być na luzie i być sobą.

Puby są na ogół otwarte od 11.00 do 23.00. Na dziesięć minut przed zamknięciem klienci słyszą okrzyk „**Last orders!**". Z kolei zdanie „**Time, gentelmen, please!**" oznacza, że należy opuścić lokal.

Lesson twelve: In town

Mark	What would you like to drink, Paweł?
Paweł	A cup of coffee, please.
Mark	I can't remember, do you take milk?
Paweł	No, I take it black, with two spoons of sugar.
Judy	And a glass of still mineral water for me. Bring some cake too. They sell the best cake in town here.
Mark	OK, two cups of coffee, a glass of mineral water and three pieces of cake. I hope I remember everything.
Paweł	Why were you away for so long? Was there a queue?
Mark	No, there wasn't. The service is slow. But at least I remembered everything.
Judy	Hey, I wanted still water, but this is fizzy.
Mark	I asked for still water. Do you want me to take it back?
Judy	No, never mind.
Paweł	Where are we going next?
Mark	To King's College. The chapel there is the most famous building in the city. We passed it this morning. I pointed it out to you. Do you remember?
Paweł	Yes, I do. Isaac Newton studied in Cambridge. Was he a student at King's College?
Mark	No, he wasn't. Newton studied and worked at Trinity.
Paweł	Why is it called King's College?

Lekcja dwunasta: W mieście

Mark	Czego chciałbyś się napić, Pawle?
Paweł	Proszę filiżankę kawy.
Mark	Nie pamiętam, pijesz z mlekiem?
Paweł	Nie, piję czarną, z dwoma łyżeczkami cukru.

Judy   I szklanka niegazowanej wody mineralnej dla mnie. Przynieś też ciasto. Sprzedają tutaj najlepsze ciasto w mieście.

Mark   OK, dwie filiżanki kawy, szklanka wody mineralnej i trzy kawałki ciasta. Mam nadzieję, że wszystko zapamiętam.

Paweł   Czemu byłeś tam tak długo? Czy była kolejka?

Mark   Nie. Obsługa jest powolna. Ale przynajmniej pamiętałem o wszystkim.

Judy   Hej, chciałam wodę niegazowaną, a to jest gazowana.

Mark   Poprosiłem o wodę niegazowaną. Chcesz, żebym ją odniósł?

Judy   Nie, to bez znaczenia.

Paweł   Gdzie teraz pójdziemy?

Mark   Do King's College. Kaplica, która tam się znajduje, jest najsławniejszym budynkiem w mieście. Przechodziliśmy obok niej dziś rano. Pokazałem ci ją. Pamiętasz?

Paweł   Tak. W Cambridge studiował Isaac Newton. Czy był studentem w King's College?

Mark   Nie, Newton studiował i pracował w Trinity.

Paweł   Dlaczego nazywa się je King's College?

Mark	Because king Henry the sixth founded it. They started building the chapel in four-teen forty one, but when Henry died in fourteen seventy one the chapel wasn't finished.
Paweł	When was it finished?
Mark	They only completed it in fifteen fifteen, almost five hundred years ago.
Paweł	Builders were slow in those days, too.

Mark   Bo założył je król Henryk Szósty. Zaczęli budować kaplicę w tysiąc czterysta czterdziestym pierwszym, ale kiedy Henryk umarł w tysiąc czterysta siedemdziesiątym pierwszym kaplica nie była skończona.

Paweł   Kiedy została skończona?
Mark   Skończyli ją dopiero w tysiąc pięćset piętnastym, prawie pięćset lat temu.
Paweł   W tamtych czasach budowniczy też byli powolni.

GRAMATYKA

CZAS PRZESZŁY PROSTY - TO BE - ZDANIA TWIERDZĄCE / PYTANIA PRZECZENIA

Czas przeszły prosty (**Simple Past Tense**) mówi o rzeczach, które zdarzyły się w przeszłości i bardzo często używany jest w opowiadaniach.

Czasownik **to be** - „być" ma dwie formy w czasie przeszłym - **was** [wɒz] dla pierwszej i trzeciej osoby liczby pojedynczej i **were** [wɜː] dla pozostałych osób.

I **was** there for a few minutes. Byłam tam kilka minut.
He **was** a student here. On był tu studentem.
Builders **were** slow in those   Budowniczy byli powolni również w tamtych czasach.
days, too.
You **were** here yesterday. Byłaś tu wczoraj.

Podobnie jak w czasie teraźniejszym [lekcja 2] pytania z tym czasownikiem tworzy się przez inwersję - **to be** stoi przed podmiotem. Zaimki pytające stoją na początku zdania.

Was he a student here? Czy był tutaj studentem?
When **was** it finished? Kiedy była ukończona?
Were you here yesterday? Byłaś tutaj wczoraj?
Why **were** you away for so long? Czemu byłeś tam tak długo?

Przeczenia z czasownikiem **to be** tworzy się przez dodanie do niego słowa **not** [porównaj - lekcja 2]. Najczęściej używa się form skróconych.

was not [wɔz 'nɒt] = **wasn't** ['wɒznt]
were not [wə 'nɒt] = **weren't** ['wɜːnt]

The chapel **wasn't** finished.	Kaplica nie była skończona.
They **weren't** very fast.	Nie byli zbyt szybcy.

Krótkie pytania i odpowiedzi tworzy się przez powtórzenie podmiotu i czasownika.

'Was there a queue?'	„Czy była kolejka?"
'No, **there wasn't**.'	„Nie."
'Was he a student here?'	„Czy on był tu studentem?"
'No, **he wasn't**.'	„Nie."
'Were they slow?'	„Czy byli powolni?"
'Yes, **they were**.'	„Tak."

CZAS PRZESZŁY PROSTY - CZASOWNIKI REGULARNE - ZDANIA TWIERDZĄCE

Czas przeszły prosty czasowników regularnych tworzy się przez dodanie końcówki **-ed** do formy podstawowej. Czasownik ma taką samą formę dla wszystkich osób.

I always **remember** everything.	Zawsze pamiętam o wszystkim.
I **remembered** everything.	Pamiętałem o wszystkim.
They **want** this bottle.	Chcą tę butelkę.
They **wanted still water**.	Chcieli wodę niegazowaną.

Do czasowników zakończonych na **-y** dodaje się **-ied**, przy czym końcówka **-y** znika.

I **study** at Cambridge.	Studiuję w Cambridge.
Newton **studied** and worked at Trinity.	Newton studiował i pracował w Trinity.

Do czasowników zakończonych na **-e** dodaje się tylko **-d**.

Many people **die** of cancer.	Wielu ludzi umiera na raka.
Henry **died** in 1471.	Henryk umarł w 1471 r.

CZAS PRZESZŁY PROSTY - OKREŚLENIA CZASU

Czasu przeszłego prostego używa się z następującymi określeniami czasu.

yesterday ['jestədeɪ] wczoraj
the day before yesterday [ðə 'deɪ bɪ'fɔː 'jestədeɪ] przedwczoraj
last week ['lɑːst 'wiːk] w zeszłym tygodniu
last Monday ['lɑːst 'mʌndeɪ] w zeszły poniedziałek
two **days ago** ['tuː 'deɪz‿ə'gəʊ] dwa dni temu
500 **years ago** ['faɪv 'hʌndrɪd 'jɜːz‿ə'gəʊ] 500 lat temu
in 1919 [ɪn 'naɪntiːn naɪn'tiːn] w 1919 roku

A CUP / SPOON OF

Nazwy żywności i napojów to zwykle rzeczowniki niepoliczalne - nie można ich policzyć [patrz - lekcje 5 i 10].

sugar	cukier
coffee	kawa
mineral water	woda mineralna
cake	ciasto

Często używa się ich z wyrażeniami, oznaczającymi miarę. Oto kilka przykładów:

a **cup of** coffee / tea	filiżanka kawy / herbaty
a **spoon of** sugar / honey	łyżka cukru / miodu
a **glass of** mineral water / juice	szklanka wody mineralnej / soku
a **piece of** cake / pizza	kawałek ciasta / pizzy
a **bottle of** wine / milk	butelka wina / mleka
a **slice of** sausage / ham	plasterek kiełbasy / szynki
a **can of** beer / coke	puszka piwa / koli

Wyrażenie **a piece of cake** jest też idiomem oznaczającym coś łatwego.

'Can you do it?'	„Potrafisz to zrobić?"
'It's **a piece of cake**.'	„To bardzo łatwe."

WYRAŻENIA Z CZASOWNIKIEM TAKE

Czasownik **take** oznacza 'wziąć, brać'.

Take your umbrella with you.   Weź parasol ze sobą.

Ale jest też używany w wyrażeniach idiomatycznych. Oto kilka przykładów:

take milk	dodawać mleka *(do herbaty lub kawy)*
take sugar	słodzić
take something back	odnieść
take a shower	brać prysznic
take a bath	brać kąpiel
take something seriously	brać coś na serio / poważnie

LICZEBNIKI PORZĄDKOWE

Pierwsze trzy liczebniki porządkowe pojawiły się już w lekcji 3. Oto one dla przypomnienia (w nawiasie podany jest ich skrócony zapis):

1. **first (1st)** fɜːst
2. **second (2nd)** 'sekənd
3. **third (3d)** θɜːd

Pozostałe tworzy się przez dodanie końcówki **-th** [θ] do liczebnika głównego.

4. **fourth (4th)** [fɔːθ]
5. **fifth (5th)** [fɪfθ]
6. **sixth (6th)** [sɪksθ]
7. **seventh (7th)** ['sevnθ]
8. **eighth (8th)** [eɪtθ]
9. **ninth (9th)** [naɪnθ]
10. **tenth (10th)** [tenθ]
11. **eleventh (11th)** [ɪ'levənθ]
12. **twelfth (12th)** [twelfθ]
13. **thirteenth (13th)** [θɜː'tiːnθ]
14. **fourteenth (14th)** [fɔː'tiːnθ]
15. **fifteenth (15th)** [fɪf'tiːnθ]

20. **twentieth (20th)** [ˈtwentiəθ]
30. **thirtieth (30th)** [ˈθɜːtiəθ]
40. **fortieth (40th)** [ˈfɔːtiəθ]
45. **forty-fifth (45th)** [ˌfɔːti ˈfɪfθ]
50. **fiftieth (50th)** [ˈfɪftiəθ]
60. **sixtieth (60th)** [ˈsɪkstiəθ]
68. **sixty-eighth (68th)** [ˌsɪksti ˈeɪtθ]
70. **seventieth (70th)** [ˌsevntiəθ]
80. **eightieth (80th)** [ˈeɪtiəθ]
90. **ninetieth (90th)** [ˈnaɪntiəθ]
100. **hundredth (100th)** [ˈhʌndrədθ]

FUNKCJE JĘZYKOWE

PROPONOWANIE POMOCY

Do you want me to take it back?	Chcesz, żebym ją odniósł?
Do you want me to finish it?	Chcesz, żebym to skończył?
Do you want me to buy you a drink?	Chcesz, żebym kupił ci drinka?

Zamiast czasownika **want to** można użyć zwrotu **would like** [lekcja 9].

Would you like me to take it back?	Chciałabyś, abym to odniósł?
Would you like me to bring you some cake?	Chciałbyś, abym przyniosła ci trochę ciasta?

NEVER MIND

Judy mówi **never mind**, gdy Mark proponuje, że odniesie wodę. **Never mind** oznacza tutaj - to nie ważne, nie kłopocz się [patrz też - lekcja 9].

IT'S CALLED...

My cat **is called** Boris.	Mój kot nazywa się Borys.
Why **is** it **called** King's College?	Dlaczego to nazywa się King's College?
What **are** they **called**?	Jak się nazywają?

Wyrażenie **to be called** jest często używane, gdy mówimy, jak coś się nazywa. Jednak, gdy przedstawiamy siebie lub mówimy o imionach innych ludzi, zazwyczaj używamy wyrażenia ze słowem **name**.

My name is Paweł.	Nazywam się Paweł.
His name is Mark.	On nazywa się Mark.
What's her **name**?	Jak ona się nazywa?

ĆWICZENIA

1 Uzupełnij zdania odpowiednimi czasownikami z ramki. Wstaw czasowniki w czasie przeszłym.

> arrive be be complete point out remember study walk

1. Paweł _____ in Cambridge yesterday. He _____ from the station to Mark's house.

2. Mark _____ the King's College to Paweł.

3. Judy _____ biology at university. She _____ her studies 10 years ago.

4. Mark _____ in the chemist's long because there _____ a queue. But he _____ everything.

---

2 Zaprzecz poniższym informacjom.

1. He was very late yesterday. _____

_____

2. The chapel was finished in 1500. _____

_____

3. We were in England last year. _____

_____

4. Judy and Mark were in Poland last holiday. _____

_____

Zadaj odpowiednie pytanie.

3

1. When _____?

I was in London two weeks ago.

2. _____?

No, only a few days.

3. Where _____?

They were in a restaurant yesterday.

4. _____?

Yes, it was very quiet.

Połącz wyrażenia z lewej strony ze słowami z prawej strony i uzupełnij nimi poniższe zdania.

4

a glass	bread
a loaf	cake
a piece	milk
twelve slices	sausage
two bottles	sugar
two cups	tea
two spoons	water

1. I'd like _____, please.

2. Would you like _____

3. Do you want _____?

4. Do you want me to bring you _____?

5. I want _____, please.

6. Could I have _____, please?

7. _____, please.

---

5   Przetłumacz na angielski.

1. Nie bierz tego na serio! _____

_____

2. Biorę teraz prysznic. _____

_____

3. Nie pamiętam, słodzisz? _____

_____

4. To mój czwarty kawałek ciasta. _____

_____

5. Mieszkam na dwudziestym piętrze._____

_____

---

6   Jak po angielsku

1. Powiedzieć, że coś jest łatwe? _____

2. Zapytać kogoś, czego by się napił? _____

3. Zapytać, czy ktoś dodaje mleka?_____

4. Zaproponować komuś, że przyniesiemy mu szklankę soku? _____

_____

5. Zaproponować komuś, że poniesiemy mu torbę? _____

_____

SŁOWNICTWO

ago [əˈgəʊ] temu
away [əˈweɪ] z dala
  be away [ˈbiː‿əˈweɪ] być nieobecnym
bath [bɑːθ] kąpiel
because [bɪˈkɒz] bo, gdyż
before [bɪˈfɔː] przed
  the day before yesterday [ðə ˈdeɪ bɪˈfɔː ˈjestədeɪ] przedwczoraj
black [blæk] czarny (o herbacie) bez mleka
bottle [ˈbɒtl] butelka
build [bɪld] budować
builder [ˈbɪldə] budowniczy
can [kæn] puszka
cancer [ˈkænsə] rak (choroba)
coke [kəʊk] kola
college [ˈkɒlɪdʒ] szkoła wyższa
complete [kəmˈpliːt] ukończyć
cup [kʌp] filiżanka
die [daɪ] umrzeć
  die of cancer [daɪ‿əv ˈkænsə] umrzeć na raka
drink [drɪŋk] pić
everything [ˈevriθɪŋ] wszystko
fast [fɑːst] szybki
finished [ˈfɪnɪʃt] skończony
fizzy [ˈfɪzi] gazowana
found [faʊnd] fundować, zakładać
glass [glɑːs] szklanka
last [lɑːst] ostatni, zeszły
  last week [ˌlɑː st ˈwiːk] zeszły tydzień
mineral water [ˈmɪnərəl ˌwɔːtə] woda mineralna
pass [pɑːs] mijać, przechodzić obok

piece [piːs] kawałek
  a piece of cake və ˈpiːs‿əv ˈkeɪk] coś łatwego
point out [ˈpɔɪnt‿ˈaʊt] zwracać uwagę na, pokazać
queue [kjuː] kolejka
sell [sel] sprzedawać
seriously [ˈsɪəriəsli] poważnie
service [ˈsɜːvɪs] obsługa
slow [sləʊ] powolny
still [stɪl] niegazowana (woda)
study [ˈstʌdi] studiować
sugar [ˈʃʊgə] cukier
take milk [ˈteɪk ˈmɪlk] dodawać mleka
umbrella [ʌmˈbrelə] parasol
yesterday [ˈjestədeɪ] wczoraj

zabytki i miejsca warte zwiedzenia

art gallery [ˈɑːt ˈgæləri] galeria sztuki
botanical garden [bəˈtænɪkl ˈgɑːdn] ogród botaniczny
bridge [brɪdʒ] most
castle [kɑːsl] zamek
cathedral [kəˈθiːdrəl] katedra
chapel [ˈtʃæpl] kaplica
church [tʃɜːtʃ] kościół
graveyard [ˈgreɪvjɑːd] cmentarz
monument [ˈmɒnjumənt] pomnik
palace [ˈpæləs] pałac
park [pɑːk] park
statue [ˈstætʃuː] posąg
zoo [zuː] zoo

Lesson thirteen: Lost wallet

Mark	Morning Paweł. How are you feeling?
Paweł	Not very well and I can't find my wallet.
Mark	Did you look in your jacket?
Paweł	Yes, I did and it wasn't there.
Mark	What a nuisance! Was there a lot of money in it?
Paweł	No, there wasn't much in it.
Mark	Anyway, we have to report it to the police. Let's go now.
Police officer	What does your wallet look like?
Paweł	It's square and it's made of black leather. There was about five pounds in it.
Police officer	Where did you lose it, sir?
Paweł	I've no idea.
Police officer	Well, where were you last night?
Paweł	We were in a bar. What's it called, Mark?
Mark	The King's Head.
Paweł	Yes, first we went to the King's Head and then we felt hungry, so we went to a takeaway.
Police officer	What was the name of the takeaway?
Mark	Mario's.
Paweł	We bought a big pizza and ate it on a bench outside Mario's. Later we went to another pub, called the Last Drop...
Mark	No, before that we went to the Dog and Duck. We played darts, remember? Then we went to the Last Drop but we didn't stay long. Afterwards we took a bus home.

Lekcja trzynasta: Zgubiony portfel

Mark	Cześć Paweł. Jak się czujesz?
Paweł	Nie najlepiej i nie mogę znaleźć mojego portfela.
Mark	Szukałeś w swojej kurtce?
Paweł	Tak i tam go nie było.
Mark	A niech to! Dużo w nim było pieniędzy?
Paweł	Nie, nie było w nim dużo.
Mark	W każdym razie, musimy to zgłosić na policję. Chodźmy zaraz.
Oficer policji	Jak wygląda pana portfel?
Paweł	Jest kwadratowy i zrobiony z czarnej skóry. Było w nim około pięciu funtów.
Oficer policji	Gdzie go pan zgubił?
Paweł	Nie mam pojęcia.
Oficer policji	No cóż, gdzie pan był wczoraj wieczorem?
Paweł	Byliśmy w barze. Jak on się nazywa, Mark?
Mark	The King's Head (Głowa Króla).
Paweł	Tak, najpierw poszliśmy do the King's Head, a potem poczuliśmy się głodni, więc poszliśmy do restauracji z jedzeniem na wynos.
Oficer policji	Jak się ta restaracja nazywała?
Mark	Mario's.
Paweł	Kupiliśmy dużą pizzę i zjedliśmy ją na ławce przed Mario's. Później poszliśmy do innego pubu, nazywał się the Last Drop (Ostatnia Kropla)...
Mark	Nie, przedtem poszliśmy do the Dog and Duck (Pies i Kaczka). Graliśmy w rzutki, pamiętasz? Potem poszliśmy do the Last Drop ale nie zostaliśmy długo. Potem pojechaliśmy autobusem do domu.

Paweł	No, we didn't take a bus, we took a taxi.
Police officer	What time did you take the taxi?
Paweł	At around eleven. Or perhaps twelve.
Police officer	And when did you last see the wallet?
Paweł	I don't remember....
Judy	Oh, you're home at last. I was worried.
Mark	We were at the police station. A terrible thing happened. Paweł lost his wallet.
Judy	He didn't lose his wallet. It's in my bag. You gave it to me last night in the Dog and Duck.
Paweł	Whoops.

Paweł	Nie, nie pojechaliśmy autobusem, pojechaliśmy taksówką.
Oficer policji	O której godzinie wsiedliście do taksówki?
Paweł	Około dwudziestej trzeciej. Albo może dwudziestej czwartej.
Oficer policji	A kiedy ostatnio widział pan swój portfel?
Paweł	Nie pamiętam....
Judy	No, w końcu jesteście w domu. Martwiłam się.
Mark	Byliśmy na posterunku policji. Stała się okropna rzecz. Paweł zgubił swój portfel.
Judy	Nie zgubił swojego portfela. Jest w mojej torbie. Dałeś mi go wczoraj wieczorem w the Dog and Duck.
Paweł	O rany.

GRAMATYKA

CZAS PRZESZŁY PROSTY - PYTANIA I PRZECZENIA

Pytanie w czasie przeszłym prostym tworzy się za pomocą słowa posiłkowego **did** [dɪd], które stoi przed podmiotem. Czasownik w pytaniu jest w formie podstawowej.

Did you **look** in your jacket?	Czy szukałeś w swojej kurtce?
Did they **lose** it?	Czy go zgubili?

Zaimki pytające stoją przed **did**.

Where did you **lose** it?	Gdzie go pan zgubił?
What time did you **take** the taxi?	O której godzinie wsiedliście do taksówki?

Zdania przeczące tworzy się za pomocą słowa posiłkowego **did** oraz przeczenia **not** [dɪd 'nɒt]. Najczęściej oba słowa skraca się do **didn't** [dɪdnt]. **Didn't** stoi bezpośrednio przed czasownikiem, który tak jak w pytaniu występuje w formie podstawowej.

We **didn't stay** long.	Nie zostaliśmy długo.
We **did not take** a taxi.	Nie pojechaliśmy taksówką.
He **didn't lose** his wallet.	Nie zgubił swojego portfela.

CZAS PRZESZŁY PROSTY - CZASOWNIKI NIEREGULARNE

Istnieje grupa czasowników nieregularnych, które tworzą czas przeszły inaczej niż przez dodanie końcówki **-ed**. Oto kilka przykładów:

buy - bought	kupić
eat - ate	jeść
feel - felt	czuć (się)
give - gave	dawać
go - went	iść
have - had	mieć
know - knew	wiedzieć
lose - lost	zgubić
see - saw	widzieć
take - took	wziąć

Obszerniejsza lista czasowników nieregularnych wraz z wymową znajduje się na końcu książki.

HOME

Słowo **home** - „dom" jest często używane bez przyimków:

be home: You're home at last.	W końcu jesteście w domu.
go home: Let's go home.	Chodźmy do domu.
take a taxi / bus home: We took a taxi home.	Pojechaliśmy taksówką do domu.

FUNKCJE JĘZYKOWE

OPOWIADANIE - KOLEJNOŚĆ ZDARZEŃ

Podczas opowiadania używa się słów, które wskazują na kolejność opisywanych wydarzeń - co zdarzyło się najpierw, co potem. Oto kilka przykładów takich wyrażeń:

first	na początku
then	potem
later	później
before that	przedtem
afterwards	po tym

WYRAŻANIE KONIECZNOŚCI - HAVE / HAS TO (1)

Czasownik **have / has** oprócz podstawowego znaczenia „mieć" oznacza również „musieć". Używamy go z czasownikami w bezokoliczniku - **to go, to see,** itd. W trzeciej osobie liczby pojedynczej czasownik ma formę **has**.

We **have to** go to the police station.	Musimy iść na komisariat policji.
They **have to** see Chris.	Oni muszą zobaczyć się z Chrisem.
She **has to** work hard.	Ona musi ciężko pracować.
He **has to** go back.	On musi wrócić.

WYRAŻANIE ZDENERWOWANIA / ZMARTWIENIA

What a nuisance!	A niech to!
Damn it!	Cholera!
A terrible thing happened.	Stała się straszna rzecz.
It's terrible / awful!	To straszne / okropne!
be worried	być zmartwionym
be anxious	być zdenerwowanym

POZDROWIENIA (2)

Standardowe powitanie **good morning** jest często skracane do **morning**. Podobnie inne powitania - **good afternoon** i **good evening** są skracane odpowiednio do **afternoon** i **evening**. W ten sposób brzmią bardziej nieformalnie [porównaj lekcja 3].

Oprócz pozdrowienia - **How are you?** [lekcja 6] - Brytyjczycy używają kilku innych pozdrowień.

How are you feeling?   Jak się czujesz?
How are you doing?   Co słychać?
How is it going?   Jak leci?

Wszystkie one są używane raczej wśród przyjaciół niż wobec osób obcych. Takie pozdrowienia używane są w języku angielskim o wiele częściej niż w polskim.

ĆWICZENIA

Połącz pytania (1-5) z odpowiedziami (A-E).

1. Did you look in your suitcase?
2. Where did Joe and Kate go last night?
3. Did Frank take the taxi?
4. Did you lose the key?
5. When did you last see Henry?

A. No, he didn't. He walked home.
B. I saw him last month.
C. Of course, I did. It wasn't there.
D. They went to the cinema.
E. Yes, we did. We lost it yesterday.

Odpowiedz na poniższe pytania, korzystając z informacji zawartych w dialogu na początku lekcji.

2

1. Where did Paweł look for his wallet? _____

_____

2. How much money was in his wallet? _____

_____

3. What did Mark, Judy and Paweł do last night? _____

_____

4. How did they get back home? _____

_____

5. What really happened to Paweł's wallet? _____

_____

Popraw poniższe zdania według przykładu. Informacji szukaj w dialogu z początku lekcji.

3

Przykład: Paweł lost his wallet last night. _No, he didn't lose his wallet. He gave it to Judy._

1. There was a lot of money in Paweł's wallet. _____

_____

2. Mark, Judy and Paweł went to a bar called 'The Mug'. _____

_____

3. They bought three big pizzas. _____

_____

4. They took the pizza home. _____

_____

5. They came back home in the morning. _____

_____

4

Uporządkuj zdania tak, aby utworzyły historyjkę. Użyj przy tym wyrazów z ramki.

> first   then   later   before that   afterwards   and

I met Tom. _____

I took the train back home. _____

We had dinner. _____

I arrived in Canterbury. _____

I had lunch. _____

We saw the town centre. _____

I visited the local museum. _____

He showed me a few interesting places. _____

5

Przetłumacz na język angielski.

1. Co wczoraj kupiłeś? _____

2. Widziałeś przedwczoraj Jima? _____

3. Gdzie Mark zgubił swojego kota? _____

4. Poczułem się głodny. _____

5. Pojechałem do domu autobusem. _____

6. Pojechali taksówką. _____

6

Jak po angielsku

1. Powiedzieć, że się jest zdenerwowanym? _____

2. Powiedzieć, że się nie ma o czymś pojęcia? _____

3. Zapytać bliskiego przyjaciela, jak się czuje? _____

4. Zapytać o nazwę restauracji? _____

SŁOWNICTWO

anxious ['æŋkʃəs] zdenerwowany

around [ə'raʊnd] około

awful ['ɔːfl] okropny

before that [bɪ'fɔː ðæt] przedtem

bench [bentʃ] ławka

darts [dɑːts] rzutki

dog [dɒg] pies

drop [drɒp] kropla

duck [dʌk] kaczka

first [fɜːst] najpierw

have no idea ['hæv nəʊ aɪ'dɪə] nie mieć pojęcia

have to [hæv tə] musieć

head [hed] głowa

home [həʊm] dom

be home ['biː 'həʊm] być w domu

jacket ['dʒækɪt] kurtka

look [lʊk] szukać

lose [luːz] zgubić

lost [lɒst] zgubiony

nuisance ['njuːsns] utrapienie

what a nuisance! [wɒt ə 'njuːsns] a niech to!

police [pə'liːs] policja

police officer [pə'liːs 'ɒfɪsə] oficer policji

report [rɪ'pɔːt] zgłosić

so [səʊ] więc

stay [steɪ] zostać

takeaway ['teɪkəweɪ] lokal z jedzeniem na wynos

terrible ['terɪbl] okropny

then [ðen] potem

thing [θɪŋ] rzecz

wallet ['wɒlɪt] portfel

whoops! [wuːps] wykrzyknik oznaczający zdziwienie

worried ['wʌrid] zmartwiony

opisywanie przedmiotów

centimetre ['sentɪˌmiːtə] centymetr

deep [diːp] głęboki

high [haɪ] wysoki

leather ['leðə] skóra

long [lɒŋ] długi

made ['meɪd] zrobiony

made of... ['meɪd əv] zrobiony z...

metal ['metl] metalowy

metre [miːtə] metr

narrow ['nærəʊ] wąski

plastic ['plæstɪk] plastykowy

round [raʊnd] okrągły

short [ʃɔːt] krótki

square [skweə] kwadratowy

thick [θɪk] gruby

wide [waɪd] szeroki

wooden [wʊdn] drewniany

Lesson fourteen: Shopping for clothes

Paweł	I'd like to change one hundred dollars, please. What's the exchange rate today?
Bank clerk	One dollar forty five to the pound. That's sixty eight pounds and ninety pence.
Paweł	Could you give me smaller notes, please?
Bank clerk	Certainly, sir. Have a nice day.
Paweł	Thanks.
Mark	I don't understand why you brought dollars. Why didn't you buy pounds in Poland? I told you it's cheaper.
Paweł	I forgot. Anyway, it's easy to change money at a bank or bureau de change.
Mark	But you get a worse rate of exchange.
Judy	OK, now we can go shopping. Isn't there a good clothes shop round the corner?
Judy	What a beautiful dress! Mark, do you like it?
Mark	Yes, but I'm not sure that it suits you. Isn't it too heavy?
Judy	No, it's cotton, it's very cool. What do you think, Paweł?
Paweł	It looks fine. Why don't you try it on?
Judy	Let's go to the fitting rooms.... It feels very comfortable. How does it look?
Mark	It looks perfect.
Judy	Doesn't it look too big? It seems a bit loose.

Lekcja czternasta: Kupowanie odzieży

Paweł	Chciałbym wymienić sto dolarów. Jaki jest dzisiaj kurs wymiany?
urzędnik banku	Dolar czterdzieści pięć za jednego funta. To będzie sześćdziesiąt osiem funtów i dziewięćdziesiąt pensów.
Paweł	Proszę mi dać mniejsze nominały (*dosł.* banknoty).
urzędnik banku	Oczywiście, proszę pana. Miłego dnia.
Paweł	Dziękuję.
Mark	Nie rozumiem, dlaczego przywiozłeś dolary. Dlaczego nie kupiłeś funtów w Polsce? Mówiłem ci, że jest taniej.
Paweł	Zapomniałem. A zresztą, łatwo jest wymienić pieniądze w banku czy kantorze.
Mark	Ale jest gorszy kurs wymiany.
Judy	OK, teraz możemy iść na zakupy. Czy nie ma tu za rogiem dobrego sklepu z ubraniami?
Judy	Co za piękna sukienka! Mark, podoba ci się?
Mark	Tak, ale nie jestem pewny, czy ci pasuje. Czy nie jest zbyt gruba?
Judy	Nie, to bawełna, jest bardzo przewiewna. Co ty myślisz, Pawle?
Paweł	Wygląda fajnie. Czemu jej nie przymierzysz?
Judy	Chodźmy do przymierzalni.... Jest bardzo wygodna. Jak wygląda?
Mark	Wygląda doskonale.
Judy	Czy nie wygląda na za dużą? Wydaje się trochę luźna.

Paweł	Would you like me to bring you a smaller size?
Judy	Yes, please. Bring a size nine....
Mark	That's better, it fits you perfectly.
Shop assistant	How would you like to pay?
Judy	Do you accept visa?
Shop assistant	Yes, of course.... Just sign here, please... Here's your receipt.

Paweł	Chciałabyś, abym przyniósł ci mniejszy rozmiar?
Judy	Tak, proszę. Przynieś mi numer dziewięć....
Mark	Teraz lepiej, leży doskonale.
Sprzedawczyni	Jak chce pani płacić?
Judy	Przyjmujecie visę?
Sprzedawczyni	Tak, oczywiście.... Proszę tu podpisać... Oto pani paragon.

GRAMATYKA

PYTANIA PRZECZĄCE

Pytanie przeczące tworzy się podobnie jak inne pytania, z tą różnicą, że do słowa posiłkowego należy dodać przeczenie **not,** najczęściej skrócone do **n't**.

W zdaniach z czasownikiem **to be** to przeczenie dodaje się bezpośrednio do tego czasownika i tak powstają **isn't** i **aren't**. W pierwszej osobie nie stosuje się formy skróconej - **not** stoi po podmiocie.

Isn't there a good clothes shop round the corner?	Czy nie ma tu dobrego sklepu odzieżowego za rogiem?
Aren't you tired?	Czy nie jesteś zmęczona?
Am I **not** late?	Czy nie jestem spóźniony?

W zdaniach ze słowem posiłkowym **do / does** (czas teraźniejszy prosty) lub **did** (czas przeszły prosty) przeczenie **n't** dodaje się do tych słów posiłkowych. Szyk zdania pozostaje taki, jak w innych pytaniach - czasownik posiłkowy stoi przed podmiotem.

Why **don't** you try it on?	Dlaczego jej nie przymierzysz?
Doesn't it look too big?	Czy nie wygląda na zbyt dużą?
Why **didn't** you buy pounds in Poland?	Dlaczego nie kupiłeś funtów w Polsce?
Didn't we go there yesterday?	Nie byliśmy tam wczoraj?

PRZYSŁÓWKI (1)

Przymiotnik odpowiada na pytanie: jaki? i określa rzeczownik.

It's a **slow** bus.   To powolny autobus.

Przysłówek odpowiada na pytanie: jak? i określa czasownik.

The bus goes **slowly**.   Ten autobus jedzie powoli.
They walked **slowly**.   Szli powoli.
It fits you **perfectly**.   Leży na tobie doskonale.

Większość przysłówków tworzy się przez dodanie końcówki **-ly** do odpowiedniego przymiotnika.

slow - slowly   powolny - powoli
perfect - perfectly   doskonały - doskonale
delicious - deliciously   pyszny - pysznie
comfortable - comfortably   wygodny - wygodnie

CZASOWNIK Z PRZYMIOTNIKIEM

Niektórych czasowników, jak **look, feel, seem, smell, taste,** używa się raczej z przymiotnikami niż przysłówkami (w języku polskim używa się w tej samej sytuacji przysłówków).

It **looks perfect**.   Wygląda doskonale.
It **looks fine**.   Wygląda dobrze.
It **feels comfortable**.   Jest wygodna (dosł. **feel** oznacza „czuć").
It **is comfortable**.   Jest wygodna.
It **seems loose**.   Wydaje się luźna.
It **smells great**.   Pachnie wspaniale.
It **tastes delicious**.   Smakuje przepysznie.

TOO

Przysłówek **too** pojawił się już w lekcji 7 w znaczeniu „także". W tym znaczeniu stoi na końcu zdania.

I enjoyed it, **too**.   Mnie się to także podobało.

W tej lekcji przysłówek **too** pojawia się w znaczeniu „za, zbyt" i stoi przed przymiotnikiem.

too heavy	zbyt gruba
too big	za duży

CZASOWNIKI NIEREGULARNE (2)

bring - brought	przynieść
forget - forgot	zapomnieć
tell - told	powiedzieć

CZASOWNIKI SUIT I FIT

Fit - pasować, być właściwego rozmiaru

Size nine **fits** you perfectly.	Rozmiar dziewiąty leży doskonale / pasuje na ciebie.
It **doesn't fit** you. It's too big.	Nie pasuje na ciebie. Jest za duże.

Suit - pasować, być komuś do twarzy

This colour **doesn't suit** you.	W tym kolorze nie jest ci do twarzy. (*dosł.* Ten kolor nie pasuje do ciebie)
Light colours **suit** you.	Do twarzy ci w jasnych kolorach. (*dosł.* Jasne kolory pasują do ciebie.)

WYKRZYKNIKI

What a beautiful dress!	Co za piękna sukienka!
What a lovely cat!	Co za słodki kot!
What wonderul houses!	Co za cudowne domy!
What silly people!	Co za niemądrzy ludzie!

Gdy rzeczownik jest w liczbie pojedynczej, konieczny jest przedimek nieokreślony.

FUNKCJE JĘZYKOWE

WYMIANA PIENIĘDZY

I'd like to change 100 dollars into pounds, **please.**	Chciałbym wymienić 100 dolarów na funty.
What's the dollar **exchange rate** today?	Jaki jest dziś kurs wymiany dolara?
One dollar forty **to** the pound.	Dolar czterdzieści za funta.
What's the commission?	Jaka jest prowizja?
Could you give me **smaller notes,** please?	Proszę mi dać drobniejsze banknoty.
good / bad rate of exchange	dobry / zły kurs wymiany

PŁACENIE W SKLEPIE

How would you like to pay?	Jak chce pani płacić?
Are you paying by cash or credit card?	Czy płaci pani gotówką czy kartą kredytową?
Do you accept cheques?	Czy przyjmujecie czeki?
I'd like to pay with this credit card.	Chciałbym zapłacić tą kartą kredytową.
I'd like to pay in cash.	Chciałbym zapłacić gotówką.

POŻEGNANIA (2)

Brytyjczycy często przy pożegnaniu życzą sobie miłego dnia, weekendu, itp.

Have a nice day!	Miłego dnia!
Have a nice weekend!	Miłego weekendu!

[patrz też - lekcja 2]

PYTANIE O OPINIĘ

What do you think?	Co myślisz?
How do you like it?	Jak ci się podoba?
Do you like it?	Podoba ci się?
How does it look?	Jak wygląda?
What's your opinion?	Jaka jest twoja opinia?

SŁOWNICTWO

Uporządkuj wyrazy tak, aby utworzyły pytania przeczące.

1

1. it / isn't / dress / Maria's? _____

_____

2. them / didn't / see / you / yesterday? _____

_____

3. don't / why / me / you / understand? _____

_____

4. she / here / live / doesn't? _____

_____

5. on / this / dress / didn't / try / you / why? _____

_____

6. your / aren't / near / we / home? _____
_____

2 Wybierz odpowiednie słowo z ramki i uzupełnij zdania. W ramce jest więcej słów niż to konieczne do uzupełnienia zdań.

> beautiful beautifully comfortable comfortably
> delicious deliciously great greatly perfect
> perfectly wonderful wonderfully

1. Helen is sitting _____ in a chair.

2. The chair seems _____.

3. Helen looks _____.

4. She's got a red dress. It suits her _____.

5. Helen's eating some soup. It smells _____.

6. And it tastes _____.

7. Helen feels _____.

---

3 Wstaw odpowiednie słowa do następujących dwu krótkich dialogów.

Pat: How do you (1) _____ these trousers?

John: I'm (2) _____ sure. (3) _____ they too dark?

Pat: I like dark colours. They suit (4) _____. What do you (5) _____, Kate?

Kate: They (6) _____ fine. Why don't you (7) _____ them on?

Pat: Yes. Where are the (8) _____ rooms?

Pat: Well, (9) _____ do they look?

John: They look (10) _____. I really like (11) _____.

Kate: Yes. They (12) _____ you. You look nice.

Pat: Aren't they (13) _____ too tight?

John: (14) _____ you like me to bring you a (15) _____ size?

Pat: Yes, please. Bring (16) _____ a size 10.

Suit czy **fit**?

4

1. This jacket is too dark. It doesn't _____ you.

2. The coat looks very big. It doesn't _____ you.

3. Do the trousers _____ me? Aren't they too big?

4. Does the shirt _____ me? Isn't it too colourful?

Jak po angielsku

5

1. Zapytać kogoś o opinię na temat filmu? _____
_____

2. Życzyć komuś miłego dnia? _____
_____

3. Powiedzieć, że chcemy zapłacić kartą kredytową? _____
_____

4. Powiedzieć, że chcemy zapłacić gotówką? _____
_____

5. Zapytać o kurs wymiany marek? _____
_____

6. Poprosić o drobniejsze banknoty? _____
_____

SŁOWNICTWO

accept [ək'sept] przyjmować
bank [bæŋk] bank
bureau de change ['bjʊərəʊ də ʧɒndʒ] kantor
by: pay by credit card ['peɪ baɪ 'kredɪt 'kɑːd] płacić kartą kredytową
cash [kæʃ] gotówka
change [ʧeɪndʒ] wymieniać
cheque [ʧek] czek
clothes [kləʊðz] ubrania
comfortable ['kʌmftəbl] wygodny
commission [kə'mɪʃn] prowizja
credit card ['kredɪt ˌkɑːd] karta kredytowa
dollar ['dɒlə] dolar
exchange rate [ɪks'ʧeɪndʒ 'reɪt] kurs wymiany
fit [fɪt] pasować
fitting room ['fɪtɪŋ 'ruːm] przymierzalnia
forget [fə'get] zapomnieć
loose [luːs] luźny
note [nəʊt] banknot
opinion [ə'pɪnjən] opinia, zdanie
pay [peɪ] płacić
    pay in cash ['peɪ‿ɪn 'kæʃ] płacić gotówką
    pay by credit card ['peɪ baɪ 'kredɪt ˌkɑːd] płacić kartą kredytową
perfect ['pɜːfəkt] doskonały
receipt [rə'siːt] paragon
silly ['sɪli] niemądry

size [saɪz] rozmiar
slowly ['sləʊli] powoli
suit [suːt] pasować, być do twarzy
taste [teɪst] smakować
too [tuː] zbyt, za
try on ['traɪ‿ɒn] przymierzać
understand [ˌʌndə'stænd] rozumieć
    I don't understand [aɪ 'dəʊnt‿ˌʌndə'stænd] nie rozumiem
wonderful ['wʌndəfl] cudowny

kolory

black [blæk] czarny
blue [bluː] niebieski
brown [braʊn] brązowy
colour ['kʌlə] kolor
dark [dɑːk] ciemny
    dark blue ['dɑːk 'bluː] ciemnoniebieski
gold [gəʊld] złoty
green [griːn] zielony
grey [greɪ] szary
light [laɪt] jasny
    light green ['laɪt 'griːn] jasnozielony
orange ['ɒrɪndʒ] pomarańczowy
pink [pɪŋk] różowy
red [red] czerwony
silver ['sɪlvə] srebrny
white [waɪt] biały

materiały

cool [kuːl] lekki, przewiewny
corduroy ['kɔːdərɔɪ] sztruks
cotton ['kɒtn] bawełna
denim ['denɪm] dżins
heavy ['hevi] ciężki, ciepły
light [laɪt] lekki
silk [sɪlk] jedwab
wool [wʊl] wełna

ubrania

blouse [blaʊz] bluzka
boots [buːts] buty (*za kostkę*)

coat [kəʊt] płaszcz
dress [dres] sukienka
gloves [glʌvz] rękawiczki
hat [hæt] kapelusz
jacket ['dʒækɪt] kurtka
pants [pænts] majtki
scarf [skɑːf] szalik
shirt [ʃɜːt] koszula
shoes [ʃuːz] buty
shorts [ʃɔːts] szorty
skirt [skɜːt] spódnica
socks [sɒks] skarpety
tights [taɪts] rajstopy
trousers ['traʊzəz] spodnie
t-shirt ['tiːʃɜːt] podkoszulek

Lesson fifteen: Planning a trip

Judy	Morning, boys. What are the final plans for our trip?
Mark	Well, we're staying tomorrow night at a guest-house in the Lake District. I phoned yesterday to make the reservations.
Judy	Where are we going today?
Paweł	I wanted to drive to Edinburgh to visit the castle, but Mark doesn't want to drive so far. Instead we're going to York to see the cathedral.
Judy	Where are we going to stay?
Paweł	We're going to camp tonight near York. I hate camping but Mark knows the best campsite in England.
Judy	Are we borrowing your Dad's car?
Mark	I'm afraid not. He's not going to lend it to us. The brakes are dodgy so he's taking it to the garage.
Judy	So what are we going to do?
Mark	We're going to hire a car for a few days. Wait, what's the time?
Judy	Nine fifteen. Why?
Mark	There's a weather forecast on the radio now.
on the radio	... in the midlands and north of England it's going to be dry and sunny, with the temperature around twenty four degrees Celsius, seventy five degrees Fahrenheit...
Paweł	That sounds perfect! It's going to be a great trip.
Judy	If they're right. I think it's going to rain. Look at that big black cloud!

Lekcja piętnasta: Planowanie wycieczki

Judy	Cześć, chłopcy. Jakie są ostateczne plany co do naszej wycieczki?
Mark	No cóż, jutro wieczorem zatrzymujemy się w pensjonacie w Krainie Jezior. Dzwoniłem wczoraj, aby zrobić rezerwacje.
Judy	Dokąd jedziemy dzisiaj?
Paweł	Ja chciałem pojechać do Edynburga, aby zobaczyć tamtejszy zamek, ale Mark nie chce jechać tak daleko. Zamiast tego jedziemy do Yorku, aby zobaczyć tamtejszą katedrę.
Judy	Gdzie się zatrzymamy?
Paweł	Będziemy biwakować dziś wieczorem koło Yorku. Nienawidzę biwakowania, ale Mark zna najlepsze pole namiotowe w Anglii.
Judy	Czy pożyczamy samochód twojego taty?
Mark	Obawiam się, że nie. Nie pożyczy go nam. Hamulce są niesprawne, więc zabiera go do warsztatu.
Judy	W takim razie, co zrobimy?
Mark	Wynajmiemy samochód na kilka dni. Czekaj, która jest godzina?
Judy	Dziewiąta piętnaście. A co?
Mark	Jest właśnie w radiu prognoza pogody.
w radio	... w środkowej i północnej Anglii będzie sucho i słonecznie z temperaturą około dwudziestu czterech stopni Celsjusza, siedemdziesięciu pięciu stopni Fahrenheita...
Paweł	Brzmi doskonale! To będzie wspaniała wycieczka.
Judy	Jeśli mają rację. Myślę, że będzie padać. Popatrz na tę dużą czarną chmurę!

GRAMATYKA

WYRAŻANIE PRZYSZŁOŚCI - BE GOING TO

Be going to ma trzy formy w zależności od osoby:

I **am going to**
he / she / it **is going to**
you / we / they **are going to**

Zwrot ten łączy się z czasownikiem w formie podstawowej.

Pytanie tworzy się przez inwersję: czasownik **to be** staje przed podmiotem.

Where **are** we **going to** stay?	Gdzie się zatrzymamy?
What **are** we **going to** do?	Co zrobimy?
Is it **going to** rain?	Czy będzie padać?

Przeczenie tworzy się przez wstawienie **not** przed **going to**:

He**'s not going to** lend us his car.	On nam nie pożyczy swojego samochodu.
We**'re not going to** enjoy it.	Nie będziemy się dobrze bawić.

Zastosowanie

Be going to używa się do wyrażenia przyszłości, jeżeli mamy zamiar coś zrobić:

We**'re going to** camp tonight.	Dziś wieczorem biwakujemy. (*Taki jest nasz zamiar*)
We**'re going to** hire a car for a few days.	Wynajmiemy / Zamierzamy wynająć samochód na kilka dni.

lub jeżeli wiemy, że coś się stanie, gdyż są na to jakieś dowody:

It**'s going to** be dry and sunny.	Będzie sucho i słonecznie. (*Tak pokazują zdjęcia satelitarne*)
It**'s going to** be a great trip.	To będzie świetna wycieczka. (*Doskonała pogoda to gwarantuje.*)

PORÓWNANIE BE GOING TO I CZASU TERAŹNIEJSZEGO CIĄGŁEGO

Jeśli jest mowa o planach lub zamierzeniach na przyszłość, można użyć **be going to** lub czasu teraźniejszego ciągłego bez większej różnicy:

Are we **borrowing** your dad's car?	Czy pożyczamy samochód twojego ojca? (*Umówiłeś się z nim?*)
Are we **going to borrow** your dad's car?	Czy pożyczamy samochód twojego ojca? (*Czy zamierzamy go o to poprosić?*)

Ale tylko **be going to** opisuje wydarzenia, o których wiemy, że się staną, bo są na to jakieś dowody.

It**'s going to** rain.	Będzie padać (*bo nadchodzi czarna chmura*).

She**'s going to** win the race.

We**'re going to** fail this exam.

Ona wygra ten wyścig (*bo biegnie najszybciej*).

Oblejemy ten egzamin (*bo nic nie umiemy*).

[czas teraźniejszy ciągły został omówiony w lekcjach 8 i 9]

TO - BEZOKOLICZNIK I PRZYIMEK

Słowo **to** ma różne znaczenia.

Jest częścią bezokolicznika: **to be** - być; **to like** - lubić.

We're going to York **to see** the Cathedral.

I want **to go** now.

I'd like **to see** Peter.

Jedziemy do Yorku **zobaczyć** katedrę.

Chcę **iść** teraz.

Chciałabym **zobaczyć** Petera.

Jest też przyimkiem oznaczającym „do" [lekcja 4].

I'm going **to** Edinburgh.

He's taking his car **to** the garage.

Jadę **do** Edynburga.

Zabiera swój samochód **do** warsztatu.

Jest też używany przed dopełnieniem (często się go wtedy nie tłumaczy).

Give it **to me**.

He lent his car **to us**.

They spoke **to her**.

Daj **mi** to.

Pożyczył **nam** swój samochód.

Mówili **do niej.**

BORROW / LEND

Borrow oznacza „pożyczyć od kogoś"; używamy go z przyimkiem „from".

Lend oznacza „pożyczyć komuś"; używamy go z przyimkiem „to".

Po polsku w obu przypadkach używa się tego samego czasownika - „pożyczyć."

Are we **borrowing** your dad's car?

Czy pożyczamy samochód twojego ojca?

We **borrowed** a few good books from him.	Pożyczyliśmy kilka dobrych książek od niego.
He's not going to **lend** it to us.	On nie zamierza nam tego pożyczyć.
We don't **lend** books to children.	Nie pożyczamy książek dzieciom.

PRZYIMKI ON I FOR

On używa się z nazwami mediów.

| The weather forecast is **on the radio** now. | W radiu jest teraz prognoza pogody. |
| I saw this programme **on the television.** | Widziałem ten program w telewizji. |

[patrz też - lekcje 1 i 3]

For używamy z określeniami czasu.

| We hired a car **for** a few days. **television.** | Wynajęliśmy samochód na kilka dni. |
| We stayed there **for** two hours. | Zatrzymaliśmy się tam na dwie godziny. |

[patrz też lekcja 5]

FUNKCJE JĘZYKOWE

WYRAŻANIE CELU - BEZOKOLICZNIK CELU

Aby powiedzieć, dlaczego coś się robi, po co dokądś się idzie, używa się bezokolicznika. Tłumaczy się go ze słowem 'aby', 'żeby'.

I phoned yesterday **to make** reservations.	Zadzwoniłem wczoraj, aby zrobić rezerwację.
I wanted to drive to Edinburgh **to visit** the castle.	Chciałem jechać do Edynburga, żeby zwiedzić zamek.
We're going to York **to see** the cathedral.	Jedziemy do Yorku, aby zobaczyć katedrę.

PRZECZENIE

W języku angielskim przeczenie **no** często zastępuje się mniej „agresywnie" brzmiącymi wyrażeniami:

I'm afraid not.	Obawiam się, że nie.
Unfortunately not.	Niestety nie.
I'm afraid it's impossible.	Obawiam się, że to niemożliwe.

PROGNOZA POGODY

Brytyjczycy posługują się zazwyczaj stopniami Fahrenheita, ale w radiu i telewizji pogoda jest podawana zarówno w stopniach Celsjusza, jak i Fahrenheita.

It's going to be **twenty degrees Celcius**.	Będzie dwadzieścia stopni Celsjusza.
At the moment it's **seventy degrees Fahrenheit**.	W tej chwili jest siedemdziesiąt stopni Fahrenheita.

Pytanie o pogodę i temperaturę:

What's the weather going to be like (tomorrow)?	Jaka będzie pogoda (jutro)?
What's the temperature going to be like (this afternoon)?	Jaka będzie temperatura (dziś po południu)?

ĆWICZENIA

1

Napisz dialog wykorzystując podane niżej słowa oraz dodając inne. Wykorzystaj zwrot **be going to**, jeśli to tylko możliwe.

'What / you / do / this weekend?'
'I / drive / Eton.'
'What / you / do / there?'
'I / visit / aunt // She / live / Eton.'
'How long / you / stay / there?'
'I / stay / there / three / days.'

'You / lucky // The weather / very good.'
'Yes / it / be / wonderful / trip.'

_____

_____

_____

_____

Odpowiedz na pytania, wykorzystując informacje z dialogu na początku lekcji.

2

1. Are Judy, Mark and Paweł going to stay in a guest house one night?_____

2. Did Judy phone the hotel yesterday? _____

_____

3. Why doesn't Mark want to go to Edinburgh? _____

_____

4. Where are they going today? _____

5. Are they staying in a hotel tonight?_____

_____

6. Is Mark's dad lending them his car? Why? _____

_____

7. What's the weather going to be like in England? _____

_____

Wyjaśnij, dlaczego te osoby zrobiły następujące rzeczy.

3

Przykład:

Mark > phone the hotel > make the reservation _Mark phoned the hotel to make the reservation._

1. Judy > go home > have lunch _____

_____

2. Paul > get up early > be on time_____

_____

3. Jane > go to Britain > learn English _____

_____

4

Wyjaśnij, dlaczego te osoby zamierzają zrobić następujące rzeczy.

1. Philip > borrow a book > read it_____

2. Jane and Joe > hire a car > go for a trip _____

_____

3. Kate > buy meat > make dinner _____

4. I > study medicine > be a doctor _____

5

Borrow czy **lend?**

1. Could you _____ me your car?

2. I'd like to _____ some money from you.

3. I _____ a few CDs from Tom yesterday.

4. Are you going to _____ them your computer?

6

Przetłumacz na angielski.

1. Co zamierzasz zrobić? _____

2. Nienawidzę prowadzenia samochodu. _____

3. Widziałem to w telewizji._____

4. Rano będzie padać, a wieczorem będzie słonecznie. _____

_____

5. 'Czy mogę to pożyczyć?' 'Niestety nie.' _____

_____

6. Popatrz na ten stary dom! _____

SŁOWNICTWO

borrow ['bɒrəʊ] pożyczać *(od kogoś)*
brake [breɪk] hamulec
camp [kæmp] biwakować
campsite ['kæmpsaɪt] pole namiotowe
dad [dæd] tata
lake [leɪk] jezioro
　lake district ['leɪk ˌdɪstrɪkt] kraina jezior
dodgy ['dɒdʒi] niepewny
drive [draɪv] prowadzić samochód
east [iːst] wschód
fail [feɪl] oblać
　fail an exam ['feɪl ən ɪg'zæm] oblać egzamin
final ['faɪnl] ostateczny
garage ['gærɑːʒ] warsztat samochodowy
hire ['haɪə] wynająć
if [ɪf] jeśli
lend [lend] pożyczać *(komuś)*
make a reservation ['meɪk ə ˌrezə'veɪʃn] robić rezerwację
Midlands ['mɪdləndz] Środkowa Anglia
north [nɔːθ] północ
race [reɪs] wyścig
radio ['reɪdiəʊ] radio
so far ['səʊ 'fɑː] tak daleko
south [saʊθ] południe
trip [trɪp] wycieczka
unfortunately [ʌn'fɔːtʃənətli] niestety
west [west] zachód
win [wɪn] wygrywać

pogoda

cloud [klaʊd] chmura
cloudy ['klaʊdi] pochmurny
cold [kəʊld] zimny
degree [də'griː] stopień
　degrees Celsius [də'griːz 'selsiəs] stopnie Celsjusza
　degrees Fahrenheit [də'griːz 'færənhaɪt] stopnie Fahrenheita
dry [draɪ] suchy
fog [fɒg] mgła
forecast ['fɔːkɑːst] prognoza
frost [frɒst] mróz
heavy rain ['hevi 'reɪn] ulewny deszcz
hot [hɒt] gorący
ice aɪs lód
light rain ['laɪt ˌreɪn] lekki deszcz
overcast ['əʊvəkɑːst] zachmurzony
rain [reɪn] deszcz
　it's raining [ɪts 'reɪnɪŋ] pada
snow [snəʊ] śnieg
　it's snowing [ɪts 'snəʊɪŋ] pada śnieg
storm [stɔːm] burza
sunny ['sʌni] słoneczny
temperature ['tempretʃə] temperatura
warm [wɔːm] ciepły
weather ['weðə] pogoda
weather forecast ['weðə ˌfɔːkɑːst] prognoza pogody
wet [wet] mokry
wind [wɪnd] wiatr
windy ['wɪndi] wietrzny

Lesson sixteen: Hiring a car

Sales assistant	Hello, how can I help you?
Mark	We'd like to hire a car for three days.
Sales assistant	Today's the fourteenth of August, so you're hiring it until the seventeenth. What make of car would you like?
Judy	We only need a small car. What would you recommend?
Sales assistant	Perhaps the Fiat Punto.
Mark	How much does it cost per day?
Sales assistant	Forty-five pounds per day.
Mark	It's a bit expensive. Have you got anything cheaper?
Sales assistant	The cinquecento costs forty pounds.
Mark	We'll take the cinquecento. Can we return the car to an office in another town?
Sales assistant	Yes, that'll be no problem. You can return it to any of our branches. Where are you going to go?
Mark	We're going to drive to the Lake District and then visit Blackpool. In three days we'll be in Blackpool.
Sales assistant	We have an office there. How are you going to return to Cambridge?
Judy	We're going to hitch-hike back. I hope it will be easy to get a lift.
Sales assistant	Don't worry, it won't be a problem. I'm from that area, it's really lovely. Why don't you go to...
Paweł	Is everything arranged?
Judy	Yes. We've got the keys and all the papers.

Lekcja szesnasta: Wynajmowanie samochodu

Sprzedawca	Dzień dobry, w czym mogę państwu pomóc?
Mark	Chcielibyśmy wynająć samochód na trzy dni.
Sprzedawca	Dzisiaj jest czternasty sierpnia, więc wynajmujecie go do siedemnastego. Jaką markę samochodu państwo by chcieli?
Judy	Potrzebujemy mały samochód. Co by pan polecił?
Sprzedawca	Może fiat punto.
Mark	Ile kosztuje za dzień?
Sprzedawca	Czterdzieści pięć funtów za dzień.
Mark	To trochę drogo. Ma pan coś tańszego?
Sprzedawca	Cinquecento kosztuje czterdzieści funtów.
Mark	Weźmiemy cinquecento. Czy możemy zwrócić samochód do biura w innym mieście?
Sprzedawca	Tak, nie będzie żadnego problemu. Możecie go zwrócić do któregokolwiek z naszych oddziałów. Dokąd zamierzacie jechać?
Mark	Zamierzamy jechać do Krainy Jezior, a potem odwiedzić Blackpool. Za trzy dni będziemy w Blackpool.
Sprzedawca	Mamy tam swoje biuro. Jak zamierzacie wrócić do Cambridge?
Judy	Zamierzamy wrócić autostopem. Mam nadzieję, że łatwo będzie złapać autostop.
Sprzedawca	Nie martwcie się, nie będzie żadnego problemu. Jestem z tamtych okolic, tam jest naprawdę pięknie. Czemu nie pojedziecie do...
Paweł	Czy wszystko załatwione?
Judy	Tak. Mamy kluczyki i wszystkie dokumenty.

Paweł	What did he say about returning the car?
Judy	He says it's not a problem. He told us we can return it at any branch.
Paweł	Good, that'll be much more convenient for us.
Mark	He told us that Lake Windermere was beautiful.
Paweł	I saw your father drive past. I thought you said his car was broken down.
Mark	That's odd. He claimed the brakes were dodgy.
Judy	It doesn't matter now. Get in the car. I'll drive.

Paweł	Co powiedział o zwrocie samochodu?
Judy	Mówi, że nie ma problemu. Powiedział nam, że możemy go zwrócić w jakimkolwiek oddziale.
Paweł	Dobrze, tak będzie dla nas o wiele wygodniej.
Mark	Powiedział nam, że Jezioro Windermere jest piękne.
Paweł	Widziałem twojego ojca, jak przejeżdżał. Wydawało mi się, że mówiłeś, że jego samochód jest zepsuty.
Mark	To dziwne. Twierdził, że hamulce szwankują.
Judy	To nie ma teraz znaczenia. Wsiadajcie do samochodu. Ja poprowadzę.

GRAMATYKA

WYRAŻANIE PRZYSZŁOŚCI - WILL - ZDANIA TWIERDZĄCE / PYTANIA / PRZECZENIA

Do wyrażania przyszłości można użyć konstrukcji z **will** [wɪl], czyli czasu przyszłego prostego (Simple Future Tense).

Słowo posiłkowe **will** jest używane z czasownikiem w formie podstawowej. Najczęściej skraca się je do **'ll** [l].

That **will be** convenient.	To będzie dogodne.
That**'ll be** convenient.	To będzie dogodne.

Pytania tworzy się przez inwersję - **will** stoi przed podmiotem.

Will that **be** a problem?	Czy to będzie kłopot?
When **will** you **return**?	Kiedy wrócisz?

Zdania przeczące tworzy się przez dodanie przeczenia **not** do słowa posiłkowego **will** - **will not** [wɪl 'nɒt]; najczęściej formę przeczącą skraca się do **won't** ['wəʊnt].

It **won't be** a problem.	To nie będzie problemem.
We **will not stay** there long.	Nie zostaniemy tam długo.

Zastosowanie

Czas przyszły z **will** używa się się w przewidywaniach lub spekulacjach na temat przyszłości

In three days we**'ll be** in Blackpool.	Za trzy dni będziemy w Blackpool.
I hope it **will be** easy to get a lift.	Mam nadzieję, że łatwo będzie złapać autostop.

lub gdy decydujemy się na coś bez poprzedniego planowania, spontanicznie.

We**'ll take** the cinquecento. **I'll drive**.	Weźmiemy cinquecento. Ja poprowadzę.

MOWA ZALEŻNA (1)

Mowy zależnej używamy, gdy przekazujemy cudzą wypowiedź bez cudzysłowu.

Sales assistant: 'You can return it at any of our branches.'	Sprzedawca: „Możecie go zwrócić w którymkolwiek z naszych oddziałów."
He told us that we can return it at any branch.	On nam powiedział, że możemy go zwrócić w każdym oddziale.

Najczęściej używane słowa w mowie zależnej to **say** i **tell**. Oba oznaczają „mówić, powiedzieć". **Tell** jest zawsze używane z dopełnieniem (tell me / us / them / itd.).

say [seɪ] - **said** [sed]
tell [tel] - **told** [təʊld]

Po **say** i **tell** można użyć słowa **that** – „że", ale często jest ono opuszczane.

He **says (that)** it's not a problem.	On mówi, że to nie problem.
He **said (that)** his car was broken.	On powiedział, że jego samochód jest zepsuty.
He **told us (that)** Lake Windermere was beautiful.	On nam powiedział nam, że Jezioro Windermere jest piękne.
They always **tell me (that)** it's very easy.	Oni zawsze mi mówią, że to bardzo łatwe.

Jeśli słowa **tell** i **say** są w czasie przeszłym, czasownik w zdaniu podrzędnym jest najczęściej również w czasie przeszłym. W języku polskim używa się w takiej sytuacji czasu teraźniejszego.

He said the brakes were dodgy.	Powiedział, że hamulce są niesprawne.
He told me his wife was beautiful.	Powiedział mi, że jego żona jest piękna.

Zamiast **say** i **tell** można użyć innych słów, np. **claim** – „twierdzić".

He **claimed** the brakes were dodgy.	Twierdził, że hamulce nie działają.

UNTIL / IN

Until to przyimek oznaczający „aż do".

You hiring it **until** the seventeenth.	Wypożyczacie go aż do siedemnastego.
We're staying here **until** the end of holiday.	Zostaniemy tutaj aż do końca wakacji.

In to przyimek oznaczający „za".

in three days	za trzy dni
in a year	za rok

ANYTHING, SOMETHING, EVERYTHING, NOTHING

Słowo **thing**, czyli „rzecz", łączy się z **any, some, every** i **no**, tworząc zaimki nieokreślone.

anything	cokolwiek, coś (używane w pytaniach i przeczeniach)
something	coś
everything	wszystko
nothing	nic

She's got **something** in her bag.	Ma coś w swojej torbie.
We don't know **everything**.	Nie wiemy wszystkiego.
Nothing will help us.	Nic nam nie pomoże.
Did you see **anything**?	Czy coś widziałeś?

Nothing i **anything** są używane w zdaniach przeczących. W zdaniach z **nothing** czasownik jest w formie twierdzącej, a w zdaniach z **anything** - w formie przeczącej (z przeczeniem **not**).

I don't want **anything**.	Nic nie chcę.
I want **nothing**.	Nic nie chcę.
We haven't got **anything**.	Nic nie mamy.
We've got **nothing**.	Nic nie mamy.

FUNKCJE JĘZYKOWE

DATY

Przy podawaniu daty używa się liczebnika porządkowego [lekcja 12] oraz przyimka **of**. Datę poprzedza się przedimkiem określonym.

the fourteenth of August	czternasty sierpnia
the seventeenth of August	siedemnasty sierpnia
the first of May	pierwszy maja
the twentieth of December	dwudziesty grudnia

Można też odwrócić kolejność słów - najpierw podać miesiąc, potem dzień.

August the fourteenth	czternasty sierpnia
June the tenth	dziesiąty czerwca
January the thirteenth	trzynasty stycznia

PYTANIE O CENY

How much does it cost per day?	Ile to kosztuje dziennie?
How much is it a day?	Ile to kosztuje dziennie?
It's a bit expensive.	To zbyt drogie.
It's very cheap.	To bardzo tanie.
Have you got anything cheaper?	Czy ma pan coś tańszego?
I'd like something cheaper.	Chciałbym coś tańszego.
I won't take it.	Nie wezmę tego.

POLECANIE I PROPONOWANIE

Perhaps a Fiat?	Może fiat?
How about a Fiat?	Może fiat?
Why don't you take a Fiat?	Czemu nie fiat?
You could take a Fiat.	Mógłbyś wziąć fiata.

Prośba o polecenie czegoś:

What would you recommend?	Co by pan polecił?

ĆWICZENIA

Czy poniższe zdania są prawdziwe? Potwierdź je lub im zaprzecz.

1

1. Mark, Judy and Paweł will return the car on the seventeenth.

2. The car will cost them 80 pounds for three days.

_____

3. They will be in Cambridge in three days.

_____

4. They will hitch hike back. _____

5. They will visit Blackpool and then go to the Lake District.

_____

2

Zareaguj na poniższe wypowiedzi.

Przykład: I can't find Peter. _I'll look for him_____.

1. I can't open the car._____

2. These bags are so heavy! _____

3. Which plant do you want?_____

4. She doesn't know about the trip! _____

5. I don't want to drive today. _____

3

Zapisz zdania w mowie zależnej.

1. 'I don't like fruit,' Mark said. _____

_____

2. 'My bicycle is broken,' Lena told us. _____

_____

3. 'You are charming,' Martha said to Paul. _____

_____

4. 'It's too expensive,' she usually says. _____

_____

5. 'These shops aren't very good,' Pat told me. _____

_____

6. 'I don't often see the Smiths,' Mary says.   _____

_____

Until, in czy **for**?

4

We're going to the Lake District _____ 10 days.

Pat is staying with us _____ next week.

My brother is taking his exams _____ two months.

Brenda is working here _____ the end of summer.

We're leaving London _____ two days.

Uzupełnij luki odpowiednim słowem: **something, anything, everything** lub **nothing,** tak aby zdania angielskie znaczyły to, co zdania polskie.

5

1. Mam coś tutaj.

   I've got _____ here.

2. Czy nic już nie zostało?

   Isn't there _____ left?

3. Nic nie wiesz. Jesteś taki głupi.

   You know _____. You're so stupid.

   You don't know _____. You're so stupid.

4. Nie chcemy wszystkiego.

   We don't want _____.

5. Nic nie możemy zrobić.

   There's _____ we can do.

   There isn't _____ we can do.

6 Jak podać te daty po angielsku?

1. 12.02.1981: _____

2. 17.03.1920: _____

3. 23.11.2001: _____

4. 2.09.1613: _____

5. 7.07.2005: _____

7 Przetłumacz na angielski.

1. To bardzo drogie. _____

2. Co by pan polecił? _____

3. To dziwne. _____

4. Oddamy samochód za dwa dni. _____

_____

4. Wezmę ten pokój. _____

5. Ile kosztuje ten pokój dziennie? _____

_____

SŁOWNICTWO

about [ə'baʊt] o
  say something about ... ['seɪ sʌmθɪŋ_ə'baʊt] powiedzieć coś o ...
another [ə'nʌðə] jakiś inny
area ['eərɪə] okolica
arranged [ə'reɪndʒd] załatwione
bicycle / bike ['baɪsɪkl / baɪk] rower
branch [brɑːntʃ] oddział, filia

broken down [ˌbrəʊkn 'daʊn] zepsuty
convenient [kən'viːnjənt] wygodny, dogodny
drive past [ˌdraɪv 'pɑːst] przejeżdżać
expensive [ɪk'spensɪv] drogi
get a lift ['get_ə 'lɪft] złapać autostop
help: how can I help you ['haʊ

kən‿aɪ 'help ju] w czym mogę pomóc

hiring ['haɪərɪŋ] wynajmowanie

hitch-hike ['hɪtʃhaɪk] jeździć autostopem

how about [haʊ‿ə'baʊt] może

in [ɪn] za

lift: get a lift ['get‿ə 'lɪft] złapać autostop

make of car ['meɪk‿əv 'kɑː] marka samochodu

matter ['mætə] znaczyć

it doesn't matter [ɪt 'dʌznt 'mætə] to nie ma znaczenia

odd [ɒd] dziwne

office ['ɒfɪs] biuro

only ['əʊnli] tylko

papers ['peɪpəz] papiery (*dokumenty*)

per [pɜː] na

per day [pɜː 'deɪ] na dzień

perhaps [pə'hæps] może

recommend [ˌrekə'mend] polecać

return [rɪ't3ːn] zwracać, oddawać

sales assistant ['seɪlz‿əˌsɪstənt] sprzedawca

until [ən'tɪl] aż do

miesiące

January ['dʒænjuəri] styczeń

February ['februəri] luty

March [mɑːtʃ] marzec

April ['eɪprɪl] kwiecień

May [meɪ] maj

June [dʒuːn] czerwiec

July [dʒu'laɪ] lipiec

August ['ɔːgəst] sierpień

September [sep'tembə] wrzesień

October [ɒk'təʊbə] październik

November [nəʊ'vembə] listopad

December [də'sembə] grudzień

pory roku

spring [sprɪŋ] wiosna

summer ['sʌmə] lato

autumn ['ɔːtəm] jesień

winter ['wɪntə] zima

Lesson seventeen: At the campsite

Judy	How much does it cost to stay here for one night?
campsite owner	Have you got your own tent?
Judy	Yes, it's a three-man tent.
campsite owner	Then it'll be twelve pounds per night. You pay when you leave.
Judy	Will our stuff be safe, if we leave it in the tent?
campsite owner	Probably, but it's safer to put valuables in our safe. Oh, and you have to leave by midday. Otherwise you will pay for an extra night.
Judy	Mark, you assured us that this was the best campsite in England. It doesn't seem very good to me. The owner warned me we had to leave before midday tomorrow. If we don't, we'll have to pay extra.
Mark	Perhaps I exaggerated.
Paweł	Is this a good place for the tent?
Mark	I don't think so. It's not flat. If it rains, we'll get soaked. There's more shelter under that big oak tree.
Judy	And if there's a storm...?
Mark	... then we'll get a shock. Perhaps you're right.
Paweł	This spot's perfect. It's flat and we have a great view of the hills. Are those goats on the hill?
Judy	I think they're sheep. Oh, the man advised us to put our valuables in his

Lekcja siedemnasta: Na polu namiotowym

Judy   Ile kosztuje pobyt tutaj przez jedną noc?

właściciel kempingu Macie swój własny namiot?
Judy   Tak, namiot trzyosobowy.
właściciel kempingu Więc to będzie dwanaście funtów za noc.
                       Płaci się przy wyjeździe.
Judy   Czy nasze rzeczy będą bezpieczne, jeśli zo-
                       stawimy je w namiocie?
właściciel kempingu Prawdopodobnie, ale bezpieczniej jest zo-
                       stawić cenne rzeczy w naszym sejfie. Aha,
                       i musicie wyjechać przed południem. Ina-
                       czej zapłacicie za dodatkową noc.

Judy   Mark, zapewniałeś nas, że to najlepszy
                       kemping w Anglii. Mnie nie wydaje się zbyt
                       dobry. Właściciel ostrzegł mnie, że musimy
                       wyjechać jutro przed południem. Jeśli nie,
                       będziemy musieli dopłacić.

Mark   Być może przesadziłem.
Paweł   Czy to dobre miejsce pod namiot?
Mark   Nie wydaje mi się. Nie jest płaskie. Jeśli bę-
                       dzie padać, przemokniemy. Więcej schro-
                       nienia jest pod tym dużym dębem.
Judy   A jeśli będzie burza...?
Mark   ... wtedy zostaniemy porażeni piorunem.
                       Może masz rację.
Paweł   To miejsce jest idealne. Jest płaskie i mamy
                       wspaniały widok na wzgórza. Czy to kozy
                       na tym wzgórzu?
Judy   To chyba owce. Aha, ten mężczyzna pora-
                       dził, abyśmy włożyli nasze cenne rzeczy do

	safe. If you give me your passport, Paweł, I'll take it to the office.
Mark	While we put up the tent?
Judy	Yes, you claimed you knew how to put it up.
Paweł	I'll just get the passport from the car.
Judy	The tent still isn't up!
Mark	It's more complicated than I thought. We'll finish in a second.
Judy	Hurry up, it'll be dark soon.

	sejfu. Jeśli dasz mi swój paszport, Pawle, wezmę go do biura.
Mark	Podczas gdy my rozstawimy namiot?
Judy	Tak, twierdziłeś, że wiesz, jak go rozstawić.
Paweł	Tylko wyjmę paszport z samochodu.
Judy	Namiot wciąż nie rozstawiony!
Mark	To bardziej skomplikowane niż myślałem. Skończymy za sekundę.
Judy	Pospieszcie się, wkrótce będzie ciemno.

GRAMATYKA

PIERWSZY OKRES WARUNKOWY

Pierwszy okres warunkowy opisuje, co się stanie w przyszłości, jeśli zajdą określone warunki.

If it rains, we'll get soaked.	Jeśli będzie padać, przemokniemy.
If there's a storm, we'll get a shock.	Jeśli będzie burza, zostaniemy porażeni piorunem.
If we don't (leave by midday), we'll have to pay extra.	Jeśli nie (wyjedziemy do południa), będziemy musieli dodatkowo zapłacić.

Zdanie podrzędne z **if** - „jeśli" wprowadza warunek. Jest ono zawsze w czasie teraźniejszym. W języku polskim w analogicznych sytuacjach używa się czasu przyszłego. W zdaniu głównym używa się **will** z czasownikiem w formie podstawowej [lekcja 16].

Kolejność zdań jest dowolna, ale jeśli zdanie z **if** jest pierwsze, konieczny jest przecinek.

If you give me your passport, I'll take it to the office.   Jeśli dasz mi swój paszport, zaniosę go do biura.

I'll take your passport to the office if you want.   Zaniosę twój paszport do biura, jeśli chcesz.

MOWA ZALEŻNA (2)

Poza **say** i **tell** istnieją inne czasowniki, których używa się w mowie zależnej. Kilka pojawiło się w dialogu.

You assured us that this was the best campsite in England.   Zapewniałeś nas, że to jest najlepszy kemping w Anglii.

The owner warned me that we had to leave before midday.   Właściciel ostrzegł mnie, że musimy wyjechać przed południem.

You claimed you knew how to put it up.   Twierdziłeś, że wiesz jak go rozstawić.

The man advised us to put our valuables in his safe.   Ten mężczyzna poradził nam, abyśmy włożyli cenne rzeczy do sejfu.

CZASOWNIKI ZŁOŻONE - PUT UP

Czasowniki złożone, po angielsku **phrasal verbs**, pojawiają się w mowie potocznej bardzo często, więc warto się ich uczyć. Składają się z czasownika i przyimka lub przysłówka. Oto kilka z tych, które pojawiły się do tej pory w naszym podręczniku:

go out: Do you want to **go out**?   Czy chcesz wyjść?

get up: You have to **get up** early.   Musisz wstać wcześnie.

be up: I'm usually **up** at this time.   Jestem zwykle na nogach o tej godzinie.

be up: The tent **isn't up**.   Namiot nie jest rozstawiony.

sit down: Why don't you **sit down**?	Czemu nie usiądziesz?
come in: You can **come in**.	Możesz wejść.
get in: They **got in** the car.	Wsiedli do samochodu.
hurry up: Could you **hurry up**?	Czy możesz się pospieszyć?
take back: I had to **take** it **back**.	Musiałam to odnieść.

W wielu czasownikach złożonych, w których drugim elementem jest przysłówek, dopełnienie stoi między czasownikiem a przysłówkiem lub za przysłówkiem. Ale jeśli dopełnieniem jest zaimek, stoi on zawsze między czasownikiem a przysłówkiem.

Put the tent up.	Rozstaw namiot.
Put up the tent.	Rozstaw namiot.
Put it up.	Rozstaw go.

Oto inne przykłady czasowników złożonych, które zachowują się w ten sposób:

fill in the form / **fill** the form **in** / **fill** it **in**	wypełniać (formularz)
try on the shoes / **try** the shoes **on** / **try** them **on**	przymierzać (buty)
switch on the light / **switch** the light **on** / **switch** it **on**	włączać (światło)
switch off the light / **switch** the light **off** / **switch** it **off**	wyłączać (światło)
put on the television / **put** the television **on** / **put** it **on**	włączać (telewizor)
put off the television / **put** the television **off** / **put** it **off**	wyłączać (telewizor)

OTHERWISE

Przysłówek **otherwise** oznacza „w przeciwnym razie."

You will have to leave by midday. **Otherwise** you will pay for an extra night.	Będziecie musieli wyjechać przed południem. W przeciwnym razie zapłacicie za dodatkową noc.

FUNKCJE JĘZYKOWE

WYRAŻANIE KONIECZNOŚCI (2)

Aby powiedzieć, że coś jest konieczne używa się czasownika **have to**, który pojawił się już w lekcji 13.

We **have to** report it to the police.	Musimy to zgłosić na policję.

Have to może wyrażać konieczność przyszłą i wtedy występuje w czasie przyszłym: **will have to**.
Może też wyrażać konieczność zaistniałą w przeszłości i wtedy używa się formy czasu przeszłego: **had to**.

We **will have to** pay extra.	Będziemy musieli dopłacić.
They **had to** put up the tent.	Musieli rozstawić namiot.

WYRAŻANIE WĄTPLIWOŚCI

It doesn't seem very good to me.	Nie wydaje mi się zbyt dobry.
I don't think so.	Nie wydaje mi się / Myślę, że nie.
I doubt it.	Wątpię.
I have my doubts.	Mam wątpliwości.
I'm not sure about it.	Nie jestem tego pewien.

PYTANIE O INSTRUKCJE

know how to do something	wiedzieć, jak coś zrobić
know-how	wiedza (o tym, jak coś zrobić)
How do I do it?	Jak to się robi?
Do you know how to do it?	Wiesz, jak to zrobić?

ĆWICZENIA

Wstaw czasownik w odpowiedniej formie.   **1**

1. If you _____ (put up) the tent,
   I _____ (make) dinner.

2. If it _____ (rain), we _____
   (not go) to York.

3. You _____ (have) to pay extra if you
   _____ (stay) longer.

4. We _____ (leave) you if you
   _____ (not finish) soon.

5. If you _____ (go) to the Lake District, you
   _____ (have) a good time.

6. Robert _____ (open) the window if it
   _____ (be) warm.

Wstaw czasowniki z ramki do odpowiednich zdań. Użyj czasowników   **2**
w czasie przeszłym.

> assure   claim   say   tell   warn   advise

1. The police _____ me that the city was
   dangerous.

2. My mother _____ that supper was ready.

3. They _____ us that our house was safe.

4. My friend _____ me to go home early.

5. He _____ that he knew how to cook.

6. She _____ him that she was tired.

3 Odpowiedz na pytania.

1. How much will Judy, Mark and Paweł pay for the campsite?

_____

2. When will they have to leave?_____

_____

3. What will happen if they don't? _____

_____

4. What does Judy think about the campsite? _____

_____

5. Where will Paweł keep his passport? _____

_____

4 Ułóż zdania z podanych wyrazów.

1. put / could / off / you / television / the / please?

_____

2. switch / don't / light / off / the! // reading / am / I.

_____

3. the / put / know / how / do / tent / you / to / up?

_____

4. have / we / find / will / to / it.

_____

5 Wstaw odpowiednie słowo z ramki do poniższych zdań.

> on   off   in   back   up   down

1. 'Could I sit _____?' 'Yes, please.'

2. Do I have to fill _____ this form?

3. Could you switch the radio _____, please? I don't

   want to listen to it.

4. It's a beautiful skirt. Don't you want to try it_____?

5. We will take it _____ to the shop if you don't like it.

6. Are you always _____ at this time Judy?

Przetłumacz na angielski.

6

1. Bezpieczniej jest iść pieszo. _____

   _____

2. Łatwiej jest zrobić zupę. _____

   _____

3. 'Czy to dobry hotel? ' 'Nie wydaje mi się.' _____

   _____

4. Czy wiesz, jak to zrobić? _____

   _____

5. Pospieszcie się!_____

   _____

6. Przemokniesz, jeśli nie wejdziesz. _____

   _____

7. Będziemy musieli wstać wcześniej. _____

   _____

SŁOWNICTWO

advise [əd'vaɪz] radzić

assure [ə'ʃɔː] zapewniać

complicated ['kɒmplɪkeɪtɪd] skomplikowany

dark [dɑːk] ciemno

doubt [daʊt] wątpić

   I doubt it [aɪ 'daʊt‿ɪt] wątpię

doubt [daʊt] wątpliwość

   I have my doubts [aɪ 'hæv maɪ 'daʊts] mam wątpliwości

exaggerate [ɪg'zædʒəreɪt] przesadzać

extra ['kstrə] dodatkowy

   pay extra ['peɪ‿'ekstrə] dopłacić

flat [flæt] płaski

know [nəʊ] wiedzieć

   know how to... ['nəʊ 'haʊ tə...] wiedzieć jak...

midday [ˌmɪd'deɪ] południe

otherwise ['ʌðəwaɪz] inaczej, w przeciwnym razie

owner ['əʊnə] właściciel

put [pʊt] kłaść, umieszczać

   put a tent up ['pʊt‿ə tent‿'ʌp] rozstawić namiot

put off the television ['pʊt‿'ɒf ðə 'telɪvɪʒn] wyłączać telewizor

put on the television ['pʊt‿'ɒn ðə 'telɪvɪʒn] włączać telewizor

safe [seɪf] bezpieczny

safe [seɪf] sejf

shelter ['ʃeltə] schronienie

shock [ʃɒk] porażenie

   get a shock ['get‿ə 'ʃɒk] zo-

stać porażonym (piorunem)

soaked [səʊkt] przemoczony

   get soaked [get 'səʊkt] przemoknąć

spot [spɒt] miejsce

switch off the light ['swɪtʃ 'ɒf ðə 'laɪt] wyłączyć światło

switch on the light ['swɪtʃ 'ɒn ðə 'laɪt] włączyć światło

tent [tent] namiot

   two-man tent ['tuː mæn 'tent] namiot dwuosobowy

then [ðən] więc, w takim razie

up: to be up [tə 'biː‿'ʌp] być rozstawionym

valuables ['væljʊblz] cenne rzeczy, kosztowności

view [vjuː] widok

   a view of [ə 'vjuː‿əv] widok na

warn [wɔːn] ostrzegać

while [waɪl] podczas gdy

zwierzęta

bird [bɜːd] ptak

cat [kæt] kot

cow [kaʊ] krowa

dog [dɒg] pies

goat [gəʊt] koza

horse [hɔːs] koń

mouse / mice [maʊs / maɪs] mysz / myszy

pig [pɪg] świnia

sheep / sheep [ʃiːp] owca / owce

na wsi

beech [biːtʃ] buk
chestnut ['tʃesnʌt] kasztan
field [fiːld] pole
fir [fɜː] jodła
flower ['flaʊə] kwiat

grass [grɑːs] trawa
hill [hɪl] wzgórze
oak [əʊk] dąb
path [pɑːθ] ścieżka
pine [paɪn] sosna
plant [plænt] roślina
spruce [spruːs] świerk
tree [triː] drzewo

Lesson eighteen: Car problems

Judy	Are you enjoying the trip, Paweł?
Paweł	It's been great so far. York was really pretty. And the drive over the hills was quite spectacular. Can you pass me another sweet?
Judy	Mark's finished them, as usual. When will we get to the Lake District, Mark?
Mark	We'll be there in a couple of hours, if nothing goes wrong.
Paweł	What do you mean?
Mark	The engine sounds a bit strange. If it goes on like this, I'll need to check it.
Paweł	I can't hear anything. Stop worrying! Have you been to the Lake District before, Judy?
Judy	No, I haven't. I've not visited lots of places in Britain.
Paweł	That's not unusual. My grandmother's never been to Cracow or the Tatra mountains.
Mark	That's terrible! I've been there.
Paweł	I've lived in Warsaw all my life but there are districts I don't know at all. And I've visited Cambridge but I haven't been to Poznan.
Mark	I suppose it's common. I've been to Rome twice on holiday and I know the city better than I know London.
Paweł	Hey, what's that noise?
Judy	And why is smoke coming from the bonnet?
Mark	I'll pull in at the side of the road.
Paweł	Good, I need to go to the loo!

Lekcja osiemnasta: Problemy z samochodem

Judy	Podoba ci się wycieczka, Pawle?
Paweł	Jak dotąd jest świetnie. York był naprawdę ładny. I przejażdzka przez wzgórza była dosyć spektakularna. Możesz mi podać jeszcze jednego cukierka?
Judy	Mark je zjadł (*dosł.* skończył), jak zwykle. Kiedy dojedziemy do Krainy Jezior, Mark?
Mark	Będziemy tam za parę godzin, jeśli nic się nie stanie.
Paweł	Co masz na myśli?
Mark	Silnik wydaje dziwne dźwięki. Jeśli tak będzie dalej, będę musiał to sprawdzić.
Paweł	Ja nic nie słyszę. Przestań się martwić! Byłaś kiedyś w Krainie Jezior, Judy?
Judy	Nie, jeszcze nie byłam tam. Nie zwiedziłam wielu miejsc w Wielkiej Brytanii.
Paweł	To nie jest takie niezwykłe. Moja babcia nigdy nie była w Krakowie ani w Tatrach.
Mark	To okropne! Ja tam byłem.
Paweł	Ja mieszkam w Warszawie całe życie, ale są dzielnice, których w ogóle nie znam. No i zwiedziłem Cambridge, a nie byłem jeszcze w Poznaniu.
Mark	Przypuszczam, że to powszechne. Byłem w Rzymie dwa razy na wakacjach i znam to miasto lepiej niż Londyn.
Paweł	Hej, co to za hałas?
Judy	I dlaczego spod maski wydobywa się dym?
Mark	Zatrzymam się na poboczu.
Paweł	Świetnie, bo potrzebuję iść do toalety!

Paweł	What's wrong? Can you repair it?
Mark	No, it's something serious. We'll have to phone for a mechanic. Have you got the number the man from the company gave us?
Judy	Yes. I hope they won't need to take it to the garage. How far is it to the nearest town?
Mark	About 15 miles.

Paweł	Co jest nie tak? Potrafisz to naprawić?
Mark	Nie, to coś poważnego. Będziemy musieli zadzwonić po mechanika. Masz numer, który dał nam ten mężczyzna z firmy?
Judy	Tak. Mam nadzieję, że nie będą musieli wziąć go do warsztatu. Jak daleko jest do najbliższego miasta?
Mark	Około 15 mil.

GRAMATYKA

CZAS TERAŹNIEJSZY DOKONANY - ZDANIA TWIERDZĄCE / PYTANIA / PRZECZENIA

Czas teraźniejszy dokonany (Present Perfect) tworzy się za pomocą słowa posiłkowego **have** [həv], a dla trzeciej osoby liczby pojedynczej **has** [həz], oraz imiesłowu czasu przeszłego. **Have** i **has** występują najczęściej w formie skróconej - **'ve** [v] i **'s** [z]. Imiesłów czasu przeszłego tworzy się przez dodanie końcówki **-ed** do formy podstawowej czasownika: **visit - visited**. Czasownik **to be** ma formę nieregularną - **been** [bɪn]. Inne czasowniki nieregularne zostaną omówione w lekcji 19.

I **have worked** here before.	Pracowałam tu już wcześniej.
They**'ve** always **lived** in Cambridge.	Zawsze mieszkali w Cambridge.
Mark **has finished** the biscuits.	Mark skończył ciastka.
She**'s been** to the mountains before.	Była już wcześniej w górach.

Przeczenie tworzy się przez dodanie **not** do słowa posiłkowego. Najczęściej **not** skraca się do **n't**.

have not [həv 'nɒt]	-	**haven't** ['hævnt]
has not [həz 'nɒt]	-	**hasn't** ['hæznt]

I **haven't worked** here long.	Nie pracuję tu długo.
I **haven't been** to Kraków before.	Nie byłem wcześniej w Krakowie.
She **hasn't visited** us yet.	Jeszcze nas nie odwiedziła.
He **hasn't** ever **travelled** by plane.	Nigdy nie podróżował samolotem.

Pytanie tworzy się przez inwersję - słowo posiłkowe stoi przed podmiotem.

Have you **been** to London?	Byłeś w Londynie?
Has she **finished** yet?	Czy już skończyła?

CZAS TERAŹNIEJSZY DOKONANY - ZASTOSOWANIE

Czasu Present Perfect używa się do opisania wydarzeń przeszłych mających wpływ na teraźniejszość. Nie jest ważne, kiedy coś się wydarzyło, ale jak wiąże się z chwilą obecną. Oto przykłady zastosowań czasu Present Perfect.

Wydarzenia z przeszłości składające się na nasze obecne doświadczenie życiowe:

I**'ve visited** Cambridge but I**'ve never been** to Poznań.	Zwiedziłem Cambridge (i znam teraz to miasto) ale nigdy nie byłem w Poznaniu (i nie znam tego miasta).
I**'ve been** to Rome twice on holiday.	Byłem w Rzymie dwa razy na wakacjach (i znam to miasto).

Sytuacje, które rozpoczęły się w przeszłości i nadal trwają:

I**'ve lived** in Warsaw all my life.	Mieszkam w Warszawie całe życie.
It**'s been** great so far.	Jak dotąd jest świetnie.

Wydarzenie zakończone w przeszłości, ale mające wyraźny skutek w teraźniejszości:

Mark**'s finished** them.	Mark je skończył (już nic nie zostało).
He**'s closed** the window.	Zamknął okno (dlatego jest duszno).

CZAS TERAŹNIEJSZY DOKONANY - OKREŚLENIA CZASU

Określenia czasu często używane z czasem **Present Perfect**:

before	przedtem, wcześniej
never	nigdy
ever	nigdy (w przeczeniach), kiedykolwiek (w pytaniach)
so far	aż dotąd, do tej pory
yet	już (w pytaniach), jeszcze nie (w przeczeniach)

Before, so far i **yet** stoją na końcu zdania:

I've talked to you **before**.	Już przedtem z tobą rozmawiałem.
It's been nice **so far**.	Jak dotąd jest fajnie.
I haven't noticed it **yet**.	Jeszcze nie zauważyłem tego.

Never i **ever** stoją przed czasownikiem:

We've **never** talked to them.	Nigdy z nimi nie rozmawialiśmy.
Has she **ever** been here?	Czy kiedykolwiek tu była?

PRZEDIMEK OKREŚLONY PRZED NAZWAMI GEOGRAFICZNYMI

Przedimek określony stawia się przed nazwami mórz, rzek i łańcuchów górskich. Pojawia się też, gdy nazwa geograficzna zawiera rzeczownik pospolity.

the Tatras, the Pennines, the Alps	Tatry, Peniny, Alpy
the Vistula, the Thames, the Nile	Wisła, Tamiza, Nil
the Baltic Sea, the North Sea, the Black Sea	Morze Bałtyckie, Morze Północne, Morze Czarne
the Lake District, the United States	Kraina Jezior, Stany Zjednoczone

Nie stawia się przedimka przed nazwami kontynentów, krajów czy miast.

Poland, Greece	Polska, Grecja
Warsaw, Athens	Warszawa, Ateny
Europe, Asia	Europa, Azja

ONCE / TWICE

once [wʌns]	jeden raz
twice [twaɪs]	dwa razy

Powyżej dwu używa się słowa **times**.

three times [θriː taɪmz]	trzy razy
four times [fɔː taɪmz]	cztery razy

FUNKCJE JĘZYKOWE

MÓWIENIE O TRUDNOŚCIACH

What's wrong?	Co się stało?
What's up?	Co się stało?
What's the problem?	W czym problem?
Is something wrong?	Czy coś jest nie tak?
Is everything OK?	Czy wszystko jest w porządku?
Something's wrong.	Coś jest nie tak.
Something's going wrong.	Coś się psuje.
It's something serious.	To coś poważnego.
It's nothing.	To nic takiego.

ĆWICZENIA

Napisz czasowniki podane w nawiasie w czasie **Present Perfect.**　　**1**

1. I _____ to London. (never / be)

2. We _____ this museum. (never / visit)

3. My brother _____ this picture. (paint)

4. We _____ our trip so far. (enjoy)

5. The rain _____ at last! (stop)

6. _____ Scotland? (you / ever / visit)

7. _____ to Spain? (she / ever / travel)

8. _____ to Africa before? (they / be)

9. I _____ to my parents yet. (not / talk)

10. She _____ her work yet. (not / finish)

2   Odpowiedz na pytania.

1. Have you ever been to Great Britain? _____

_____

2. Have you ever been to Warsaw? _____

_____

3. Have you ever travelled by plane? _____

_____

4. Have you ever been to the Polish mountains? _____

_____

---

3   Uporządkuj wyrazy tak, aby powstały sensowne zdania.

1. all my life / I / here / worked / have _____

_____

2. visited / so far / we / five / have / cities _____

_____

3. together / never / they / visited / have / us _____

_____

4. has / she / walked / not / in / before / the countryside _____

_____

5. been / has / my / father / not / to / Paris / before _____

_____

Zdecyduj, czy należy wpisać przedimek określony.

4

1. _____ Missisipi and _____ Colorado are the longest

   rivers in _____ America.

2. I'd love to go to _____ Himalayas.

3. I think _____ Spain is the hottest country in _____

   Europe.

4. _____ Vistula is the longest river in _____ Poland.

5. I usually spend my holidays on _____ Baltic Sea or in

   _____ Tatra mountains.

6. We've never been to _____ Asia or Africa but we have

   travelled to most of the countries in _____ Europe and

   _____ America.

Jak po angielsku

5

1. Poprosić o podanie jeszcze jednej szklanki wody? _____

   _____

2. Zapytać kiedy dojedziemy do jeziora? _____

   _____

3. Powiedzieć komuś aby przestał się martwić? _____

   _____

4. Zapytać jak jest daleko do Londynu? _____

   _____

SŁOWNICTWO

as usual [əz 'juːʒʋəl] jak zwykle
at all [ət‿'ɔːl] wcale
check [tʃek] sprawdzić
common ['kɒmən] powszechny,
zwyczajny
company ['kʌmpəni] firma,
przedsiębiorstwo
couple ['kʌpl] para
couple of hours ['kʌpl‿əv
'aʋəz] parę godzin
district ['dɪstrɪkt] dzielnica
drive [draɪv] przejażdżka
go on ['gəʋ‿'ɒn] kontynuować,
dziać się dalej
go wrong [ˌgəʋ 'rɒŋ] źle się
dziać, psuć się
hear [hɪə] słyszeć
know [knəʋ] znać
life [laɪf] życie
all my life ['ɔːl maɪ 'laɪf] całe
moje życie
like this ['laɪk ðɪs] tak, w taki
sposób
loo [luː] toaleta
mean [miːn] mieć na myśli
mechanic [mə'kænɪk] mechanik
noise [nɔɪz] hałas
over ['əʋə] nad
paint [peɪnt] malować
picture ['pɪktʃə] obraz
plane [pleɪn] samolot
pretty ['prɪti] ładny
pull in [ˌpʋl‿'ɪn] zatrzymać (samochód)
repair [rə'peə] naprawić

smoke [sməʋk] dym
so far [səʋ fɑː] jak dotąd
spectacular [spək'tækjʋlə] spektakularny, dramatyczny
strange [streɪndʒ] dziwny
sweet [swiːt] cukierek
twice [twaɪs] dwa razy
unusual [ˌʌn'juːʒʋəl] niezwykły
yet [jet] już (*w pytaniach*) jeszcze
(*w przeczeniach*)

nazwy geograficzne

bay [beɪ] zatoka
beach [biːtʃ] plaża
cave [keɪv] jaskinia
coast [kəʋst] wybrzeże
forest ['fɒrəst] las
hill [hɪl] wzgórze
lake [leɪk] jezioro
mountain ['maʋntən] góra
mountain range ['maʋntən
'reɪndʒ] łańcuch górski
pond [pɒnd] staw
river ['rɪvə] rzeka
river bank ['rɪvə 'bæŋk] brzeg
rzeki
sea [siː] morze
stream [striːm] strumyk
valley ['væli] dolina
wood [wʋd] las

części samochodu

accelarator [ək'seləreɪtə] gaz
brake [breɪk] hamulec

bonnet ['bɒnɪt] maska
boot [buːt] bagażnik
carburetor [ˌkɑːbə'retə] gaźnik
engine ['endʒɪn] silnik
ignition [ɪg'nɪʃn] zapłon

radiator ['reɪdieɪtə] chłodnica
steering-wheel ['stɪərɪŋ ˌwiːl] kierownica
tyre [taɪə] opona
wheel [wiːl] koło

Lesson nineteen: **Writing a postcard**

Mark	The mechanic says the car won't be ready for at least four hours. He's fixed the radiator but something else has broken.
Judy	What should we do? Should we wait here in town? I've read there's an interesting museum.
Paweł	Not another museum! I've seen too many already. I want to go for a walk.
Judy	I know what you mean. We passed some beautiful countryside on the way here. Couldn't we hitch-hike somewhere?
Mark	I'm not sure. We might not be back in four hours, and we still have to drive to Windermere.
Paweł	We'll be back in time. I saw a beautiful hill about ten miles before this town. We could hitch-hike there and climb the hill. We should still be back here before six o'clock.
Mark	OK, but we should buy some food for the trip. We've not had lunch and we might be away for a long time!
Judy	Who are you writing to, Paweł?
Paweł	To Laura, my friend in London. Does this postcard sound OK?

Dear Laura
Hi, how are you? I'm having a great time. Since I left London I've been to Cambridge, York and lots of other places. I'm in Windermere now. We've been here for an hour. The journey here was a disaster! The car broke down in the middle of nowhere and we had

Lekcja dziewiętnasta: Pisanie kartki pocztowej

Mark	Mechanik mówi, że samochód nie będzie gotowy przez conajmniej cztery godziny. Naprawił chłodnicę, ale coś jeszcze się zepsuło.
Judy	Co powinniśmy zrobić? Powinniśmy poczekać tutaj w mieście? Czytałam, że jest tu ciekawe muzeum.
Paweł	Tylko nie jeszcze jedno muzeum! Już widziałem zbyt wiele. Chcę iść na spacer.
Judy	Wiem co masz na myśli. Po drodze przejeżdżaliśmy przez piękną okolicę. Nie moglibyśmy pojechać dokądś autostopem?
Mark	Nie jestem pewien. Możemy nie wrócić za cztery godziny, a wciąż musimy dojechać do Windermere.
Paweł	Wrócimy na czas. Widziałem piękne wzgórze około dziesięciu mil przed tym miastem. Moglibyśmy pojechać tam autostopem i wejść na to wzgórze. Powinniśmy wrócić tutaj przed szóstą.
Mark	OK, ale powinniśmy kupić trochę jedzenia na tę wycieczkę. Nie jedliśmy lunchu, a możemy tam być dłuższy czas!
Judy	Do kogo piszesz, Pawle?
Paweł	Do Laury, mojej znajomej z Londynu. Czy ta kartka dobrze brzmi?

Droga Lauro
Cześć, jak się masz? Bawię się świetnie. Odkąd wyjechałem z Londynu byłem w Cambridge, Yorku i wielu innych miejscach. Teraz jestem w Windermere. Jesteśmy tu od godziny. Podróż tutaj była katastrofą! Samochód zepsuł się w szczerym polu i musieliśmy wziąć go do warsztatu. Zdecydowaliśmy się poje-

to take it to the garage. We decided to hitch-hike somewhere. We climbed a little hill (English mountains are very small) but we had to wait ages for a lift back. If the weather is good we're going to go hiking tomorrow, and we might take a trip on the lake. See you soon,

> Love
> Paweł

P. S. I've been in England for more than a week now and it still hasn't rained.

Judy　　　　That sounds fine.

chać gdzieś autostopem. Weszliśmy na mały pagórek (angielskie góry są bardzo małe), ale musieliśmy czekać wieki na autostop w kierunku powrotnym. Jeśli pogoda będzie dobra, wybierzemy się jutro na wędrówkę i może wybierzemy się na wycieczkę po jeziorze. Do zobaczenie wkrótce,

> *pozdrawiam*
> *Paweł*

P. S. Jestem w Anglii od ponad tygodnia i jeszcze nie padało.

Judy   Brzmi dobrze.

CZAS TERAŹNIEJSZY DOKONANY - CZASOWNIKI NIEREGULARNE

Istnieje grupa czasowników, które tworzą imiesłów czasu przeszłego nieregularnie. Obszerniejsza lista czasowników nieregularnych wraz z ich wymową znajduje się na końcu książki. Oto kilka przykładów:

break - broken	złamać, zepsuć (się)
do - done	robić
drive - driven	jechać samochodem
have - had	mieć
know - known	wiedzieć
leave - left	wyjeżdżać, opuszczać
read [riːd] **- read** [red]	czytać
say - said	powiedzieć
see - seen	widzieć
take - taken	wziąć
write - written	pisać

SINCE / FOR

Since wskazuje na moment w przeszłości, w którym zaczęło się coś, co trwa do tej pory.

We**'ve seen** ten museums **since** then.	Widzieliśmy dziesięć muzeów od tamtego czasu.
I**'ve been** to Cambridge, York and lots of other places **since** I left London.	Odkąd opuściłem Londyn byłem w Cambridge, Yorku i wielu innych miejscach.
Tom**'s worked** with us **since** 1980.	Tom pracuje z nami od 1980.

For wskazuje na okres, w którym czynność lub stan trwa.

We**'ve been** here **for** an hour.	Jesteśmy tutaj od godziny.
We**'ve waited** here **for** three days.	Czekamy tutaj od trzech dni.
Tom**'s worked** here **for** twenty years.	Tom pracuje tutaj od dwudziestu lat.

CZASOWNIKI MODALNE - SHOULD, MIGHT, COULD

Czasowniki modalne **should, might** i **could** są zawsze używane z innymi czasownikami, które występują w formie podstawowej.

Should mówi o tym, co powinno być zrobione.

He **should** go now.	Powinien już iść.
We **should** buy some food.	Powinniśmy kupić trochę jedzenia.
We **should** be back before six.	Powinniśmy być z powrotem przed szóstą. (wierzę, że będziemy)

Might mówi o tym, co przypuszczalnie może się stać.

We **might** be away for a long time.	Być może będziemy tam dłuższy czas.
We **might** be late.	Być może spóźnimy się.

We **might** take a trip on the lake.	Może wybierzemy się na wycieczkę po jeziorze.

W lekcji pojawia się też inny czasownik modalny, **could**, który został omówiony w lekcji 6. Wyraża on przyszłą możliwość.

We **could** hitch-hike there.	Moglibyśmy pojechać tam autostopem.

Pytania z czasownikami modalnymi tworzy się przez inwersję - czasownik stoi przed podmiotem.

Should we wait here in town?	Czy powinniśmy poczekać tutaj w mieście?
What **should** we do?	Co powinniśmy zrobić?
Couldn't we hitch-hike somewhere?	Nie moglibyśmy pojechać dokądś autostopem?

Might bardzo rzadko pojawia się w pytaniach.

Przeczenia tworzy się przez dodanie **not** do czasownika modalnego. **Should** i **could** mają formy skrócone:

should not [ʃəd ˈnɒt] - **shouldn't** [ˈʃʊdnt]
could not [kəd ˈnɒt] - **couldn't** [ˈkʊdnt]

We **might not** be back in for hours.	Być może nie wrócimy za cztery godziny.
We **shouldn't** go anywhere.	Nie powinniśmy nigdzie iść.
We **couldn't** go there tomorrow.	Nie będziemy mogli pójść tam jutro.

SOMEWHERE / NOWHERE / ANYWHERE / EVERYWHERE

Słowo **where** łączy się z **some, any, no** i **every**, tworząc przysłówki miejsca:

somewhere	gdzieś (*używa się w zdaniach twierdzących*)
everywhere	wszędzie
nowhere	nigdzie

anywhere	gdziekolwiek, gdzieś (*często używa się w zdaniach pytających i przeczących*)
We decided to hitch-hike **somewhere**.	Zdecydowaliśmy się dokądś pojechać stopem.
I've looked for it **everywhere**.	Wszędzie tego szukałem.
We could go **anywhere**.	Moglibyśmy pójść gdziekolwiek.
Did you go **anywhere**?	Poszliście gdzieś?
'Where are you going?' '**Nowhere**.'	„Dokąd idziesz?" „Do nikąd."
I've seen him **nowhere**.	Nigdzie go nie widziałem.

Istnieje wyrażenie idiomatyczne z **nowhere:**

In the middle of nowhere.	Na bezludziu / W szczerym polu (*dosł.* w środku niczego)

FUNKCJE JĘZYKOWE

PISANIE KARTEK POCZTOWYCH

Kartki lub listy rozpoczyna się od zwrotu:

Dear...	Droga...

Po tym zwrocie stawia się przecinek, a nie jak w polskim, wykrzyknik.

Na początku kartki można adresata pozdrowić:

Hi, how are you?	Cześć, jak się masz? [inne pozdrowienia - lekcje 6 i 13]

Kartkę kończy się jednym ze zwrotów:

See you soon	Do zobaczenia wkrótce
Take care	Trzymaj się
So long	Na razie

Przed samym podpisem dodaje: **Love** albo **Yours.**

ĆWICZENIA

Napisz czasowniki w nawiasie w czasie teraźniejszym dokonanym.

1

1. My son _____ (break) the lock.
2. Where _____ (you / take) the kettle?
3. I _____ (write) a postcard.
4. We _____ (not / see) much since we left home.
5. _____ (you / say) anything to Chris?
6. Uncle Sam _____ (know) them longer than me.
7. You _____ (not / do) very much.
8. _____ (she / read) that book yet?

Since czy **for**?

2

1. We've lived in Wrocław _____ 1970.
2. We've lived in Wrocław _____ more than thirty years.
3. He's been in London _____ five days.
4. He's been in London _____ Tuesday.
5. Peter has visited ten towns _____ he came to Britain.
6. Marilyn has stayed in this hotel _____ a week.
7. They haven't seen us _____ years.
8. We've waited _____ three o'clock.

Uzupełnij luki w dialogu jednym z czasowników modalnych - **could**, **should** albo **might** - w formie twierdzącej lub przeczącej.

3

'So, here we are. What _____ (1) we do? _____ (2) we go for dinner?'

'I don't know. _____ (3) we go for dinner later? I'm not really hungry. '

'OK. So what _____ (4) we do now?'

'Well, we _____ (5) have a cup of coffee in this cafe there.'

'That sounds like a good idea. And we _____ (6) have some cake with it.'

'I don't know. We _____ (7) eat too much. Otherwise, we
_____ (8) not eat dinner later.'

---

4 Uzupełnij luki w tej kartce pocztowej.

_____ (1) Jill,

_____ (2)? I hope you're well. I'm writing to you
from Oxford. I'm on holiday here. I'm _____ (3)
a great time. The weather's very good. I've _____
(4) the university. I've _____ (5) a local museum.
It's a beautiful town. I hope you're enjoying your holiday too.

_____ (6)

_____ (7)

John.

---

5 Wybierz poprawną formę.
1. They didn't go (anywhere, somewhere) last night.
2. He didn't meet her (anywhere, nowhere, everywhere) in the city.
3. I put it (somewhere, anywhere).
4. We looked (everywhere, somewhere) but we didn't find her.
5. Did you take your guests (nowhere, anywhere) yesterday?
6. The car broke in the middle of (somewhere, nowhere).

---

6 Przetłumacz na język angielski.

1. John nie opuścił jeszcze miasta. _____

2. Napisałem list do mojego przyjaciela. _____

3. Nie przeczytałem nic ciekawego. _____

4. Widziałem już zbyt wiele muzeów. _____

5. Powinniśmy coś zjeść. _____

6. Być może pojedziemy do Afryki. _____

7. Czy nie moglibyśmy zostać tutaj? _____

8. Co powinnam zrobić? _____

9. Moglibyśmy wejść na tą górę. _____

10. Nie padało od dwu tygodni. _____

SŁOWNICTWO

anywhere ['eniweə] gdziekolwiek
break [breɪk] zepsuć się, złamać
climb [klaɪm] wspinać się
dear [dɪə] drogi
decide [dəˈsaɪd] decydować
disaster [dɪˈzɑːstə] katastrofa
else: something else ['sʌm-
θɪŋ ˈels] coś jeszcze
everywhere ['evriweə] wszędzie
fix [fɪks] naprawić
for [fə] od
go hiking [ˌgəʊ ˈhaɪkɪŋ] iść na
pieszą wycieczkę
in time [ɪn ˈtaɪm] na czas
be back in time ['biː ˈbæk ɪn
ˈtaɪm] wrócić na czas
least: at least [ət ˈliːst] przynajmniej
letter [ˈletə] list
little [ˈlɪtl] mały
middle [ˈmɪdl] środek
in the middle of [ɪn ðə
ˈmɪdl əv] w środku
might: I might go [aɪ maɪt ˈgəʊ]
być może pójdę
nowhere [ˈnəʊweə] nigdzie
postcard [ˈpəʊstkɑːd] pocztówka
should: I should go [aɪ ʃəd ˈgəʊ]
powinienem pójść
since [sɪns] od
so long [ˈsəʊ ˈlɒŋ] na razie

somewhere [ˈsʌmweə] gdzieś
take care [ˈteɪk ˈkeə] trzymaj się
wait [weɪt] czekać
way [weɪ] droga
on the way [ɒn ðə ˈweɪ] po
drodze
write [raɪt] pisać

**meble i przedmioty domowego
użytku**

bed [bed] łóżko
bookshelf [ˈbʊkʃelf] biblioteczka
carpet [ˈkɑːpɪt] dywan
CD player [ˈsiː ˌdiː ˈpleɪə] odtwarzacz kompaktowy
chair [tʃeə] krzesło
cooker [ˈkʊkə] kuchenka
curtains [ˈkɜːtnz] zasłony
drawer [drɔː] szuflada
kettle [ˈketl] czajnik
lamp [læmp] lampa
lock [lɒk] zamek
mirror [ˈmɪrə] lustro
sofa [ˈsəʊfə] sofa
switch [swɪtʃ] wyłącznik
table [ˈteɪbl] stół
toaster [ˈtəʊstə] toster
video recorder [ˈvɪdiəʊ rəˈkɔːdə]
odtwarzacz wideo
wardrobe [ˈwɔːdrəʊb] szafa

Paweł	Hurry up, Judy, we're nearly at the top.
Judy	I can't, I'm tired. I'm not as fit as I used to be.
Mark	You used to exercise more.
Paweł	Here we are. What a view!
Mark	It's beautiful.
Judy	It was worth the climb. Have you been here before, Mark?
Mark	Yes, I was here a few years ago. I was a student then.
Paweł	Has this area changed since then?
Mark	Nothing has really changed. I suppose the air's not as clean as it used to be, and there are a lot more tourists. It was quieter then. But it looks the same.
Judy	Yes, look at that crowd behind us! It must be very peaceful when nobody is here.
Paweł	Shall we have our picnic here?
Mark	Why not. I'm dying for something to eat.
Paweł	We've got sandwiches, bottles of beer... Hey, where's the flask of coffee?
Judy	Mark, I asked you to put it in the bag before we left. Why didn't you do it?
Mark	Sorry. I completely forgot.
Paweł	And somebody has eaten the chocolate. The wrapper's empty.
Judy	Sorry, but I was really starving.
Paweł	Never mind. Does anybody have a bottle opener?
Mark	Yes, at least I've brought that.

Lekcja dwudziesta: Piknik

Paweł	Pospiesz się, Judy, jesteśmy prawie na szczycie.
Judy	Nie mogę, jestem zmęczona. Nie jestem już tak sprawna jak byłam kiedyś.
Mark	Dawniej więcej ćwiczyłaś.
Paweł	Jesteśmy na miejscu. Co za widok!
Mark	Jest piękny.
Judy	Jest warty tej wspinaczki. Byłeś tu już wcześniej, Mark?
Mark	Tak, byłem tu kilka lat temu. Byłem wtedy studentem.
Paweł	Czy ta okolica zmieniła się odkąd byłeś tu ostatnio?
Mark	Nic się właściwie nie zmieniła. Przypuszczam, że powietrze nie jest tak czyste jak było wtedy i jest o wiele więcej turystów. Wtedy było tu spokojniej. Ale wygląda tak samo.
Judy	Tak, popatrzcie na ten tłum za nami! Musi tu być bardzo spokojnie, gdy nikogo nie ma.
Paweł	Czy tutaj robimy piknik?
Mark	Czemu nie. Bardzo chce mi się jeść.
Paweł	Mamy kanapki, butelki piwa... Hej, gdzie jest termos z kawą?
Judy	Mark, zanim wyjechaliśmy, prosiłam cię, abyś włożył go do torby. Czemu tego nie zrobiłeś?
Mark	Przepraszam. Zupełnie zapomniałem.
Paweł	I ktoś zjadł czekoladę. Opakowanie jest puste.
Judy	Przepraszam, ale umierałam z głodu.
Paweł	Nieważne. Czy ktoś ma otwieracz do butelek?
Mark	Tak, przynajmniej to zabrałem.

GRAMATYKA

PORÓWNANIE CZASÓW TERAŹNIEJSZEGO DOKONANEGO I PRZESZŁEGO PROSTEGO

Czasu przeszłego prostego (**Past Simple Tense**) używa się do opisania wydarzeń z zamkniętej już przeszłości. Ważny jest czas - opisane czynności odnoszą się wyraźnie do przeszłości.

I **was** here **a few years ago**.	Byłem tu kilka lat temu.
I **was** a student **then**.	Byłem wtedy studentem.
It **was** quieter **then**.	Wtedy było tu spokojniej.
I **asked** you to put it in the bag **before we left**.	Prosiłam cię, abyś włożył go do torby zanim wyjechaliśmy.

Czas teraźniejszy dokonany podkreśla związek przeszłości z teraźniejszością. Nie jest ważne, kiedy coś się stało, ale jak łączy się z chwilą obecną.

Have you **been** here before?	Byłeś tu już wcześniej? (Znasz to miejsce?)
Somebody **has eaten** the chocolate.	Ktoś zjadł czekoladę. (Nie ma jej. Opakowanie jest puste.)
I've brought a bottle opener.	Przyniosłem otwieracz. (Można z niego skorzystać.)

USED TO

Used to używane jest do wyrażania czynności przeszłej, która dawniej była wykonywana często, a obecnie nie jest kontynuowana, lub do opisywania stanów, które już nie istnieją.

You **used to** exercise more.	Dawniej więcej ćwiczyłaś.
I **used to** visit this place very often.	Dawniej odwiedzałem to miejsce bardzo często.
The air **used to** be cleaner.	Powietrze było dawniej czystsze.
I'm not as fit as I **used to** be.	Nie jestem tak sprawna jak byłam dawniej.

SOMEBODY / ANYBODY / EVERYBODY / NOBODY

Słowo **body** - „ciało" - łączy się ze słowami **any, some, no, every** tworząc zaimki nieokreślone:

somebody	ktoś (w zdaniach twierdzących)
anybody	ktokolwiek, ktoś (w pytaniach i przeczeniach)
everybody	każdy, wszyscy
nobody	nikt
There is **somebody** in your office.	Jest ktoś w twoim biurze.
Is there **anybody** in my office?	Czy ktoś jest w moim biurze?
There isn't **anybody** there.	Nikogo tam nie ma.

There's **nobody** there. Nikogo tam nie ma.
Everybody is at home. Wszyscy są w domu.

Zdania przeczące mają dwie formy. Jeśli zawierają zaimek **anybody**, to czasownik jest w formie przeczącej. Jeśli zawierają zaimek **nobody**, to czasownik jest w formie twierdzącej.

We did**n't** see **anybody**. Nie widzieliśmy nikogo.
We saw **nobody**. Nie widzieliśmy nikogo.

FUNKCJE JĘZYKOWE

PORÓWNYWANIE - AS... AS...

Porównania ze słowami **as... as...** używa się, aby wskazać różnice - wtedy dodaje się **not**:

I'm **not as** fit **as** I used to be. Nie jestem tak sprawna jak byłam dawniej.
The air is **not as** clean **as** it used to be. Powietrze nie jest tak czyste jak było dawniej.

lub podobieństwa:

Tom is **as** tall **as** Tim. Tom jest tak wysoki jak Tim.
Jane is **as** beautiful **as** Susan. Jane jest tak piękna jak Susan.

[porównania - lekcja 11]

I'M DYING FOR...

Zwrotu **I'm dying for...** używa się, aby podkreślić, że naprawdę bardzo się czegoś chce.

I'm **dying for** something to eat. Bardzo chce mi się jeść.
I'm **dying for** a cup of coffee. Mam wielką ochotę na filiżankę kawy.

ĆWICZENIA

Czasowniki w nawiasach napisz w czasie przeszłym prostym lub w teraźniejszym dokonanym.   **1**

1. Richard _____ (leave) Dover two days ago.

2. 'Is Jackie here?' 'No, she _____ (leave).

3. '_____ (you / read) the newspaper yet?' 'Yes, you can take it.'

4. _____ (you / finish)? Can we go?

5. I _____ (buy) a radio last week. It _____ (be) very cheap.

6. I often _____ (go) to parties when I _____ (be) a student.

7. He _____ (drink) all the coffee! There's nothing left!

8. My family _____ (live) in this city for ten years.

9. Mark _____ (live) here five years ago.

10. I _____ (do) a lot of work yesterday.

Ułóż zdania z podanymi wyrażeniami, używając **used to**.   **2**

Przykład: Helen / read a lot of books / a student   *Helen used to read a lot of books when she was a student.*

1. Martha / have many friends / a child _____

_____

2. My aunt / live in Norfolk / younger _____

_____

3. I / work too much / at that time   _____

_____

4. They / exercise a lot / younger   _____

_____

---

3   Uzupełnij poniższe zdania odpowiednim zaimkiem nieokreślonym: **anybody, somebody, nobody, everybody.**

1. Does _____ want a drink?

2. 'Did _____ see you? ' 'No, _____ saw me. '

3. I didn't find her. _____ knew where she was.

4. '_____ wants to speak to you. ' 'Who is it? '

5. 'Did you see _____? ' 'No, but I saw most of them. '

---

4   Jak powiesz po angielsku, że

1. Alan jest tak wysoki jak Tom? _____

_____

2. Tony nie jest tak gruby jak Toby? _____

_____

3. Nie jesteśmy tak głodni jak wy? _____

_____

4. Oni są tak sprawni jak my? _____

_____

SŁOWNICTWO

anybody ['enibədi] ktokolwiek
behind [bə'haɪnd] za, z tyłu
chocolate ['tʃɒklət] czekolada
climb [klaɪm] wspinaczka
crowd [kraʊd] tłum
die [daɪ] umierać
　I'm dying for... [aɪm 'daɪɪŋ
　fə...] bardzo mi się chce...
empty ['empti] pusty
everybody ['evribədi] wszyscy
exercise ['eksəsaɪz] ćwiczyć
fit [fɪt] sprawny
flask [flɑːsk] termos
hurry up ['hʌri‿'ʌp] spieszyć się
newspaper ['njuːzpeɪpə] gazeta
nobody ['nəʊbədi] nikt
opener ['əʊpnə] otwieracz
　bottle opener ['bɒtl‿'əʊpnə]
　otwieracz do butelek
　can opener ['kæn‿'əʊpnə]
　otwieracz do konserw
party ['pɑːti] przyjęcie, impreza
peaceful ['piːsfəl] spokojny
picnic ['pɪknɪk] piknik
put in [ˌpʊt‿'ɪn] włożyć
sandwich ['sænwɪtʃ] kanapka
somebody ['sʌmbədi] ktoś
starving ['stɑːvɪŋ] umierający
　z głodu
then [ðen] wtedy
top [tɒp] szczyt

at the top [ət ðə 'tɒp] na
　szczycie
tourist ['tʊərɪst] turysta
used: I used to be fit [aɪ 'juːst tə
　bi 'fɪt] dawniej byłam sprawna
worth [wɜːθ] warty
　be worth [bi 'wɜːθ] być war-
　tym
wrapper ['ræpə] opakowanie

środowisko

acid rain ['æsɪd 'reɪn] kwaśny
　deszcz
air [eə] powietrze
clean [kliːn] czysty
dirty ['dɜːti] brudny
environment [ɪn'vaɪrənmənt]
　środowisko
global warming [ˌgləʊbl 'wɔːmɪŋ]
　globalne ocieplenie
greenhouse effect
　['griːnhaʊs‿ɪ'fekt] efekt cie-
　plarniany
litter ['lɪtə] śmieci
pollution [pə'luːʃn] zanieczysz-
　czenie
rubbish ['rʌbɪʃ] śmieci
　rubbish bin ['rʌbɪʃ 'bɪn] kosz
　na śmieci

Lesson twenty-one: Hitch-hiking

Paweł	Ow! My feet are so sore! I've got blisters. We've walked a lot since we got here. Why do we always get lost?
Mark	Because my sense of direction is even worse than yours. It's a pity it rained.
Paweł	At least you had raincoats. I left mine in Cambridge.
Judy	We should go to bed early tonight. We have to get up early tomorrow, if we're going to hitch-hike to Cambridge.
Paweł	I'm going to sneeze... aaatishoo!
Mark	Bless you! I think you're going to get a cold. Here, have an orange.
Paweł	Thanks a lot.
Judy	Don't thank him, it's not his, it's yours. You got it this morning.
Mark	How are you feeling, Paweł?
Paweł	Awful. I must have a temperature. And I've got a headache. Is there a chemist's nearby?
Mark	I don't know. Judy always has some aspirin. You can borrow some of hers.
Paweł	I'll go to ask her.
Mark	Poor you! You ought to go to a doctor as soon as we get back to Cambridge.
Judy	It's getting a bit late. I hope something stops soon.
Mark	Look, this car's stopping... Hi, could you give us a lift?
driver	Sure, where are you going?
Judy	To Cambridge.

Lekcja dwudziesta pierwsza: Jazda autostopem

Paweł	Au! Bolą mnie stopy! Mam odciski. Nachodziliśmy się odkąd tu przyjechaliśmy. Dlaczego zawsze się gubimy?
Mark	Bo mój zmysł orientacji jest gorszy nawet niż wasz. Szkoda, że padało.
Paweł	Wy przynajmniej mieliście płaszcze przeciwdeszczowe. Ja zostawiłem swój w Cambridge.
Judy	Powinniśmy iść spać wcześnie dziś wieczorem. Jutro musimy wcześnie wstać, jeśli mamy jechać do Cambridge autostopem.
Paweł	Będę kichać... aaapsik!
Mark	Na zdrowie! Myślę, że będziesz miał katar. Proszę, masz pomarańczę.
Paweł	Wielkie dzięki.
Judy	Nie dziękuj mu, ona nie jest jego, tylko twoja. Kupiłeś ją dziś rano.
Mark	Jak się czujesz, Pawle?
Paweł	Okropnie. Muszę mieć temperaturę. I boli mnie głowa. Czy jest tu w pobliżu apteka?
Mark	Nie wiem. Judy zawsze ma aspirynę. Możesz pożyczyć od niej trochę.
Paweł	Pójdę ją zapytać.
Mark	Biedaku! Powinieneś pójść do lekarza, jak tylko wrócimy do Cambridge.
Judy	Robi się późno. Mam nadzieję, że coś się wkrótce zatrzyma.
Mark	Patrzcie, ten samochód się zatrzymuje... Cześć, podrzuciłbyś nas?
kierowca	Pewnie, dokąd jedziecie?
Judy	Do Cambridge.

driver	I can take you as far as Bedford.
Mark	That's great.
driver	Jump in! My name's Tammy.
Paweł	I'm Paweł, this is Mark, and this is his wife, Judy.
driver	Paweł? You must be Polish?
Paweł	Yes, indeed.... aaatishoo! Sorry. Do you mind if I close this window?
driver	Not at all. So, you're from Poland. My brother works in Poland, in Katowice.
Paweł	What does he do?
driver	He's a teacher. He works in a secondary school. I might visit him this summer.

kierowca	Mogę was podwieźć do Bedford.
Mark	To świetnie.
kierowca	Wskakujcie! Mam na imię Tom.
Paweł	Ja jestem Paweł, to jest Mark, a to jest jego żona, Judy.
kierowca	Paweł? Musisz być Polakiem!
Paweł	Tak, istotnie.... aaapsik! Przepraszam. Pozwolisz, że zamknę to okno?
kierowca	Oczywiście. Więc jesteś z Polski. Mój brat pracuje w Polsce, w Katowicach.
Paweł	Czym się zajmuje?
kierowca	Jest nauczycielem. Pracuje w szkole średniej. Być może odwiedzę go latem.

GRAMATYKA

ZAIMKI DZIERŻAWCZE

W lekcji 9 pojawiły się przymiotniki dzierżawcze mające postać: **my, your, his, her, our, their**. Zawsze stawia się je przed rzeczownikiem.

Zaimki dzierżawcze zastępują rzeczownik i mają następującą postać:

mine [maɪn]
yours [jɔːz]
his [hɪz]
hers [hɜːz]
ours [aʊəz]
yours [jɔːz]
theirs [ðeəz]

It's **my** house. It's **mine**.	To mój dom. Jest mój.
It's **her** book. It's **hers**.	To jej książka. Jest jej.
It's my parents' car. It's **theirs**.	To samochód moich rodziców. Jest ich.
This is **ours** and that is **yours**.	To jest nasze, a tamto jest wasze.
This aspirin is **his** not **yours**.	Ta aspiryna jest jego, nie twoja.

WYRAŻENIA Z CZASOWNIKIEM GET

Czasownik **get** oznacza „dostać".

I **got** a letter.	Dostałem list.
I like **getting** presents.	Lubię dostawać prezenty.
I've **got** a message.	Dostałem wiadomość.

W dialogu na początku lekcji czasownik **get** pojawił się w innych znaczeniach, a także w kilku wyrażeniach idiomatycznych:

get somewhere	dostać się gdzieś, dojechać, przyjechać
get lost	zgubić się
get up	wstać
get a cold	przeziębić się, dostać kataru
get something	kupić coś
get back	wrócić
get late	robić się późno

AS FAR AS

As far as oznacza „do", „aż do", „tak daleko jak".

I can take you **as far as** Bradford.	Mogę was podwieźć do Bradford.
We walked **as far as** the hills.	Doszliśmy aż do wzgórz.

AS SOON AS

As soon as oznacza „jak tylko", „kiedy".

You ought to go to a doctor **as soon as** we get to Cambridge.	Powinieneś iść do lekarza, jak tylko dojedziemy do Cambridge.
The program started **as soon as** we put the television on.	Program się rozpoczął, jak tylko włączyliśmy telewizor.

Po **as soon as**, podobnie jak po **when,** używa się czasu teraźniejszego, mimo że mówi o przyszłości.

Tell me **as soon as** you know.   Powiedz mi, jak tylko będziesz wiedział.

Tell me **when** you know.   Powiedz mi, kiedy będziesz wiedział.

[patrz okres warunkowy - lekcja 17]

FUNKCJE JĘZYKOWE

PYTANIE O POZWOLENIE

Do you mind if I close the window?   Pozwolisz, że zamknę okno?

Do you mind if I smoke?   Pozwolisz, że zapalę?

Do you mind if...? dosłownie znaczy „Czy nie masz nic przeciwko temu, abym...?". Po angielsku jednak brzmi bardziej naturanie niż po polsku.

Aby udzielić zgody, mówi się **no** - nie (mam nic przeciwko temu).

No, I don't.   Nie.
No, not at all.   Nie, wcale.
No, go ahead.   Nie, proszę bardzo.

Aby nie wydać zgody, mówi się **yes** - tak (mam coś przeciwko temu).

Yes, I do.   Tak.
I'd rather you didn't.   Wolałbym, abyś tego nie robił.

WYRAŻANIE WSPÓŁCZUCIA

Poor you!   Biedaku!
Poor Paweł!   Biedny Paweł.
I'm so sorry!   Tak mi przykro.

BLESS YOU!

Bless you! mówimy, gdy ktoś kichnie. Zwrot ten oznacza „Na zdrowie!". Jego pełna forma to **God bless you!** - „Niech cię Bóg błogosławi."

PYTANIE O WYKONYWANY ZAWÓD

What does he do?	Czym on się zajmuje?
What do you do?	Czym ty się zajmujesz?
What is her job?	Gdzie pracuje? (*dosł.* Jaka jest jej praca?)
What is your job?	Gdzie ty pracujesz? (*dosł.* Jaka jest twoja praca?)

Przy podawaniu czyjegoś zawodu, zawsze używa się przedimka nieokreślonego - **a / an.**

She's **an** actress.	Ona jest aktorką.
He's **a** banker.	On jest bankowcem.

ĆWICZENIA

1

Uzupełnij luki, używając zaimków dzierżawczych.

Przykład: Is this your house? (she) *No, it isn't mine, it's hers.*

1. Is this their tent? (I) _____

_____

2. Is this your shirt? (he) _____

_____

3. Are these your dogs? (they) _____

_____

4. Is it their car? (we) _____

_____

5. Are these her shoes? (I)_____

_____

Przetłumacz na język angielski, używając za każdym razem wyrażenia z **get**.

2

1. Kiedy wrócisz? _____

2. Chyba (Myślę, że) się zgubiliśmy. _____

3. Co kupiłeś? _____

4. Robi się późno. _____

5. Dojechaliśmy tam przed szóstą. _____

Zareaguj według wskazówek na poniższe pytania.

3

1. Do you mind if I sit down? (Zgoda) _____

_____

2. Do you mind if I close the window? (Brak zgody) _____

_____

3. Do you mind if I smoke here? (Brak zgody)_____

_____

4. Do you mind if I stay longer? (Zgoda) _____

_____

4 Uzupełnij zdania odpowiednim wyrażeniem - **as soon as, as far as, as big as, as cold as**.

1. This winter is not _____ last winter.

2. I will start cooking _____ I come home.

3. We'll walk _____ that big old tree.

4. Your house is not _____ ours.

---

5 Przetłumacz następujące zdania.

1. Szkoda, że to kupiłeś. _____

2. Musimy się pospieszyć. _____

3. Proszę, masz szklankę wody. _____

4. Boli mnie głowa. _____

5. Wskakujcie! _____

6. Czym się zajmujesz? _____

7. Jestem nauczycielem. _____

SŁOWNICTWO

go ahead ['gəʊ‿ə'hed] proszę bardzo

as far as [əz 'fɑːr‿əz...] aż do

as soon as [əz 'suːn‿əz] jak tylko

bless you ['bles ju] na zdrowie

direction [də'rekʃn] kierunek

even ['iːvn] nawet

get [get] dostać

get a message [get‿ə 'mesɪdʒ] dostać wiadomość

get lost [get 'lɒst] zgubić się

get up [get‿'ʌp] wstawać

get a cold [get‿ə 'kəʊld] zaziębić się

get back [get 'bæk] wrócić

get somewhere [get 'sʌmweə] dostać się gdzieś

get something. [get 'sʌmθɪŋ] kupić coś

it's getting late [ɪts 'getɪŋ 'leɪt] robi się późno

go to bed ['gəʊ tə 'bed] iść
  spać
hers [hɜːz] jej
his [hɪz] jego
indeed [ɪn'diːd] istotnie
jump in [ˌdʒʌmp‿'ɪn] wskakiwać
mind [maɪnd] mieć coś przeciwko
  do you mind [də ju 'maɪnd]
  czy masz coś przeciwko?
mine [maɪn] moje
ours ['aʊəz] nasze
ow! [aʊ] ała!
poor you ['pɔː ju] biedaku
present ['preznt] prezent
raincoats ['reɪnkəʊts] płaszcze
  przeciwdeszczowe
rather: I'd rather you didn't
  [aɪd 'rɑːðə ju 'dɪdnt] wolałbym,
  abyś tego nie robił
secondary school ['sekəndəri
  ˌskuːl] szkoła średnia
sense [sens] zmysł
  sense of direction ['sens‿əv
  daɪ'rekʃn] zmysł orientacji
thank [θæŋk] dziękować

theirs [ðeəz] ich
yours [jɔːz] twój, wasz

zdrowie (1)

aspirin ['æsprɪn] aspiryna
blister ['blɪstə] odcisk
broken ['brəʊkn] złamany
  broken leg ['brəʊkn 'leg] zła-
  mana noga
bruise [bruːz] siniak
cancer ['kænsə] rak
cough [kɒf] kaszel
cut [kʌt] skaleczenie
doctor ['dɒktə] lekarz
fever ['fiːvə] gorączka
headache ['hedeɪk] ból głowy
hurt [hɜːt] boleć
  my foot hurts [maɪ 'fʊt 'hɜːts]
  boli mnie stopa
sneeze [sniːz] kichać
sore [sɔː] obolały
swollen ['swəʊlən] spuchnięty
temperature ['temprətʃə] temperatura

Lesson twenty-two: Visiting the doctor

doctor	Good morning. Take a seat. Now, what is the problem?
Paweł	I think I have the flu, doctor.
doctor	I see. What are your symptoms?
Paweł	I've got a headache, a runny nose and a sore throat.
doctor	I'll take your temperature.... You have a slight fever. It's a very mild case of the flu.
Paweł	What should I do?
doctor	You must wear warm clothes and drink lots of hot drinks. You mustn't go out. I'll write out a prescription for some antibiotics for you. You'd better buy some vitamin C tablets, too.
Paweł	Thanks.
doctor	And you ought to get some paracetamol to relieve your headache. You don't need a prescription for that. Come back in five days, if you're not feeling better.
Mark	What did the doctor say? Are you going to live?
Paweł	Yes, she told me to stay inside and rest. She asked me to come back in five days, if I'm not feeling better. And she gave me a prescription.
Mark	I'll take it to the chemist's, if you like.
Paweł	Thanks.
Mark	Hello, I've got a prescription for a friend.
chemist	Wait a second... Here you are.
Mark	How often should he take the antibiotics?
chemist	He ought to take one tablet three times a day. About every eight hours. And he mustn't drink alcohol.

Lekcja dwudziesta druga: Wizyta u lekarza

lekarz   Dzień dobry. Proszę usiąść. No więc, co panu dolega?

Paweł   Chyba mam grypę, panie doktorze.

lekarz   Rozumiem. Jakie są objawy?

Paweł   Boli mnie głowa, mam katar i chrypkę.

lekarz   Zmierzę panu temperaturę.... Ma pan niewielką gorączkę. To bardzo łagodny przypadek grypy.

Paweł   Co powinienem zrobić?

lekarz   Powinien pan ubrać się ciepło i pić dużo gorących napojów. Nie wolno panu wychodzić na zewnątrz. Wypiszę panu receptę na antybiotyki. Dobrze by było, aby kupił pan też witaminę C.

Paweł   Dziękuję.

lekarz   I powinien pan kupić paracetamol, aby złagodzić ból głowy. Na to nie potrzeba recepty. Proszę wrócić za pięć dni, jeśli nie poczuje się pan lepiej.

Mark   Co powiedział lekarz? Będziesz żył?

Paweł   Tak, kazał mi siedzieć w domu i odpoczywać. Kazał mi wrócić z pięć dni, jeśli nie poczuję się lepiej. I dał mi receptę.

Mark   Wezmę ją do apteki, jeśli chcesz.

Paweł   Dzięki.

Mark   Dzień dobry, mam receptę dla znajomego.

aptekarz   Proszę chwilę poczekać... Proszę bardzo.

Mark   Jak często powinien brać te antybiotyki?

aptekarz   Powinien brać po jednej tabletce trzy razy dziennie. Co około osiem godzin. I nie wolno mu pić alkoholu.

Mark	And I'd like a box of paracetamol, please.
chemist	That'll be six pounds fifty altogether, please.
Mark	I've got your medicine. Hey, what are you drinking?
Paweł	Judy gave me hot whisky with honey and lemonade.
Mark	You'd better leave it. The chemist forbade you to drink alcohol.

Mark   I proszę opakowanie paracetamolu.
aptekarz   To będzie razem sześć funtów pięćdziesiąt.

Mark   Mam twoje leki. Hej, co pijesz?

Paweł   Judy dała mi grzaną whisky z miodem i lemoniadą.

Mark   Lepiej to zostaw. Aptekarz zabronił ci pić alkoholu.

GRAMATYKA

CZASOWNIKI MODALNE - MUST / MUSTN'T

Czasownik modalny **must** wyraża konieczność lub polecenie.

You **must** wear warm clothes.	Musi pan się ciepło ubrać. (*dosł.* założyć ciepłe ubrania)
You **must** drink lots of hot drinks.	Musi pan pić dużo gorących napojów.

W formie przeczącej, czasownik ten wyraża zakaz.

You **mustn't** go out.	Nie wolno panu wychodzić.
He **mustn't** drink alcohol.	Nie wolno mu pić alkoholu.

MOWA ZALEŻNA (3)

Rozkazy i polecenia relacjonuje się w mowie zależnej stosując najczęściej czasownik **tell**, który tłumaczy się jako „powiedział", „kazał", lub **ask**, które tłumaczy się jako „poprosił", „powiedział". Po obu czasownikach występuje dopełnienie i czasownik w bezokoliczniku.

Doctor: 'Come back in five days if you're not feeling better. '	Lekarz: „Proszę przyjść za pięć dni, jeśli nie poczuje się pan lepiej."

| He **asked me to come back** in five days, if I'm not feeling better. | Powiedział mi, abym przyszedł za pięć dni, jeśli nie poczuję się lepiej. |
| He **told me to come back** in five days, if I'm not feeling better. | Kazał mi przyjść za pięć dni, jeśli nie poczuję się lepiej. |

Zakazy relacjonuje się stosując czasownik **tell** i przeczenie **not**:

Doctor: 'You mustn't go out.'	Lekarz: „Nie wolno panu wychodzić."
He **told me not to go** out.	Powiedział mi, abym nie wychodził.
Chemist: 'He mustn't drink alcohol.'	Aptekarz: „Nie wolno mu pić alkoholu."
He **told him not to drink** alcohol.	Aptekarz kazał mu nie pić alkoholu.

Można też użyć czasownika **forbid**:

| The doctor **forbade me to go** out. | Lekarz zabronił mi wychodzić. |
| The chemist **forbade him to drink** alcohol. | Aptekarz zabronił mu pić alkohol. |

HAD BETTER

Wyrażenie **had better** [həd 'betə] odpowiada polskiemu „lepiej by było, gdybyś...", „dobrze by było, gdyby oni...", „lepiej byście...", itp. Najczęściej słowo **had** jest skrócone do **'d**. Po **had better** czasownik występuje w formie podstawowej.

You**'d better buy** some vitamin C.	Dobrze by było, gdyby pan kupił witaminę C.
You**'d better leave** that.	Lepiej to zostaw.
They **had better go** now.	Lepiej by było, gdyby już poszli.
She **had better wait**.	Lepiej by poczekała.

CZASOWNIK MODALNY - OUGHT TO

Ought to wyraża konieczność lub polecenie i jest używany podobnie jak **should**. Jest jedynym czasownikiem modalnym, po którym stoi czasownik z **to**.

You **ought to get** some paracetamol.	Powinieneś kupić paracetamol.
He **ought to take** one tablet three times a day.	On powinien brać po jednej tabletce trzy razy dziennie.

WYRAŻENIA Z CZASOWNIKIEM HAVE (2)

W lekcji 8 pojawiło się już kilka wyrażeń z tym czasownikiem. Oto wyrażenia z dialogu na początku tej lekcji:

have a cold	być przeziębionym
have the flu	mieć grypę
have a headache	mieć ból głowy
(I have a headache)	(Boli mnie głowa.)
have a temperature	mieć temperaturę
have a fever	mieć gorączkę
have a runny nose	mieć katar
have a sore throat	mieć chrypkę

FUNKCJE JĘZYKOWE

PORADY

Should i **ought to** są używane najczęściej do udzielania porad.

You **ought to get** some paracetamol.	Powinieneś kupić paracetamol.
He **should take** one tablet a day.	Powinien brać jedną tabletkę dziennie.

Must wyraża bardzo zdecydowaną poradę.

You **must drink** a lot of drinks.	Musisz pić dużo gorących napojów.
You **must see** this film.	Musisz zobaczyć ten film.

Had better oznacza, że jeśli rady się nie posłucha, będą poważne konsekwencje.

You**'d better leave** it.	Lepiej zostaw to. (albo poczujesz się gorzej)
You**'d better go** now.	Lepiej idź już. (albo nie zdążysz na pociąg)

OFEROWANIE POMOCY

I**'ll take** it to the chemist's, **if you like**.	Wezmę to do apteki, jeśli chcesz.
I**'ll carry** your bag, **if you like**.	Poniosę twoją torbę, jeśli chcesz.
We**'ll do** your shopping, **if you like**.	Zrobimy twoje zakupy, jeśli chcesz.

Przy proponowaniu pomocy często używa się czasownika modalnego **shall**.

Shall I help you?	Czy mam ci pomóc?
Shall I do your shopping?	Czy mam zrobić zakupy?

ĆWICZENIA

1

Zareaguj na każde zdanie udzielając porady. Wykorzystaj zwroty w nawiasach.

Przykład: I've got a headache. (take some paracetamol)   _You should take some paracetamol._

1. I need paracetamol. (go to the chemist's) _____

2. My train leaves in five minutes. (hurry up) _____

_____

3. I don't feel well. (go to a doctor) _____

_____

4. We haven't got any bread. (go to a shop) _____

_____

5. I've lost my wallet. (report it to the police) _____

_____

6. I feel tired. (rest) _____

_____

7. These shoes are too big. (take them back to the shop) _____

_____

8. Lucy is ill. (visit her) _____

_____

Dokończ poniższe zdania w mowie zależnej.

2

1. David: 'Come later, John.'
   David told John _____
2. Judy: 'Open the window, Peter.'
   Judy _____
3. Laura: 'Give me the book, Jill.'
   Laura asked Jill to _____
4. Peter: 'Say something, Sarah.'
   Peter _____
5. Mary: 'You mustn't go there.'
   Mary forbade me _____
6. Mark: 'You mustn't take it.'
   Mark _____

7. Doctor: 'Don't go out.'

Doctor told me not _____

8. Frank: 'Don't buy it.'

Frank _____

---

3 Przetłumacz poniższe zdania, za każdym razem używając zwrotu z czasownikiem **have**.

1. Moja siostra ma temperaturę. _____

2. Boli ją gardło. _____

3. I ma katar. _____

4. Lekarz mówi, że ona ma grypę. _____

5. Mam katar. _____

6. Boli mnie głowa. _____

7. Mam też lekką gorączkę. _____

8. Moja mama mówi, że jestem przeziębiony. _____

_____

---

4 Przetłumacz na angielski.

1. Nie wolno ci wychodzić. _____

2. Poczujesz się lepiej za dwa dni. _____

3. Pomogę ci, jeśli chcesz. _____

4. Powinieneś je zażywać co pięć godzin. _____

SŁOWNICTWO

alcohol ['ælkəhɒl] alkohol
better: I'd better [aɪd 'betə] lepiej bym
box [bɒks] pudełko

forbid [fə'bɪd] zabronić
honey ['hʌni] miód
in a few days [ɪn‿ə 'fjuː 'deɪz] za kilka dni

lemonade [ˌleməˈneɪd] lemoniada

mild [maɪld] łagodny

mustn't [ˈmʌsnt] nie wolno
he mustn't drink [hi ˈmʌsnt
ˈdrɪŋk] nie wolno mu pić

often: how often [hauˈɒfn]
jak często

ought: I ought to do it [aɪˈɔːt
tə ˈduːɪt] powinienem to zrobić

relieve [rəˈliːv] złagodzić

rest [rest] odpoczywać

seat [siːt] siedzenie
take a seat [teɪkə ˈsiː t] usiądź

should: I should do it [aɪ ʃəd
ˈduːɪt] powinienem to zrobić

slight [slaɪt] niewielki, nieznaczny

stay inside [ˈsteɪ ɪnˈsaɪd] siedzieć w domu

wear [weə] nosić (*ubranie*)

whisky [ˈwɪski] whisky

zdrowie (2)

antibiotic [ˌæntɪbaɪˈɒtɪk] antybiotyk

bandage [ˈbændɪdʒ] bandaż

case [keɪs] przypadek
a case of the flu [ə ˈkeɪs əv
ðə ˈfluː] przypadek grypy

cough mixture [ˈkɒf ˌmɪkstʃə] syrop przeciwkaszlowy

disease [dɪˈziːz] choroba

flu [fluː] grypa

medicine [ˈmedsɪn] lekarstwo

ointment [ˈɔɪntmənt] maść

paracetemol [ˌpærəˈsiːtəmɒl] paracetamol

prescription [prəˈskrɪpʃn] recepta

runny nose [ˈrʌni ˌnəʊz] katar

sore throat [ˈsɔː ˌθrəʊt] chrypa,
ból gardła

sticking plaster [ˈstɪkɪŋ ˌplɑːstə]
przylepiec

symptom [ˈsɪmptəm] objaw

tablet [ˈtæblət] tabletka

take [teɪk] zażywać

take temperature [ˈteɪk ˈtemprətʃə]
mierzyć temperaturę

vitamin C [ˈvɪtəmɪn ˈsiː] witamina C

write out a prescription
[ˈraɪtˈaʊtə prɪˈskrɪpʃn] wypi-
sać receptę

części ciała

arm [ɑːm] ramię

back [bæk] plecy

chest [tʃest] pierś

ear [ɪə] ucho

elbow [ˈelbəʊ] łokieć

eye [aɪ] oko

finger [ˈfɪŋgə] palec

hair [heə] włosy

hand [hænd] ręka

head [hed] głowa

knee [niː] kolano

leg [leg] noga

nose [nəʊz] nos

throat [θrəʊt] gardło

thumb [θʌm] kciuk

wrist [rɪst] nadgarstek

Lesson twenty-three: Leaving Cambridge for London

(on the phone)

Paweł	Hello, can I speak to Laura Davis, please?
receptionist	I'll see, if she's here at the moment.... No, I'm afraid she's out.
Paweł	What a pity!
receptionist	Would you like to leave a message?
Paweł	Yes, could you tell her that Paweł called?
receptionist	Oh, it's you, Mr Grocki. Sorry, I didn't recognise your voice.
Paweł	And tell her that I'm coming back to London. I should be there this evening. And I'd like to book a room for five nights - do you have any vacancies?
receptionist	Yes, we do. Would you like your old room?
Paweł	Yes, please. Oh, did you find a book in the room when I left? I remember leaving it.
receptionist	I did. I gave the book to Laura. I'm sure she kept it for you.
Paweł	It's time to get on the train, I'm afraid. Thanks for having me. I've had a great time.
Mark	Well, it was great to see you again. We really enjoyed it.
Judy	Don't forget to write to us when you get home.
Mark	And remember to phone when you get to the hotel.
Paweł	Yes, I will. I hope to see you both in Poland next year.
Mark	Don't worry, we promised to come! And give my love to your parents! Bye!
Paweł	I will. Bye!

Lekcja dwudziesta trzecia: Wyjazd z Cambridge do Londynu

(przez telefon)

Paweł	Dzień dobry, czy mogę rozmawiać z Laurą Davis?
recepcjonistka	Zobaczę, czy w tej chwili jest tutaj... Nie, obawiam się, że jej nie ma.
Paweł	Jaka szkoda!
recepcjonistka	Czy chciałby pan zostawić wiadomość?
Paweł	Tak, proszę jej powiedzieć, że dzwonił Paweł.
recepcjonistka	O, to pan, panie Grocki. Przepraszam, nie poznałam pana głosu.
Paweł	I proszę jej powiedzieć, że wracam do Londynu. Powinienem być tam dziś wieczorem. I chciałbym zarezerwować pokój na pięć nocy - macie jakieś wolne pokoje?
recepcjonistka	Tak, mamy. Chciałby pan swój stary pokój?
Paweł	Tak. Aha, czy znalazła pani książkę w moim pokoju, kiedy wyjechałem? Pamiętam, że ją zostawiłem.
recepcjonistka	Tak. Dałam książkę Laurze. Jestem pewna, że ją przechowała dla pana.
Paweł	Obawiam się, że czas wsiąść do pociągu. Dzięki za gościnę. Świetnie spędziłem czas.
Mark	Cóż, było wspaniale znów cię widzieć. Naprawdę dobrze się bawiliśmy.
Judy	Nie zapomnij do nas napisać, kiedy wrócisz do domu.
Mark	I pamiętaj, abyś zadzwonił, jak dojedziesz do hotelu.
Paweł	Dobrze, zadzwonię. Mam nadzieję zobaczyć was oboje w Polsce w przyszłym roku.
Mark	Nie martw się, obiecaliśmy przyjechać! Pozdrów ode mnie swoich rodziców! Cześć!
Paweł	Pozdrowię. Cześć!

(in the buffet car)

Paweł	Why have we stopped moving?
attendant	I don't know. There must be some problem. Can I get you anything?
Paweł	I'd like a cup of tea, please. Black with no sugar.
attendant	Here you are.
Paweł	When will we arrive in London?
attendant	It's difficult to say because we're behind schedule. Probably about seven o'clock.
Paweł	Now we've started moving again.

(w wagonie restauracyjnym)

Paweł	Dlaczego się zatrzymaliśmy (*dosł.* przestaliśmy się poruszać)?
obsługa	Nie wiem. Musi być jakiś problem. Czy mogę coś panu podać?
Paweł	Chciałbym filiżankę herbaty. Czarnej bez cukru.
obsługa	Proszę bardzo.
Paweł	Kiedy dojedziemy do Londynu?
obsługa	Trudno powiedzieć, bo mamy spóźnienie. Prawdopodobnie około siódmej.
Paweł	Znów ruszyliśmy (*dosł.* zaczęliśmy się poruszać).

GRAMATYKA

BEZOKOLICZNIK

Czasownik w języku angielskim często przyjmuje jedną z dwu form: bezokolicznika - **to go, to read** lub imiesłowu czasu teraźniejszego - **going, reading**.

Bezokolicznika używa się po czasownikach:

I'd like to book a room.	Chciałbym zarezerwować pokój.
Don't **forget to write** to us.	Nie zapomnij do nas napisać.
Remember to phone.	Pamiętaj, abyś zadzwonił.
I **hope to see** you in Poland.	Mam nadzieję zobaczyć was w Polsce.
We **promised to come**.	Obiecaliśmy przyjechać.

Inne czasowniki, po których używa się bezokolicznika, to: **want, would love, would prefer, ask, tell, order, forbid, try, help.**

Bezokolicznika używa się też po przymiotnikach i rzeczownikach:

It's **time to get on** the train.	Czas wsiąść do pociągu.
It was **great to see** you.	Było świetnie cię widzieć.

It's **difficult to say**.	Trudno powiedzieć.
I'm **glad to see** you.	Cieszę się, że cię widzę.

Bezokolicznik może też być okolicznikiem celu [por. - lekcja 15]:

Take paracetamol **to relieve** the headache.	Weź paracetamol, aby złagodzić ból głowy.

IMIESŁÓW CZASU TERAŹNIEJSZEGO

Imiesłów występuje po przyimkach:

Thanks **for having** me.	Dzięki za gościnę.
Sorry **for causing** trouble.	Przepraszam za spowodowanie kłopotów.

Imiesłów, tak jak i bezokolicznik, może być użyty po czasownikach:

I **remember leaving** it.	Pamiętam, że ją zostawiłem.
Why have we **stopped moving**?	Dlaczego się zatrzymaliśmy (*dosł.* przestaliśmy się poruszać)?
We've **started moving** again.	Znów ruszyliśmy (*dosł.* zaczęliśmy się poruszać).

Niektóre czasowniki mogą być użyte z imiesłowem lub bezokolicznikiem, w zależności od znaczenia.

He **stopped talking**.	Przestał mówić.
He **stopped to help** us.	Zatrzymał się, aby nam pomóc.
I **remember leaving** it.	Pamiętam, że ją zostawiłem.
I will **remember to leave** it.	Będę pamiętał, aby to zostawić.

PYTANIA - PODSUMOWANIE

W języku angielskim pytania tworzy się przez inwersję, czyli zmianę szyku zdania twierdzącego: czasownik bądź jego część stoi przed podmiotem. Zaimki pytajne, takie jak **where, when, what, why,** stoją przed czasownikiem.

W pytaniach z **to be** ten czasownik staje przed podmiotem:

Are you ready?	Jesteś gotowy?
Is it here?	Czy to jest tutaj?

What **is it**?	Co to jest?
Was Mark at home?	Czy Mark był w domu?
Were they with you?	Czy oni byli z tobą?
Where **were you**?	Gdzie byliście?

W pytaniach w czasie przeszłym i teraźniejszym prostym w pytaniu pojawia się słowo posiłkowe - **do, does** lub **did**. Stoi ono przed podmiotem.

Do you have any vacancies?	Czy macie wolne pokoje?
Does Lucy live here?	Czy Lucy tu mieszka?
What **does he know**?	Co on wie?
Did you find a book in my room?	Czy znalazłaś książkę w moim pokoju?
Where **did you find** it?	Gdzie to znalazłeś?

Czasownik główny jest w formie podstawowej - w trzeciej osobie l.p. w czasie teraźniejszym czasownik traci końcówkę **-s**, a w czasie przeszłym końcówkę **-ed**.

W pytaniach z czasownikiem modalnym stawia się go przed podmiotem.

Can I speak to Laura?	Czy mogę rozmawiać z Laurą?
Could you tell her that Paweł called?	Czy mogłabyś jej powiedzieć, że dzwonił Paweł?
Would you like your old room?	Czy chciałbyś swój stary pokój?
Should we go to the police station?	Czy powinniśmy iść na policję?
Must we do this?	Czy musimy to robić?

W pytaniach w czasie teraźniejszym dokonanym, teraźniejszym ciągłym i w czasie przyszłym - przed podmiotem stoi odpowiednie słowo posiłkowe.

Why **have we stopped** moving?	Dlaczego się zatrzymaliśmy?
Has she noticed you?	Czy zauważyła cię?
When **will we arrive** in London?	Kiedy przyjedziemy do Londynu?
Are you going to the market?	Czy idziesz teraz na targ?
What **is she reading** now?	Co ona teraz czyta?

GET ON / GET OFF / GET IN / GET OUT

Czasowniki **get on** - wsiadać i **get off** - wysiadać są używane z nazwami publicznych środków transportu, takich jak autobusy, tramwaje i pociągi.

Get on the train!	Wsiadaj do pociągu!
When do you want to **get off**?	Kiedy chce pan wysiąść?

Czasowniki **get in** - wsiadać i **get out** - wysiadać są używane, gdy mówimy o samochodach lub innych mniejszych pojazdach.

Get in the car!	Wsiadaj do samochodu!
I want to **get out** here.	Chcę tutaj wysiąść.

FUNKCJE JĘZYKOWE

SKŁADANIE OBIETNIC

I will write to you.	Napiszę do ciebie.
I will telephone you.	Zadzwonię do ciebie.
I promise to come.	Obiecuję przyjechać.
We promised.	Obiecaliśmy.

Paweł używa krótkiej odpowiedzi z **will** do złożenia obietnicy.

'Remember to phone.' **'I will.'**	„Pamiętaj, żebyś zadzwonił." „Zadzwonię."
'Give my love to your parents.' **'I will.'**	„Pozdrów swoich rodziców." „Pozdrowię."

PRZEKAZYWANIE POZDROWIEŃ

Give my love to your parents.	Pozdrów ode mnie swoich rodziców.
Give our love to your family.	Pozdrów od nas swoją rodzinę.

Aby być bardziej oficjalnym, zamiast **love** używa się słowa **regards**.

Give our regards to Mr Smith.	Proszę pozdrowić od nas pana Smitha.
Give my regards to your wife.	Proszę pozdrowić żonę.

ROZMOWA PRZEZ TELEFON (2)

W lekcji 8 pojawiły się zwroty przydatne w rozmowie telefonicznej. Oto kilka dodatkowych wyrażeń.

I'm afraid she's out at the moment.	Obawiam się, że w tej chwili jej nie ma.
I'm sorry she's just left.	Przykro mi, ale właśnie wyszła.
Could you give her a message, please?	Czy możesz przekazać jej wiadomość?
Would you like to leave a message?	Czy chcesz zostawić jakąś wiadomość?
Could you tell her that... called?	Możesz jej powiedzieć, że dzwonił...
Could you ask her to call me back?	Możesz ją poprosić, aby oddzwoniła?
Could you call me back later?	Możesz do mnie oddzwonić później?

REZERWOWANIE POKOJU HOTELOWEGO

I'd like to book a room for five **nights**.	Chciałbym zarezerwować pokój na pięć nocy.
I'd like to book a room for two **people from** 21st May **to** 12th June.	Chciałbym zarezerwować pokój dwuosobowy od 21 maja do 12 czerwca.
Do you have any vacancies?	Czy macie wolne pokoje?

ĆWICZENIA

1 Wstaw czasownik z nawiasu w odpowiedniej formie - w bezokoliczniku (to go) lub w imiesłowie (going).

1. It was late and I had _____ (go).

2. I don't want _____ (leave) you here.

3. They talked about _____ (leave) early.

4. He was glad _____ (see) John at the party.

5. Stop _____ (ask) so many questions!

6. She's trying _____ (find) the key.

7. Do you remember _____ (lock) the door?

8. They came _____ (talk) to father.

9. We forgot _____ (lock) the door.

10. It's time _____ (say) goodbye.

---

2 Uzupełnij pytania.

1. _____ at home?

Yes, she is.

2. _____ speak French?

No, I can't.

3. _____ to Poland?

No, she hasn't.

4. _____ like French fries?

Yes, I do.

5. _____ meet Frank yesterday?

Yes, they did.

6. _____ to the theatre?

   Yes, I would.

7. _____ at home last night?

   No, I wasn't.

Zadaj odpowiednie pytanie.   **3**

1. 'Pat is coming tomorrow.'

   'When _____?'

2. 'I feel tired.'

   'Why _____?'

3. 'I saw John two days ago.'

   'Where _____?'

4. 'It's very expensive.'

   'How much _____?'

5. 'My brother has an intersting job.'

   'What _____?'

6. 'I found my wallet!'

   'Where _____?'

7. 'We'll go to Aberdeen.'

   'What_____?'

On, off, in czy **out**?   **4**

1. He got _____ the bus and walked to the centre.

2. 'Could you give us a lift?' 'Yes, get _____.'

3. We tried to get _____ the train but there were
   too many people.

4. You can get _____ at the crossroads. I'll stop
   for a moment.

5

Jak po angielsku

1. Zarezerwować pokój dla trzech osób na sześć dni?

_____

2. Obiecać, że się przyjdzie punktualnie?

_____

3. Przekazać pozdrowienia dla pana Roth?

_____

4. Poprosić o filiżankę kawy bez mleka?

_____

5. Powiedzieć, że Geralda nie ma w domu?

_____

6. Poprosić Alana, aby do nas oddzwonił?

_____

SŁOWNICTWO

be out: she's out [ʃiz‿'aʊt] nie ma jej

behind: behind schedule [bə'haɪnd 'ʃedjuːl] mieć spóźnienie

call [kɔːl] zadzwonić

call somebody back ['kɔːl sʌmbədi 'bæk] oddzwonić do kogoś

cause [kɔːz] powodować

cause trouble ['kɔːz 'trʌbl] powodować problemy

forget [fə'get] zapominać

don't forget to [dəʊnt fə'get tə] nie zapomnij

get [get] dostać

can I get you anything [kən‿aɪ 'get juː‿'eniθɪŋ] czy mogę coś podać

get on [get‿'ɒn] wsiadać (do autobusu)

get off [get‿'ɒf] wysiadać (z autobusu)

get in [get‿'ɪn] wsiadać (do samochodu)

get out [get‿'aʊt] wysiadać (z samochodu)

give my love to ['gɪv maɪ 'lʌv tə...] przekaż pozdrowienia

give my regards to ['gɪv maɪ rɪ'gɑːdz tə] uszanowania dla

glad [glæd] zadowolony

I'm glad to see you [aɪm ˈglæd tə ˈsiː juː] cieszę się, że cię widzę

have: thanks for having me [ˈθæŋks fə ˈhævɪŋ mi] dzięki za gościnę

keep [kiːp] zachować, przechować

lock [lɒk] zamknąć
lock the door [ˈlɒk ðə ˈdɔː] zamknąć drzwi (*na zamek*)

message [ˈmesɪdʒ] wiadomość
leave a message [ˈliːv‿ə ˈmesɪdʒ] zostawić wiadomość

move [muːv] poruszać się

promise [ˈprɒmɪs] obiecywać

recognize [ˈrekəgnaɪz] rozpoznać

regards: give our regards to [ˈgɪv‿aʊə rəˈgɑːdz tə] przekaż pozdrowienia

remember [rɪˈmembə] pamiętać

schedule [ˈʃedjuːl] rozkład jazdy

theatre [ˈθɪətə] teatr

time [taɪm] czas
it's time to [ɪts ˈtaɪm tə] czas już, aby

trouble [ˈtrʌbl] kłopot

vacancy [ˈveɪkənsi] wolne pokoje

voice [vɔɪs] głos

podróżowanie pociągiem

buffet car [ˈbʊfeɪ kɑː] wagon restauracyjny

compartment [kəmˈpɑːtmənt] przedział

conductor [kənˈdʌktə] konduktor

connection [kəˈnekʃn] połączenie

first-class ticket [ˈfɜːst ˌklɑːs ˈtɪkɪt] bilet pierwszej klasy

inter-city (train) [ˌɪntə ˈsɪti (treɪn)] pociąg inter-city

is this seat taken [ɪz ˈðɪs ˈsiːt ˈteɪkn] czy to miejsce jest zajęte

platform [ˈplætfɔːm] peron

return [rɪˈtɜːn] bilet powrotny

second-class ticket [ˈsekənd ˌklɑːs ˈtɪkɪt] bilet drugiej klasy

single [ˈsɪŋgl] bilet w jedną stronę

timetable [ˈtaɪmteɪbl] rozkład jazdy

train [treɪn] pociąg

Lesson twenty-four: **At tourist information**

Paweł	What do you want to do tonight, Laura?
Laura	I fancy going to a concert.
Paweł	That's a good idea. What's on?
Laura	I don't know. Why don't we go to tourist information to find out?
Paweł	Let's walk. It's such a lovely day.
Laura	Poor Paweł! What a pity you got the flu! How did you catch it?
Paweł	We were walking in the mountains, and it started to pour. It was raining for ages and when it stopped I was soaked.
Laura	Did you have to stay in bed?
Paweł	Just for two days.
Laura	What were you doing when you were in bed?
Paweł	Most of the time I was talking to Mark and Judy. And I watched TV.
Laura	You are unlucky! What were you doing when the car broke down?
Paweł	We were driving along and talking. We probably weren't paying attention. Suddenly we noticed the engine was smoking, so we stopped.
Laura	It sounds exciting. Here we are. I hope they can tell us what concerts are on tonight.

(*at tourist information*)

Paweł	Can you tell us, if there are any concerts on this evening?
worker	What type of music are you interested in?
Laura	All types.
worker	Tonight there's a Verdi opera on at Covent Garden, and a Beethoven concert at the Barbican.

Lekcja dwudziesta czwarta: W informacji turystycznej

Paweł	Co chcesz robić dziś wieczorem, Lauro?
Laura	Mam ochotę iść na koncert.
Paweł	To dobry pomysł. Co grają?
Laura	Nie wiem. Może pójdziemy do informacji turystycznej, aby się dowiedzieć?
Paweł	Chodźmy pieszo. Jest taki piękny dzień.
Laura	Biedny Paweł! Co za szkoda, że zachorowałeś na grypę! Jak ją złapałeś?
Paweł	Chodziliśmy po górach i zaczęło lać. Padało bardzo długo, a kiedy przestało, byłem przemoczony.
Laura	Musiałeś leżeć w łóżku?
Paweł	Tylko przez dwa dni.
Laura	Co robiłeś, kiedy leżałeś w łóżku?
Paweł	Przez większość czasu rozmawiałem z Markiem i Judy. I oglądałem telewizję.
Laura	Masz pecha! Co robiliście, kiedy zepsuł się samochód?
Paweł	Jechaliśmy i rozmawialiśmy. Prawdopodobnie nie zwracaliśmy uwagi. Nagle zauważyliśmy, że silnik dymi, więc się zatrzymaliśmy.
Laura	Brzmi ekscytująco. Jesteśmy na miejscu. Mam nadzieję, że potrafią nam powiedzieć, jakie koncerty odbywają się dziś wieczorem.

(*w informacji turystycznej*)

Paweł	Może nam pan powiedzieć, czy odbywają się jakieś koncerty dziś wieczorem?
pracownik	Jaki rodzaj muzyki państwa interesuje?
Laura	Wszystkie rodzaje.
pracownik	Dziś wieczorem grają operę Verdiego w Covent Garden i koncert Beethovena w Barbican.

Paweł	They sound a bit serious.
worker	There's a rock concert on at the Wembley Arena. Trash Can are playing.
Laura	I don't like them. Could you tell us, if there are any jazz concerts?
worker	Let's see... Yes, Joe Lovano is playing at Ronnie Scott's.
Paweł	Let's go to see it. I like him and Ronnie Scott's is a famous club.
Laura	OK. Do you know, if we need to buy tickets in advance?
worker	No, you can buy them at the door.
Paweł	When does it begin?
worker	The club opens at eight thirty, and the concert should begin at nine or ten.

Paweł   To brzmi trochę poważnie.
pracownik Jest koncert rokowy w Wembley Arena. Grają Trash Can.
Laura   Nie lubię ich. Proszę nam powiedzieć, czy są jakieś koncerty jazzowe?
pracownik Zobaczmy... Tak, Joe Lovano gra w Ronnie Scott's.

Paweł   Chodźmy to zobaczyć. Lubię go, a Ronnie Scott's to słynny klub.
Laura   OK. Wie pan, czy musimy kupić bilety wcześniej?

pracownik Nie, można je kupić przy wejściu.
Paweł   Kiedy zaczyna się koncert?
pracownik Klub otwierają o ósmej trzydzieści, a koncert powinien się zacząć o dziewiątej lub dziesiątej.

GRAMATYKA

CZAS PRZESZŁY CIĄGŁY - ZDANIA TWIERDZĄCE / / PYTANIA / PRZECZENIA

Czas przeszły ciągły (**Past Continuous Tense**) tworzy się za pomocą słów **was** [wɔz] (dla 1. i 3. osoby liczby pojedynczej)) lub **were** [wə] (dla pozostałych osób) oraz imiesłowu czasu teraźniejszego, czyli czasownika z końcówką **-ing**.

I **was reading**.	Czytałem.
She **was walking**.	Spacerowała.
We **were talking**.	Rozmawialiśmy.
They **were waiting**.	Czekali.

Pytania tworzy się przez inwersję - **was / were** stoją przed podmiotem.

Was he **talking?**	Czy on rozmawiał?
Were you **driving?**	Czy ty prowadziłeś?
Were they **playing?**	Czy oni grali?

Przeczenia tworzy się przez dodanie **not** do słów **was / were**. Najczęściej używa się form skróconych:

was not [wəz 'nɒt] - **wasn't** ['wɒznt]
were not [wə 'nɒt] - **weren't** ['wɜː nt]

He **wasn't listening**.	Nie słuchał.
I **wasn't looking**.	Nie patrzyłam.
We **weren't writing**.	Nie pisaliśmy.

Tworzenie czasu przeszłego ciągłego jest analogiczne do sposobu, w jaki tworzy się czas teraźniejszy ciągły [lekcja 8] - zamiast form **am / is / are** używa się tylko **was / were**.

CZAS PRZESZŁY CIĄGŁY - ZASTOSOWANIE

Czasu przeszłego ciągłego używa się do podkreślenia, że dana czynność trwała jakiś czas w przeszłości. Często ten czas opisuje czynności, które były tłem dla innych wydarzeń.

We **were walking** in the mountains and it started to pour.	Chodziliśmy po górach i zaczęło padać.
It **was raining** for ages.	Padało bardzo długo.
Most of the time I **was talking** to Judy and Mark.	Przez większość czasu rozmawiałem z Markiem i Judy.
What **were** you **doing** when the car broke down?	Co robiliście, kiedy samochód się zepsuł?
We **were driving along** and **talking**.	Jechaliśmy i rozmawialiśmy.
We probably **weren't paying** attention.	Prawdopodobnie nie zwracaliśmy uwagi.

Polskim odpowiednikiem tego czasu często jest czasownik niedokonany w czasie przeszłym.

PYTANIA ZALEŻNE - COULD YOU TELL US...?

Pytania często poprzedza się jednym ze zwrotów:

Could you tell me...?	Czy mógłby mi pan powiedzieć...?
Can you tell me...?	Czy może mi pan powiedzieć...?
Do you know...?	Czy wie pan...?

Pytanie poprzedzone takim zwrotem ma szyk zdania oznajmującego, a nie pytającego. Jeśli w pytaniu nie ma zaimka pytającego, wstawiamy **if** - „czy".

Are there any concerts on this evening?	Czy odbywają się jakieś koncerty dziś wieczorem?
Can you tell us, **if there are** any concerts on this evening?	Czy może nam pan powiedzieć czy odbywają się jakieś koncerty dziś wieczorem?
Are there any jazz concerts?	Czy są jakieś koncerty jazzowe?
Could you tell us, **if there are** any jazz concerts?	Czy mógłby nam pan powiedzieć, czy są jakieś koncerty jazzowe?
Do we have to buy tickets in advance?	Czy musimy kupić bilety z wyprzedzeniem?
Do you know, **if we have** to buy tickets in advance?	Czy wie pan, czy musimy kupić bilety z wyprzedzeniem?

Jeśli jest zaimek pytający, nic nie trzeba dodawać:

When does it start?	Kiedy się zaczyna?
Do you know **when it starts**?	Czy wiesz, kiedy się zaczyna?
Where do you buy tickets?	Gdzie kupuje się bilety?
Could you tell me **where you buy tickets?**	Czy mógłby nam pan powiedzieć, gdzie kupuje się bilety?

PRZYIMEK AT

Przyimek **at** jest używany z nazwami miejsc, jeśli traktuje się je, jako punkty, gdzie coś się wydarzy. Często odpowiada polskiemu „w".

They are **at** tourist information.	Są w informacji turystycznej.
There's an opera **at** Covent Garden.	W Covent Garden jest opera.
There's a concert **at** the Barbican.	W Barbican jest koncert.
He is playing **at** Ronnie Scott's.	(On) Gra u Ronniego Scotta.

SUCH

Przymiotnik **such** oznacza „taki".

such a lovely day	taki piękny dzień
such an evening	taki wieczór

Przed rzeczownikami w liczbie mnogiej lub niepoliczalnymi używa się go bez przedimka nieokreślonego.

They were **such** nice people.	To byli tacy mili ludzie.
They played **such** good music.	Grali taką dobrą muzykę.

FUNKCJE JĘZYKOWE

W INFORMACJI TURYSTYCZNEJ

Czasownik **be on** oznacza „odbywać się" i jest używany, przy pytaniach o wydarzenia kulturalne:

What's on?	Co grają / pokazują?
Is there anything on?	Czy odbywają się jakieś imprezy?
Are there any concerts **on?**	Czy są jakieś koncerty?
Are there any films **on?**	Czy są jakieś filmy?

There's a rock concert **on at** the Wembley Arena.	Jest koncert rockowy w Wembley Arena.
When does it begin?	Kiedy się zaczyna?
When does it finish?	Kiedy się kończy?
Where can I buy the tickets?	Gdzie mogę kupić bilety?
Do I have to buy the tickets in advance?	Czy muszę kupić bilety wcześniej?
How much are the tickets?	Ile kosztują bilety?

WYRAŻANIE CHĘCI

Czasowniki oznaczające „chcieć", „mieć ochotę" pojawiły się już wcześniej. Oto przykłady:

I **want to see** this concert.	Chcę zobaczyć ten koncert.
I'**d love to go** to this club.	Bardzo chciałbym pójść do tego klubu.
I'**d like to see** Joe Lovano.	Chciałbym zobaczyć Joe Lovano.
I **feel like going** to this concert.	Mam ochotę pójść na ten koncert.

W tej lekcji pojawił się jeszcze jeden zwrot - **fancy doing something** - „mieć ochotę na robienie czegoś":

I **fancy going** to a concert.	Mam ochotę pójść na koncert.
Do you **fancy listening** to some music?	Masz ochotę posłuchać muzyki?
I **don't fancy going out** tonight.	Nie mam ochoty wychodzić dziś wieczorem.

Czasownik **fancy** może też być użyty z rzeczownikiem.

I **fancy** a cup of coffee.	Mam ochotę na filiżankę kawy.
Do you **fancy** a glass of beer?	Masz ochotę na kufel piwa?

ĆWICZENIA

1 Czasowniki podane w nawiasach podaj w czasie przeszłym ciągłym.

1. I (cook) _____ when Tom came.
2. (he / watch) _____ TV all night?
3. They (drive along) _____ when the car broke down.
4. What (you / do) _____ when it started to rain?
5. We (walk) _____ in town and (talk) _____.
6. Mary (listen) _____ to music all day yesterday.
7. Robert (pay / not) _____ attention so he didn't understand.
8. We (watch / not) _____ TV all day.

2 Odpowiedz na pytania.

1. What do Paweł and Laura want to do tonight? _____

2. Why are they going to the tourist information? _____

3. When did Paweł get 'flu? _____

4. How long did he have to stay in bed? _____

5. What was he doing when he was in bed? _____

6. What concerts are on tonight? _____

7. Which concert are Paweł and Laura going to see? _____

Zamień pytania na pytania zależne.

3

Przykład: Is it raining?
Could you tell me _if it is raining?_ _____
What is it?
Do you know _what it is?_ _____

1. Is there any opera on tonight?
   Could you tell us _____?
2. When does it begin?
   Do you know _____?
3. Where is it?
   Can you tell us _____?
4. When does the film finish?
   Could you tell me _____?
5. Are there any tickets left?
   Can you tell us _____?
6. Are there any concerts on this weekend?
   Do you know _____?

Odpowiedz na pytania, używając informacji w nawiasie oraz jednego z czasowników z tabeli.

4

> fancy   want   feel like   would like   would love

1. What do you want to do today? (see a show) _____

   _____

2. Where do you want to go on Sunday? (cinema)_____

   _____

3. Can I get you something to drink? (champagne) _____

   _____

4. What shall we do this weekend? (go to a concert)_____

   _____

5. What does your brother want? (watch TV) _____

   _____

5

Uzupełnij dialog.

(at the tourist information)

'Good afternoon. Can I _____ (1) you?'

'Yes. Could you _____ (2) us if there's anything _____ (3) tonight?'

'What are you _____ (4) in? Music? Film? Theatre?'

'We'd like to _____ (5) a film. Are there any good films _____ (6)?'

'Let's see... _____ (7) a new film with Bruce Willis on _____ (8) the Odion. An action film.'

'No, we don't like _____ (9) films.'

'Well, there is an Antonioni film on _____ (10) the Film Theatre.'

'_____ (11) does it begin?'

'At eight.'

'And _____ (12) long is it?'

'It should _____ (13) at half past nine.'

'Do you know _____ (14) we can get the _____ (15) in advance?'

'No, I don't know that.'

6

Przetłumacz na angielski.

1. To był taki miły wieczór. _____

2. To jest taki interesujący film. _____

3. To brzmi dosyć poważnie. _____

4. Zobaczmy. _____

5. Chodzmy na ten koncert. _____

6. Co grają? _____

7. Co robiłaś wczoraj? _____

8. Cały wieczór czytałem. _____

SŁOWNICTWO

advance: in advance [ɪn‿əd'vɑːns]
z wyprzedzeniem
ages ['eɪdʒɪz] wieki
for ages [fər‿'eɪdʒɪz] bardzo
długo
along: drive along [draɪv‿ə'lɒŋ]
jechać
attention [ə'tenʃn] uwaga
pay attention ['peɪ‿ə'tenʃn]
uważać
be on [biː‿ɒn] odbywać się
(*koncert, itp.*)
what's on tonight ['wɒts‿ɒn
tə'naɪt] co grają dziś wieczorem
catch [kætʃ] łapać
catch flu ['kætʃ 'fluː] złapać
grypę
champagne [ʃæm'peɪn] szampan
club [klʌb] klub
door: at the door [ət ðə 'dɔː]
przy drzwiach
exciting [ək'saɪtɪŋ] podniecający,
ekscytujący
famous ['feɪməs] sławny
fancy ['fænsi] mieć ochotę
I fancy going [aɪ 'fænsi
'gəʊɪŋ...] mam ochotę iść
find out [ˌfaɪnd‿'aʊt] dowiedzieć się
here we are ['hɪə wi‿'ɑː] jesteśmy na miejscu

in bed [ɪn 'bed] w łóżku
notice ['nəʊtɪs] zauważyć
play [pleɪ] grać
pour [pɔː] lać
smoke [sməʊk] dymić
such [sʌtʃ] taki
suddenly ['sʌdnli] nagle
TV [ˌtiː 'viː] TV
television ['telɪvɪʒn] telewizja
unlucky [ʌn'lʌki] nieszczęśliwy,
pechowy
watch TV ['wɒtʃ ˌtiː 'viː] oglądać
telewizję

wydarzenia kulturalne

ballet ['bæleɪ] balet
box office ['bɒks‿ˌɒfɪs] kasa biletowa
cinema ['sɪnəmə] kino
concert ['kɒnsət] koncert
exhibition [ˌeksɪ'bɪʃn] wystawa
gig [gɪg] koncert
jazz club ['dʒæz ˌklʌb] klub jaz-
zowy
opera ['ɒprə] opera
show [ʃəʊ] przedstawienie
theatre ['θɪətə] teatr
tourist information
['tʊərɪst‿ˌɪnfə'meɪʃn] informacja turystyczna

Lesson twenty-five: At a concert

Laura	What do you think of the music?
Paweł	It sounds great, but I can't see anything.
Laura	I think, if you want to see the musicians you have to book a seat.
Paweł	Are you enjoying it?
Laura	Yes, although I usually prefer traditional to modern jazz. This is a bit noisy for me.
Paweł	Drink up and I'll buy you another very expensive beer.
Laura	Did you enjoy it?
Paweł	Yes, I think he's a great saxophone player. You were looking a bit worried.
Laura	Really?
Paweł	Yes, what were you thinking about?
Laura	I was listening to the music and I suddenly remembered that tomorrow is my father's birthday.
Paweł	I was thinking that you were bored. You can phone your Dad tomorrow.
Laura	I wasn't bored. They were playing a bit loud but it wasn't boring.
Paweł	The drummer was brilliant.
Laura	Yeah. But he was wearing a very weird shirt. And why was he wearing sunglasses in a dark club?
Paweł	I'm glad he took them off towards the end. The audience were wearing interesting clothes, too.
Laura	Do you have many CDs?
Paweł	A few, but I prefer going to concerts to listening to music at home.

Lekcja dwudziesta piąta: Na koncercie

Laura	Co myślisz o tej muzyce?
Paweł	Brzmi świetnie, ale nic nie widzę.
Laura	Myślę, że jeśli chce się zobaczyć muzyków, trzeba zarezerwować miejsce.
Paweł	A tobie się podoba?
Laura	Tak, chociaż zwykle wolę tradycyjny jazz od nowoczesnego. To jest trochę głośne jak dla mnie.
Paweł	Dopij to kupię ci jeszcze jedno bardzo drogie piwo.

Laura	Podobało ci się?
Paweł	Tak, myślę, że to doskonały saksofonista. Ty wyglądałaś na trochę zmartwioną.
Laura	Naprawdę?
Paweł	Tak, o czym myślałaś?
Laura	Słuchałam muzyki i nagle przypomniałam sobie, że jutro są urodziny mojego ojca.

Paweł	Ja myślałem, że byłaś znudzona. Możesz jutro zadzwonić do swojego taty.
Laura	Nie byłam znudzona. Grali trochę zbyt głośno, ale to nie było nudne.
Paweł	Perkusista był genialny.
Laura	Tak. Ale miał na sobie bardzo dziwną koszulę. I dlaczego nosił okulary słoneczne w ciemnym klubie?

Paweł	Na szczęście zdjął je pod koniec. Publiczność też była ciekawie ubrana.

Laura	Dużo masz płyt kompaktowych?
Paweł	Kilka, ale wolę chodzić na koncerty, niż słuchać muzyki w domu.

Laura	Yes, live music has more atmosphere.
Paweł	There's a free chamber music concert tomorrow lunchtime. We could go, if you feel like it.
Laura	Do you know what the programme is?
Paweł	They're playing two of Haydn's string quartets.

Laura	Tak, muzyka na żywo ma więcej klimatu.
Paweł	Jutro w południe jest darmowy koncert muzyki kameralnej. Moglibyśmy pójść, jeśli masz ochotę.
Laura	Czy wiesz jaki jest program?
Paweł	Grają dwa kwartety smyczkowe Haydna.

GRAMATYKA

PORÓWNANIE CZASU PRZESZŁEGO CIĄGŁEGO I PRZESZŁEGO PROSTEGO

Czas przeszły prosty opisuje skończone wydarzenia z przeszłości. Czas przeszły ciągły opisuje czynności, które były rozciągnięte w przeszłości. Często w opowiadaniach czas przeszły ciągły opisuje tło wydarzeń, a czas przeszły prosty same wydarzenia.

I **was sitting** in the club when it **happened**.	Siedziałem w klubie, kiedy to się zdarzyło.
It **was raining** when I **met** him.	Padało, kiedy go poznałam.
I **was listening** to the music and I suddenly **remembered** something.	Słuchałam muzyki i nagle sobie coś przypomniałam.
We **were** just **talking** and they **attacked** us.	Rozmawialiśmy tylko, a oni nas zaatakowali.

CZASOWNIK PREFER

Jeśli chce się powiedzieć, że woli się jedną rzecz od drugiej, używa się czasownika **prefer** i przyimka **to**.

Prefer może być użyty z dwoma rzeczownikami:

I **prefer traditional jazz to modern jazz**.	Wolę jazz tradycyjny od nowoczesnego.
I **prefer film to music**.	Wolę film od muzyki.

Może też być użyty z dwoma czasownikami z końcówką **-ing**:

I prefer going to concerts to listening to music at home. Wolę chodzić na koncerty, niż słuchać muzyki w domu.

I prefer watching TV to reading books. Wolę oglądać telewizję, niż czytać książki.

[por. lekcja 7]

YOU (BEZOSOBOWE)

Zaimek **you** oznacza „ty", „wy", „pani", „pan", „państwo". Czasem też używa się go w zdaniach wyrażających pewne zasady dotyczące wszystkich. Po polsku tłumaczy się te zdania bezosobowo.

If you want to see the musicians, you have to book a seat. Jeśli chce się zobaczyć muzyków, trzeba zarezerwować miejsce.

You have to book tickets in advance. Trzeba zarezerwować bilety z wyprzedzeniem.

You mustn't smoke in a hospital. W szpitalu nie wolno palić.

PRZYIMEK NA KOŃCU ZDANIA (2)

W pytaniach przyimek często pozostaje na końcu zdania [por. lekcja 9].

What were you thinking about? O czym myślałaś?
I was thinking about my dad. Myślałam o moim tacie.
What were you listening to? Czego słuchałaś?
I was listening to Miles Davis. Słuchałam Milesa Davisa.

CZASOWNIK WEAR

Czasownik **wear** oznacza „mieć na sobie", „nosić".

He's wearing a coat and a hat. Ma na sobie płaszcz i kapelusz.
What is she wearing? Co ona ma na sobie / Jak jest ubrana?

I wore dark clothes.	Miałam na sobie ciemne ubranie.
What did you wear to the party?	Jak byłaś ubrana na przyjęciu?

BORED / BORING

Imiesłów czasu przeszłego tworzy się przez dodanie końcówki **-ed** do formy podstawowej czasownika. Imiesłów czasu teraźniejszego - przez dodanie końcówki **-ing**. Mają one inne znaczenie:

bored	-	znudzony
boring	-	nudny

Oto kilka przykładów:

I wasn't **bored**.	Nie byłam znudzona.
It wasn't **boring**.	To nie było nudne.
He's **interested**.	On jest zainteresowany.
She's an **interesting** woman.	Ona jest interesującą kobietą.
They were **excited**.	Oni byli podekscytowani.
This is an **exciting** film.	To jest ekscytujący film.

FUNKCJE JĘZYKOWE

PYTANIE O OPINIE (2)

What do you think of the music?	Co myślisz o tej muzyce?
What do you think of Jack?	Co myślisz o Jacku?
Did you enjoy it?	Dobrze się bawiłeś?
Did you like it?	Podobało ci się?
What are your impressions?	Jakie są twoje wrażenia?

[por. - lekcja 14]

ĆWICZENIA

1 Wstaw czasowniki w nawiasie w czasie przeszłym prostym lub przeszłym ciągłym.

1. They (talk) _____ with George's wife when I (come) _____ in.
2. We (go) _____ home when it (start) _____ to rain.
3. John (rest) _____ all day yesterday.
4. I (sleep) _____ when my husband (arrive) _____ .
5. We (have) _____ dinner when the telephone (ring) _____ .
6. What (you / do) _____ all that time?
7. (it / rain) _____ when you (be) _____ out?
8. (she / sleep) _____ when you (see) _____ her?
9. I (not / answer) _____ the phone because I (have) _____ a shower.
10. I (not / think) _____ about the music. I (think) _____ about my dad's birthday.

---

2 Wstaw czasowniki z ramki w odpowiednią lukę w tekście.

> fell off   finished   hurt   looked   were playing
> was singing   were not singing   thought
> was wearing   was wearing   went   were

We (1) _____ to a concert last night. Broken Hearts (2) _____ . They (3) _____

awful. They (4) _____ but shouting. The drummer (5) _____ sunglasses. We (6) _____
it was silly. The singer (7) _____ a silver coat
and red shoes. He (8) _____ really weird. When
he (9) _____ one song, he (10) _____
the stage. I think he (11) _____ some people.
We left before they (12) _____.

Utwórz zdania, wykorzystując podane informacje.

3

Przykład: Mark: rock music - yes, classical music - no;
Mark prefers rock to classical music.

1. Judy: talk on the phone - yes; write letters - no;

_____

2. Laura: Italian language - yes; German language - no;

_____

3. Jill: travel by bus - yes; travel by plane - no;

_____

4. Tom: go to concerts - yes; go to exhibitions - no;

_____

5. I: pears - yes; plums - no;

_____

Przetłumacz na angielski, używając zaimka **you**.

4

1. Trzeba kupić bilety. _____

2. Nie wolno tutaj palić. _____

3. Powinno się zarezerwować miejsca. _____

4. Trzeba zarezerwować stolik. _____

5

Uporządkuj wyrazy tak, aby powstały z nich sensowne zdania.

1. music / listen / do / what / to / you?

2. from / your / is / friend / where?

3. leave / this / bus / where / from / does?

4. what / about / you / talking / are?

5. thinking / about / what / he / was?

6

Przetłumacz na angielski.

1. Czy podobała ci się muzyka?

2. Co myślisz o tym filmie?

3. Kupię ci jeszcze jedną kawę.

4. Jestem znudzony.

5. Nie nudzi mi się.

6. Może masz rację.

7. Możemy wyjść, jeśli masz ochotę.

8. Jaki jest program (koncertu)?

SŁOWNICTWO

audience ['ɔːdɪəns] publiczność
atmosphere ['ætməsfɪə] klimat, atmosfera
birthday ['bɜːθdeɪ] urodziny
bored [bɔːd] znudzony
brilliant ['brɪljənt] wspaniały
fall off ['fɔːl ˌɒf] spadać
feel: feel like it ['fiːl 'laɪk ɪt] mieć ochotę
free [friː] za darmo
impression [ɪm'preʃn] wrażenie
listen to ['lɪsn tə] słuchać
loud [laʊd] głośny
lunchtime ['lʌntʃtaɪm] południe, pora lunchu
modern ['mɒdn] nowoczesny
sunglasses ['sʌnglɑːsɪz] okulary słoneczne
take off [ˌteɪk 'ɒf] ściągać, zdejmować
think: what do you think of ... ['wɒt də ju 'θɪŋk əv...] co myślisz o
towards the end [tə'wɔːdz ðiː 'end] pod koniec
traditional [trə'dɪʃnəl] tradycyjny
weird [wɪəd] dziwny

muzyka

cassette [kə'set] kaseta
CD [ˌsiː 'diː] płyta kompaktowa

cello / cellist ['tʃeləʊ / 'tʃelɪst] wiolonczela / wiolonczelista
chamber music ['tʃeɪmbə ˌmjuːzɪk] muzyka kameralna
classical music ['klæsɪkl ˌmjuːzɪk] muzyka klasyczna
compact disc [ˌkɒmpækt 'dɪsk] płyta kompaktowa
concert ['kɒnsət] koncert
conductor [kən'dʌktə] dyrygent
drummer ['drʌmə] perkusista
group [gruːp] grupa
guitar / guitarist [gɪ'tɑː / gɪ'tɑːrɪst] gitara / gitarzysta
heavy metal ['hevi 'metl] heavy metal
live music ['laɪv ˌmjuːzɪk] muzyka na żywo
orchestra ['ɔːkəstrə] orkiestra
piano / pianist [pɪ'ænəʊ / 'piːənɪst] pianino / pianista
pop [pɒp] pop
programme ['prəʊgræm] program
record ['rekɔːd] płyta
record [rɪ'kɔːd] nagrywać
rock [rɒk] rock
singer ['sɪŋə] piosenkarz
stereo ['steriəʊ] sprzęt stereo
string quartet ['strɪŋ kwɔː'tet] kwartet smyczkowy
violin / violinist [ˌvaɪə'lɪn / ˌvaɪə'lɪnɪst] skrzypce / skrzypek

Lesson twenty-six: At an Italian restaurant

waiter   Are you ready to order yet?

Paweł   Give us a minute more. We haven't decided yet.... What do you fancy, Laura? Think quickly, I'm starving.

Laura   I'd like to have the lasagna, but it might be too filling. What about you?

Paweł   I'm having the spaghetti bolognese. Excuse me, is your pasta homemade?

waiter   Yes, sir, our pasta is made here.

Laura   OK, we're ready.... One lasagne and one spaghetti bolognese.

waiter   Anything to drink?

Paweł   Shall we have wine? OK, a bottle of the house red wine. Oh, and some garlic bread. Will it be long?

waiter   About twenty minutes.

Paweł   Do you think the waiter is Italian?

Laura   Definitely.

Paweł   How can you be so sure?

Laura   Well, he just seems Italian.

Paweł   What do you mean?

Laura   I don't know exactly. Don't you think he looks Italian?

Paweł   He's quite dark, but I'm dark too.

Laura   Well, his gestures are quite extravagant. I suppose that seems typically Italian.

Paweł   It just sounds like a stereotype to me. What's the Polish stereotype in Britain?

Laura   There isn't a really strong one. We have strong ideas about the French and Germans, of course.

Lekcja dwudziesta szósta: We włoskiej restauracji

kelner   Czy chcą państwo już zamówić?

Paweł   Proszę dać nam jeszcze minutę. Jeszcze się nie zde-
          cydowaliśmy... Na co masz ochotę, Lauro? Myśl szyb-
          ko, umieram z głodu.

Laura   Chciałabym lasagnię, ale może być zbyt sycące. A ty?

Paweł   Ja biorę spaghetti bolognese. Przepraszam, czy ma-
          karon jest domowej roboty?

kelner   Tak, proszę pana, makaron jest robiony na miejscu.

Laura   OK, jesteśmy gotowi.... Raz lasagna i raz spaghetti
          bolognese.

kelner   Coś do picia?

Paweł   Napijemy się wina? OK, butelka beczkowego czer-
          wonego wina. Aha, i chleb czosnkowy. Czy długo to
          potrwa?

kelner   Około dwudziestu minut.

Paweł   Myślisz, że kelner jest Włochem?

Laura   Zdecydowanie.

Paweł   Jak możesz być taka pewna?

Laura   No cóż, po prostu wygląda na Włocha.

Paweł   Co masz na myśli?

Laura   Nie wiem dokładnie. Nie wydaje ci się, że wygląda na
          Włocha?

Paweł   Ma dosyć ciemną karnację, ale ja też mam ciemną
          karnację.

Laura   Jego gesty są dosyć przesadne. Sądzę, że to wydaje
          się typowo włoskie.

Paweł   Dla mnie to brzmi po prostu jak stereotyp. Jaki jest
          stereotyp Polaka w Wielkiej Brytanii?

Laura   Tak naprawdę nie ma wyraźnego stereotypu. Mamy zde-
          cydowane opinie o Francuzach i Niemcach, naturalnie.

Paweł   The Germans work hard and make good cars, I suppose.

Laura   Well, a lot of cars are produced in Germany.

Paweł   And the French are romantic wine-drinkers who drive too fast.

Laura   OK, I admit it's all nonsense. What do Poles generally think about the British? Speak honestly!

Paweł   That you're very formal and polite but cold. You always wait patiently in queues and drive very slowly and carefully. And you can't cook.

Laura   But we cook very good foreign food. The best curries are cooked in Britain.

Paweł   That's true. Excuse me, can we have the bill?

Paweł	Niemcy ciężko pracują i produkują dobre samochody, jak sądzę.
Laura	No cóż, dużo samochodów jest produkowanych w Niemczech.
Paweł	A Francuzi to romantyczni zwolennicy wina, którzy za szybko prowadzą.
Laura	OK, przyznaję, że to wszystko nonsens. Co Polacy ogólnie rzecz biorąc myślą o Brytyjczykach? Mów uczciwie!
Paweł	Że jesteście bardzo oficjalni i uprzejmi, ale chłodni. Zawsze czekacie cierpliwie w kolejkach i prowadzicie bardzo powoli i ostrożnie. I nie umiecie gotować.
Laura	Ale my gotujemy bardzo dobrze potrawy zagraniczne. Najlepsze curry są robione w Wielkiej Brytanii.
Paweł	To prawda. Przepraszam, czy możemy dostać rachunek?

GRAMATYKA

STRONA BIERNA (1) - CZAS TERAŹNIEJSZY

Stronę bierną tworzy się za pomocą czasownika **to be** w odpowiedniej formie - **am / is / are** i imiesłowu czasu przeszłego, czyli tak jak w języku polskim. Imiesłów czasu przeszłego to podstawowa forma czasownika z końcówką **-ed**, a dla czasowników nieregularnych - 3. forma [patrz - tabela czasowników nieregularnych].

People **buy** most food in supermarkets.	Ludzie kupują większość żywności w supermarketach. (*strona czynna*)
Most food **is bought** in supermarkets.	Większość żywności jest kupowana w supermarketach. (*strona bierna*)
Workers in Germany **produce** Mercedes.	Robotnicy w Niemczech produkują mercedesy. (*strona czynna*)

Mercedes **are produced** in Germany.	Mercedesy są produkowane w Niemczech. (*strona bierna*)

Strony biernej najczęściej używa się, gdy interesuje nas czynność, a nie jej wykonawca, lub, gdy nie wiemy, kim on jest. W języku angielskim strony biernej używa się częściej niż w języku polskim.

Our pasta **is made** here.	Makaron jest robiony na miejscu (tutaj).
A lot of cars **are produced** in Germany.	Dużo samochodów jest produkowanych w Niemczech.
The best curries **are cooked** in Britain.	Najlepsze curry są robione w Wielkiej Brytanii.
Is your pasta **homemade**?	Czy makaron jest domowej roboty (robiony w domu)?

PRZYSŁÓWKI - FORMA

Wiele przysłówków tworzy się od przymiotników przez dodanie końcówki **-ly**.

definite - definitely	zdecydowany, wyraźny - zdecydowanie
exact - exactly	dokładny - dokładnie
typical - typically	typowy - typowo
general - generally	ogólny - ogólnie, generalnie

Ale istnieją przysłówki, które swą formą nie różnią się od przymiotników.

long	długi - długo
hard	twardy, ciężki - ciężko
fast	szybki - szybko

PRZYSŁÓWKI - MIEJSCE W ZDANIU

Przysłówki sposobu, które określają, jak czynność jest wykonywana, stoją najczęściej po czasowniku, a jeśli ten ma dopełnienie to po dopełnieniu [por. - lekcja 5 i 7].

Think **quickly**.	Myśl szybko.
Speak **honestly**.	Powiedz uczciwie.
You always wait **patiently** in queues.	Zawsze czekacie cierpliwie w kolejkach.
You drive very **slowly** and **carefully**.	Prowadzicie powoli i ostrożnie.
The Germans work **hard**.	Niemcy ciężko pracują.
The French drive **fast**.	Francuzi szybko jeżdżą.
That seems **typically** Italian.	To wydaje się typowo włoskie.

Yet - które w pytaniach znaczy „już", a w zdaniach przeczących „jeszcze" - zawsze stoi na końcu zdania.

Are you ready to order **yet**?	Czy już się zdecydowaliście?
Have you finished **yet**?	Czy już skończyliście?
We haven't decided **yet**.	Jeszcze się nie zdecydowaliśmy.
I haven't done it **yet**.	Jeszcze tego nie zrobiłem.

I SUPPOSE

Suppose znaczy „sądzić", „przypuszczać". **I suppose,** tak jak **I think** lub **I hope,** może stać na początku zdania lub na jego końcu.

I suppose that seems typically Italian.	Sądzę, że to wydaje się typowo włoskie.
The Germans work hard, **I suppose**.	Niemcy ciężko pracują, jak sądzę.

ZAIMEK - ONE

One może zastąpić rzeczownik, jeśli nie chcemy go powtarzać. Po polsku nie zawsze jest to możliwe.

'What's **the Polish stereotype** in Britain?' 'There isn't a really strong **one**.'	„Jaki jest **stereotyp Polaka** w Wielkiej Brytanii?" „Tak naprawdę nie ma wyraźnego **stereotypu**."
'I'm looking for **a shop**.' 'There is **one** round the corner.'	„Szukam jakiegoś **sklepu**." „Jest **jeden** za rogiem."

THE FRENCH, THE GERMANS

Rzeczowniki zbiorowe określające narodowość często tworzy się dodając **the** do przymiotnika.

French - the French	francuski - Francuzi
Polish - the Polish	polski - Polacy
English - the English	angielski - Anglicy
Irish - the Irish	irlandzki - Irlandczycy
Dutch - the Dutch	holenderski - Holendrzy

Czasem używa się odpowiednich rzeczowników.

Germans	Niemcy
Americans	Amerykanie
Italians	Włosi
Poles	Polacy
Russians	Rosjanie
Spaniards	Hiszpanie
Swedes	Szwedzi

FUNKCJE JĘZYKOWE

ZAMAWIANIE POSIŁKU W RESTAURACJI

Are you ready to order?	Czy chcą państwo już zamówić?
We haven't decided yet.	Jeszcze się nie zdecydowaliśmy.
We'd like to order.	Chcielibyśmy zamówić.
I'd like the lasagna, please.	Chciałbym lasagna.
I'll have the spaghetti bolognese.	Wezmę spaghetti bolognese.
One lasagne and one spaghetti bolognese, please.	Proszę lasagna i spaghetti bolognese.
What would you like to drink?	Co chcieliby państwo do picia?
Anything to drink?	Coś do picia?
We'll have a bottle of the house red wine.	Weźmiemy butelkę beczkowego czerwonego wina.
We'll just have some water.	Prosimy tylko wodę.

Excuse me, can we have the bill?

Przepraszam, możemy prosić rachunek?

SUGEROWANIE

Przy proponowaniu często używa się czasownika modalnego **shall**.

Shall we have wine?   Może napijemy się wina?

Shall we go out tonight?   Może wyjdziemy dzisiaj?

ĆWICZENIA

Wstaw czasowniki w nawiasach w stronie biernej.

1

1. The tins of tomatoes and baked beans _____ (open).

2. The vegetables _____ (take) out of the tins.

3. The tomatoes _____ (fry) on a frying pan.

4. The beans _____ (cook) in a saucepan.

5. Eggs _____ (break) into a frying pan.

6. They _____ (fry) for a couple of minutes.

7. Bacon _____ (cut) in very thin slices and _____ (fry) too.

8. Bread _____ (cut) in slices and _____ (toast).

9. The toast _____ (butter).

10. The breakfast _____ (serve) hot with tea or coffee.

2 Zamień zdania w stronie czynnej na stronę bierną.

Przykład: The cook makes our pasta here.
Our pasta is made here.

1. The cook uses fresh vegetables.

_____

2. We prepare the dinner in twenty minutes.

_____

3. People in France produce the best wine.

_____

4. People in Poland don't produce the best cars.

_____

5. People in Italy make the best pasta.

_____

3 Wybierz odpowiednie słowo.

1. The scales aren't very *exact / exactly*.
2. You're *exact / exactly* right.
3. Terry is a very *honest / honestly* person.
4. Your friends didn't behave very *honest / honestly*.
5. The date of our marriage is not *certain / certainly* yet.
6. I *certain / certainly* agree with you.

4 Wstaw przysłówek w odpowiednie miejsce w zdaniu.

1. They speak. (slowly)

_____

2. Why don't you wait for your turn? (patiently)

_____

3. Has she stopped crying? (yet)

_____

4. My boyfriend can drive. (fast)

_____

5. You must do the job. (carefully)

_____

6. We haven't finished the work. (yet)

_____

Uporządkuj wyrazy, aby utworzyły dialog.　**5**

1. a cinema / looking / I'm / me / for / excuse

_____

2. street / one / is / there / not / in / this

_____

3. you / know / do / if / one / there / near / here / is?

_____

4. you / I'm / can't / no / afraid / help / I

_____

5. a / left / here / pen / I've

_____

6. one / is / on / table / the / there

_____

7. oh / mine / thanks / that's

_____

Przetłumacz na angielski.　**6**

1. Są gotowi.

_____

2. Umieram z głodu.

_____

3. Co masz na myśli?

_____

4. Przyznaję, że to nieprawda.

_____

5. Mike jest uprzejmy i cierpliwy.

_____

6. Helen jest bardzo romantyczna.

_____

SŁOWNICTWO

about: what about you
['wɒt ə'baʊt ju] a ty
admit [əd'mɪt] przyznać
beans [biːnz] fasola
baked beans ['beɪkt biːnz] fasola z puszki w sosie pomidorowym
boyfriend ['bɔɪfrend] chłopak (*sympatia*)
butter ['bʌtə] masło
cold [kəʊld] chłodny (*o człowieku*)
cook [kʊk] gotować
couple ['kʌpl] para
a couple of minutes [ə 'kʌpl_əv 'mɪnɪts] dwie minuty
cry [kraɪ] płakać
curry ['kʌrɪ] curry
definitely ['defɪnɪtli] zdecydowanie
Dutch [dʌtʃ] holenderski
exactly [ɪg'zæktli] dokładnie

extravagant [ɪk'strævəgənt] ekstrawagancki, przesadny
filling ['fɪlɪŋ] sycące
foreign ['fɒrən] zagraniczny
formal ['fɔːml] formalny, oficjalny
garlic bread ['gɑːlɪk 'bred] chleb z masłem czosnkowym
gesture ['dʒesʃə] gest
girlfriend ['gɜːlfrend] dziewczyna (*sympatia*)
homemade [həʊm'meɪd] domowej roboty
lasagna [lə'zænjə] lasagna, łazanki
nonsense ['nɒnsəns] nonsens
pan: frying pan ['fraɪŋ 'pæn] patelnia
pasta ['pæstə] makaron
Poles [pəʊlz] Polacy
polite [pə'laɪt] grzeczny, uprzejmy

produce [prə'djuːs] produkować
queue [kjuː] kolejka
  wait in a queue ['weɪt ɪn ə
  'kjuː] czekać w kolejce
romantic [rə'mæntɪk] romantyczny
saucepan ['sɔːspən] rondel
scales [skeɪlz] waga
spaghetti bolognese [spə'geti
  ˌbɒlə'neɪz] spaghetti bolognese
Spaniards ['spænjədz] Hiszpanie
stereotype ['steriətaɪp] stereotyp
strong [strɒŋ] silny, zdecydowa-
  ny
Swedes [swiːdz] Szwedzi
toast [təʊst] tost
typically ['tɪpɪkli] typowo
wine [waɪn] wino
wine-drinker ['waɪn 'drɪŋkə]
  zwolennik wina

w restauracji

bill [bɪl] rachunek
dessert [də'zɜːt] deser
house: the house wine [ðə
  'haʊs 'waɪn] wino beczkowe
main course ['meɪn 'kɔːs] główne danie
menu ['menjuː] menu
  set menu ['set 'menjuː] menu
  dnia
order ['ɔːdə] zamówienie, zamawiać
side dish ['saɪd ˌdɪʃ] przystawka
starter ['stɑːtə] przystawka
tip [tɪp] napiwek
vegetarian [ˌvedʒə'teəriən] wegetariański
  vegetarian dishes [ˌvedʒə'teəriən
  'dɪʃɪz] dania wegetariańskie
waiter ['weɪtə] kelner
waitress ['weɪtrəs] kelnerka

Lesson twenty-seven: A night in

Laura	What are you doing?
Paweł	I'm watching the news. I need to catch up before I go home.
Laura	Let me guess. Murders, crashes and wars.
Paweł	Someone in Liverpool was murdered. Three people were killed in a big car-crash on the M1 and there might be a war in the Middle East. How did you know?
Laura	Those things are always happening. What about local news?
Paweł	A bank in London was robbed yesterday. The robber stole one million pounds and jewels worth even more.
Laura	A million pounds? If you were the robber, what would you do with the money?
Paweł	I'd give some of it to my family and invest the rest.
Laura	I'd stop working and buy a big house in Jamaica. What else has happened?
Paweł	A new hospital was opened by the Queen. A soap-opera star was fined a thousand pounds for speeding. The Prime Minister made a speech about unemployment.
Laura	You mean nothing unusual has happened?
Paweł	Nothing at all. Let's see what's on television. Perhaps there's a good film on tonight.
Laura	Look in the paper.
Paweł	There's a new sit-com on BBC1, and an old soap on ITV, and 'Gone with the Wind' on Channel Four.

Lekcja dwudziesta siódma: Wieczór w domu

Laura   Co robisz?

Paweł   Oglądam wiadomości. Muszę nadrobić zaległości, zanim pojadę do domu.

Laura   Pozwól mi zgadnąć. Morderstwa, stłuczki samochodowe i wojny.

Paweł   Ktoś w Liverpoolu został zamordowany. Troje ludzi zginęło w dużym wypadku samochodowym na autostradzie numer 11, być może będzie wojna na Bliskim Wschodzie. Skąd wiedziałaś?

Laura   Te rzeczy zawsze się zdarzają. A wiadomości lokalne?

Paweł   Wczoraj został okradziony bank w Londynie. Włamywacz ukradł milion funtów i biżuterię wartą jeszcze więcej.

Laura   Milion funtów? Gdybyś był tym złodziejem, co zrobiłbyś z pieniędzmi?

Paweł   Część z nich dałbym mojej rodzinie, a resztę zainwestował.

Laura   Ja przestałabym pracować i kupiłabym duży dom na Jamajce. Co jeszcze się zdarzyło?

Paweł   Królowa otworzyła nowy szpital. Gwiazda serialu telewizyjnego została ukarana grzywną tysiąca funtów za przekroczenie prędkości, premier wygłosił przemówienie o bezrobociu.

Laura   To znaczy, że nic nadzwyczajnego się nie wydarzyło?

Paweł   Zupełnie nic. Zobaczmy, co jest w telewizji. Może jest dziś wieczorem jakiś dobry film.

Laura   Sprawdź w gazecie.

Paweł   Na BBC1 jest nowa komedia, a na ITV stara opera mydlana i „Przeminęło z Wiatrem" na Channel Four.

Laura	Really? I'm surprised. It was on last month. I've seen it twice. Is nothing else on?
Paweł	My God! You won't believe it. There's a Polish film on BBC2. Directed by Wajda.
Laura	It's not so unusual. Let's watch it. It's supposed to be good.
Paweł	No, let's try the new sit-com.
Laura	Why don't you want to see the Wajda film?
Paweł	I've already seen it. If I were at home I'd watch it again. But I would feel funny if I watched it here.

Laura	Naprawdę? To dziwne (*dosł.* jestem zdziwiona). Grali to w zeszłym miesiącu. Widziałam to dwa razy. Czy nic więcej nie ma?
Paweł	Mój Boże! Nie uwierzysz. Na BBC2 leci polski film. Reżyserowany przez Wajdę.
Laura	To nie takie niezwykłe. Obejrzyjmy to. Podobno jest dobry.
Paweł	Nie, obejrzyjmy tę nową komedię.
Laura	Dlaczego nie chcesz obejrzeć tego filmu Wajdy?
Paweł	Już go widziałem. Jeśli byłbym w domu, znów bym go obejrzał. Ale dziwnie bym się czuł, jeśli bym go oglądał tutaj.

GRAMATYKA

STRONA BIERNA (2) - CZAS PRZESZŁY

Do tworzenia strony biernej w czasie przeszłym, podobnie jak w teraźniejszym, używa się czasownika **to be** i imiesłowu czasu przeszłego. Czasownik **to be** jest w czasie przeszłym - **was / were**.

Someone **murdered** Mr Smith.	Ktoś zamordował pana Smitha (*strona czynna*).
Mr Smith **was murdered**.	Pan Smith został zamordowany (*strona bierna*).
A policeman **fined** a soap-opera star.	Policjant ukarał mandatem gwiazdę opery mydlanej (*strona czynna*).
A soap opera star **was fined**.	Gwiazda opery mydlanej została ukarana mandatem (*strona bierna*).

W stronie biernej najczęściej nie mówi się, kto jest wykonawcą czynności - albo nie jest to ważne, albo nie wiadomo.

Three people **were killed** in a big car-crash on the M1.	Troje ludzi zginęło (*dosł. zostało zabitych*) w poważnym wypadku samochodowym na M1.
A bank in London **was robbed** yesterday.	Wczoraj został obrabowany bank w Londynie.

Czasem wymienia się wykonawcę, gdyż jest on z pewnych powodów ważny. Przyimek **by** oznacza „przez" i wprowadza wykonawcę czynności w stronie biernej.

A new hospital **was opened** by the Queen.	Nowy szpital został otwarty przez królową.
This film **was directed** by Wajda.	Ten film został wyreżyserowany przez Wajdę.

DRUGI OKRES WARUNKOWY (1)

Zdania w drugim okresie warunkowym składają się ze zdania nadrzędnego (z **would**) i podrzędnego (z **if**). W zdaniu podrzędnym czasownik jest w czasie przeszłym. Spójnik **if** tłumaczymy jako „gdyby". W zdaniach tych mówimy, co by było, gdyby sytuacja była inna niż jest.

If I **were** at home, I'**d watch** it again.	Gdybym był w domu, to bym go obejrzał.
But I **would feel** funny if I **watched** it here.	Ale czułbym się dziwnie, gdybym go oglądał tutaj.
It **would be** nice if it **wasn't** so hot.	Byłoby przyjemnie, gdyby nie było tak gorąco.
If they **paid** me, I **would do** it.	Gdyby mi zapłacili, zrobiłbym to.

W odpowiedzi na pytanie Laury Paweł używa tylko jednej połowy trybu warunkowego. Jest to możliwe, gdyż łatwo się domyślić drugiej połowy:

If you **were** the robber, what **would** you **do** with the money?	Gdybyś był tym złodziejem, co byś zrobił z pieniędzmi?

I'**d give** some of it to my family.	Część dałbym mojej rodzinie (jeśli byłbym tym złodziejem).
I'**d stop** working and buy a house in Jamaica.	Przestałabym pracować i kupiła dom na Jamajce (jeśli ja byłabym tym złodziejem).

W drugim trybie warunkowym forma **were** może być użyta z wszystkimi osobami. Szczególnie często używa się jej z zaimkiem **I**.

If I **were** the robber, I'd leave the country.	Na miejscu tego złodzieja (Jeśli ja byłbym tym złodziejem) opuściłbym kraj.
If I **were** you, I'd go to bed.	Na twoim miejscu (Jeśli byłbym tobą) poszedłbym spać.

PRZEDIMEK OKREŚLONY (THE QUEEN)

Przedimka określonego **the** używa się przed nazwami osób i rzeczy unikatowych i jedynych.

the Prime Minister	premier (*w każdym kraju jest tylko jeden*)
the Queen	królowa (*królowa angielska jest tylko jedna*)
the Pope	papież
the President	prezydent

IT'S SUPPOSED

It's supposed tłumaczymy na polski jako „podobno".

This film **is supposed to be** very good.	Ten film jest podobno bardzo dobry.
Henry **is supposed to be** an expert.	Henry jest podobno ekspertem.

NEWS

Rzeczownik **news** oznacza „wiadomość" lub „wiadomości" (w telewizji lub radio). Mimo że ma końcówkę **-s**, charakterystyczną dla liczby mnogiej, jest rzeczownikiem niepoliczalnym i nie ma liczby mnogiej.

I'm watching the news.	Oglądam wiadomości (program informacyjny).
It's very bad news.	To bardzo zła wiadomość.
It's good news.	To dobra wiadomość.

FUNKCJE JĘZYKOWE

WYRAŻANIE ZDZIWIENIA

Really?	Naprawdę?
I'm (really) surprised.	Jestem (naprawdę) zdziwiony.
My God!	Mój Boże!
You won't believe it!	Nie uwierzysz.
I don't believe it!	Nie wierzę.
It's impossible!	To niemożliwe!

ĆWICZENIA

1 Wstaw czasowniki w nawiasie w stronie biernej lub czynnej.

'_____ (1. anything / happen) yesterday?'

'Yes, a few things. Our neighbour _____ (2.

murder). He _____ (3. kill) with a kitchen knife.'

'That's terrible! He _____ (4. be) such a nice

man.'

'And the bank in our street _____ (5. rob).

A million pounds _____ (6. steal).'

'How awful! I _____ (7. have) my money in this

bank.'

'And a new food shop _____ (8. open). Even

more expensive than the old one.'

'Well, isn't that just typical?'

Zamień zdania w stronie czynnej na stronę bierną.   **2**

Przykład: Somebody murdered her aunt.

Her aunt was murdered.

1. Somebody posted the letter.

_____

2. Somebody bought the house next door.

_____

3. A policeman fined us a hundred pounds.

_____

4. Scorsese directed this film.

_____

5. Mr Cook invested two thousand pounds in the shop.

_____

3 Wstaw czasowniki w nawiasie w odpowiednim czasie.

1. If I _____ (have) money, I _____
   (buy) this book.

2. If Tom _____ (have) a dog, he _____
   (not feel) so lonely.

3. If she _____ (know), she _____
   (tell) me.

4. You _____ (like) my girlfriend if you
   _____ (know) her.

5. I _____ (hurry up) if I _____
   (be) you.

6. Laura _____ (buy) a big house if she
   _____ (have) a million pounds.

---

4 Odpowiedz na pytania.

1. What is Paweł doing?

_____

2. What happened in Liverpool?

_____

3. What happened on the M1?

_____

4. What was stolen from a bank?

_____

5. What would Paweł do with a million pounds?

_____

6. What would Laura do with a million pounds?

_____

7. What's on TV?

_____

8. What are they going to watch?

_____

Przetłumacz na angielski.

5

1. Skąd wiedzieliście?

_____

2. Lecą teraz wiadomości.

_____

3. Co byś zrobił na moim miejscu?

_____

4. Dostaliśmy mandat za przekroczenie prędkości.

_____

5. Nic się nie stało. Zupełnie nic.

_____

6. Co jest w telewizji dziś wieczorem?

_____

7. To podobno ciekawe.

_____

8. To podobno dobre przedstawienie.

_____

SŁOWNICTWO

catch up [ˌkætʃ ˈʌp] nadrabiać

crash [kræʃ] stłuczka

  car-crash [ˈkɑː ˈkræʃ] stłuczka samochodowa

expert [ˈekspɜːt] ekspert

fine [faɪn] ukarać grzywną

God [gɒd] Bóg

  my God! [maɪ ˈgɒd] mój Boże

guess [ges] zgadywać

  let me guess [ˈlet mi ˈges] pozwól mi zgadnąć

hear [hɪə] słyszeć

hospital [ˈhɒspɪtl] szpital

impossible [ɪmˈpɒsɪbl] niemożliwe

invest [ɪnˈvest] inwestować

jewel [ˈdʒuːəl] klejnot

kill [kɪl] zabijać

  killed [kɪld] zabity

M1 [ˌemˈwʌn] autostrada numer 1

marry [ˈmæri] poślubić

  get married [get ˈmærid] wyjść za mąż / ożenić się

the Middle East [ðə ˈmɪdl ˈiːst] Bliski Wschód

murder [ˈmɜːdə] mordować

  murdered [ˈmɜːdəd] zamordowany

murder [ˈmɜːdə] morderstwo

on television [ɒn ˈteləvɪʒn] w telewizji

pope [pəʊp] papież

post [pəʊst] wysłać

president [ˈprezɪdənt] prezydent

prime minister [ˌpraɪm ˈmɪnɪstə] premier

queen [kwiːn] królowa

rob [rɒb] obrabować

robber [ˈrɒbə] złodziej

speech [spiːtʃ] mowa

  make a speech [ˈmeɪk ə ˈspiːtʃ] przemówić

speeding [ˈspiːdɪŋ] przekroczenie prędkości

star [stɑː] gwiazda

  film star [ˈfɪlm ˈstɑː] gwiazda filmowa

steal [stiːl] ukraść

suppose: it's supposed to be [ɪts səˈpəʊzd tə bi] podobno jest to...

surprised [səˈpraɪzd] zdziwiony

surprising [səˈpraɪzɪŋ] zadziwiający

try [traɪ] próbować

war [wɔː] wojna

worth [wɜːθ] warty

  jewels worth [ˈdʒuːəlz ˈwɜːθ] klejnoty warte

media

article [ˈɑːtɪkl] artykuł

broadeast [brawdkast] emisja

channel [ˈtʃænl] kanał viz

comedy [ˈkɒmədi] komedia

commercials [kəˈmɜːʃialsl] reklamy, także przerwa na reklamy

direct [dəˈrekt] reżyserować

  directed by [dəˈrektɪd baɪ] w reżyserii

documentary [ˌdɒkjuˈmentəri] film dokumentalny

headline [ˈhedlaɪn] nagłówek

magazine [ˌmægəˈziːn] magazyn

news [njuːz] wiadomości

newspaper [ˈnjuːzpeɪpə] gazeta

paper [ˈpeɪpə] gazeta

play [pleɪ] sztuka

programme [ˈprəʊgræm] program

radio [ˈreɪdiəʊ] radio

sit-com [ˈsɪt kɒm] komedia, sit--com

soap [səʊp] opera mydlana

subtitled [ˈsʌbtaɪtld] z napisami (*z tłumaczeniem*)

Lesson twenty-eight: Saying goodbye

travel agent	How can I help you?
Paweł	I'd like to buy a single flight to Warsaw.
travel agent	Certainly, sir. When would you like to fly?
Paweł	On Tuesday, if possible.
travel agent	Yes, there are still places on the twelve-fifty flight. Smoking or non-smoking?
Paweł	Non-smoking. Could I have a window seat?
travel agent	I'm afraid only aisle seats are available. How would you like to pay?
Paweł	By credit card.
travel agent	Here's your ticket Mr Grocki. Please check in at least one hour before take-off time.
(beep beep)	
Laura	That must be the taxi. I'll miss you. It's a pity you're not staying another week. If you were here next weekend, we could go to Brighton together.
Paweł	I'd love to stay longer but I promised to return for my mother's birthday. It's on the fifteenth of August. In two days.
Laura	I know. Will you phone me when you get home?

Lekcja dwudziesta ósma: Pożegnanie

pracownik biura podróży	W czym mogę panu pomóc?
Paweł	Chciałbym kupić bilet w jedną stronę do Warszawy.
pracownik biura podróży	Oczywiście. Kiedy chciałby pan polecieć?
Paweł	We wtorek, jeśli to możliwe.
pracownik biura podróży	Tak, są jeszcze miejsca w samolocie o dwunastej piętnaście. Dla palących czy niepalących?
Paweł	Dla niepalących. Mogę dostać miejsce przy oknie?
pracownik biura podróży	Obawiam się, że mamy tylko miejsca przy przejściu. Jak chciałby pan zapłacić?
Paweł	Kartą kredytową.
pracownik biura podróży	Oto pański bilet, panie Grocki. Proszę się zgłosić do odprawy przynajmniej godzinę przed odlotem.
(pip pip)	
Laura	To musi być taksówka. Będę za tobą tęsknić. Szkoda, że nie zostajesz jeszcze na jeden tydzień. Gdybyś był tutaj w przyszły weekend, moglibyśmy razem pojechać do Brighton.
Paweł	Bardzo bym chciał zostać dłużej, ale obiecałem wrócić na urodziny mojej matki. Są piętnastego sierpnia. Za dwa dni.
Laura	Wiem. Zadzwonisz, kiedy dojedziesz do domu?

Paweł	Yes, I promise to call you. And do you promise to come to Warsaw at Christmas?
Laura	Yes, of course. I hope it won't be too cold.
Paweł	It's a shame you can't come later this summer. If you came in September, we could go to Mazuria.
Laura	But I have to work in September.
Paweł	So bring warm clothes! I'd better go. Take care.
Laura	And you. See you soon. Don't forget to write.

Paweł	Tak, obiecuję zadzwonić. A ty obiecujesz przyjechać do Warszawy na Boże Narodzenie?
Laura	Tak, oczywiście. Mam nadzieję, że nie będzie zbyt zimno.
Paweł	Jaka szkoda, że nie możesz przyjechać później tego lata. Gdybyś przyjechała we wrześniu, moglibyśmy pojechać na Mazury.
Laura	Ale muszę pracować we wrześniu.
Paweł	Więc przywieź ciepłe ubrania! Lepiej już pójdę. Trzymaj się.
Laura	I ty. Do zobaczenia. Nie zapomnij pisać.

GRAMATYKA

DRUGI OKRES WARUNKOWY (2) - COULD

W zdaniu nadrzędnym w drugim okresie warunkowym zamiast **would** można użyć **could** - mógłbym, mógłbyś itd.

If you **were** here next weekend, we **could go** to Brighton together.

Gdybyś był tutaj w przyszły weekend, moglibyśmy pojechać razem do Brighton.

If you **came** in September, we **could go** to Mazuria.

Gdybyś przyjechała we wrześniu, moglibyśmy pojechać na Mazury.

PORÓWNANIE PIERWSZEGO I DRUGIEGO OKRESU WARUNKOWEGO

W pierwszym okresie warunkowym jest bardzo prawdopodobne, że warunek zostanie spełniony. W drugim okresie warunkowym, spełnienie warunku jest mało prawdopodobne lub niemożliwe.

1. okres warunkowy:

If you **come** to Poland, we**'ll go** to Mazuria.

Jak przyjedziesz do Polski, to pojedziemy na Mazury. (osoba, do której mówimy, przyjeżdża do Polski)

2. okres warunkowy:

If you **came** to Poland, we **would go** to Mazuria.

Gdybyś przyjechał do Polski, pojechalibyśmy na Mazury. (ale nie przyjeżdżasz)

Oto inne przykłady:

If John **comes**, we**'ll phone** you.

Jeśli John przyjdzie, to zadzwonimy do ciebie.

If John **came**, we **would phone** you.

Gdyby przyszedł, to byśmy do ciebie zadzwonili. (ale chyba nie przyjdzie)

If I **finish** early, I**'ll clean** the flat.

Jeśli skończę wcześniej, to posprzątam mieszkanie.

If I **finished** earlier, I **would clean** the flat.

Gdybym skończyła wcześniej, to bym posprzątała mieszkanie. (ale raczej nie skończę wcześniej)

Drugiego okresu warunkowego używa się, gdy warunek jest zupełnie niemożliwy do spełnienia.

If I **knew**, I **would tell** you.

Gdybym wiedział, to bym ci powiedział. (ale nie wiem)

If I **were** you, I **wouldn't do** that.

Gdybym był tobą, nie robiłbym tego. (ale nie jestem)

PRZYIMKI IN, ON, AT Z OKREŚLENIAMI CZASU

On używa się z dniami tygodnia oraz pełnymi datami (po polsku nie ma w tej sytuacji przyimka).

Her birthday is **on** the fifteenth of August.

Jej urodziny są piętnastego sierpnia.

I'd like to fly **on** Tuesday.

Chciałbym lecieć we wtorek.

In używa się z miesiącami, porami roku i latami.

I have to work **in** September.	Muszę pracować we wrześniu.
Come **in** summer.	Przyjedź latem.
I was born **in** 1980.	Urodziłem się w 1980 r.

At używa się z nazwami świąt oraz ze słowem **weekend**.

Will you come to Warsaw **at** Christmas?	Przyjedziesz do Warszawy na Boże Narodzenie?
Will you come home **at** Easter?	Czy przyjedziesz do domu na Wielkanoc?
What did you do **at** New Year?	Co robiłeś w Nowy Rok?
Where were you **at** the weekend?	Gdzie byłeś w weekend?

Przyimki opuszcza się przed wyrażeniami z **next** - następny, **this** - ten, **last** - ostatni, zeszły.

It's a pity you're not here **next weekend.**	Szkoda, że nie będzie cię tutaj w przyszły weekend.
It's a shame you can't come **this summer.**	Szkoda, że nie możesz przyjechać tego lata.
What did you do **last Sunday**?	Co robiłeś zeszłej niedzieli?

FUNKCJE JĘZYKOWE

KUPOWANIE BILETÓW NA SAMOLOT

I'd like to buy a single flight to Warsaw **for** tomorrow.	Chciałbym kupić bilet w jedną stronę do Warszawy na jutro.
I'd like a return flight to Rome **for** 22nd July.	Proszę bilet powrotny do Rzymu na 22 lipca.
I'd like a business class ticket to Paris.	Proszę bilet klasy business do Paryża.

Smoking or non-smoking?	Dla palących czy niepalących?
Would you like a window seat or an aisle seat?	Chciałby pan miejsce przy oknie czy przy przejściu?
Could I have a window seat?	Czy mógłbym dostać miejsce przy oknie?
When do I have to check in?	Kiedy mam się zgłosić do odprawy?
Check in one hour before take-off.	Proszę się zgłosić do odprawy godzinę przed odlotem.

WYRAŻANIE ŻALU

It's a pity you're not staying another week.	Szkoda, że nie zostajesz na jeszcze jeden tydzień.
It's a shame you can't come this summer.	Szkoda, że nie możesz przyjechać tego lata.
I'm sorry you can't come.	Przykro mi, że nie możesz przyjść.
What a pity!	Jaka szkoda!
What a shame!	Jaka szkoda!

Można też użyć czasownika **regret** - „żałować".

I regret that I can't come.	Żałuję, że nie mogę przyjść.
We regret that you're not staying.	Żałujemy, że nie zostajesz.

POŻEGNANIA (3)

Formy pożegnań pojawiły się już w lekcji 2. Oto kilka dodatkowych wyrażeń.

Take care.	Trzymaj się.
So long.	Na razie.
I'll miss you.	Będę tęsknić.
I want to say good bye.	Chcę się pożegnać.

ĆWICZENIA

Odpowiedz na pytania.

1

1. Where is Paweł flying? _____

_____

2. When does he want to fly? _____

_____

3. Is he taking a window seat? _____

_____

4. Is he paying in cash? _____

_____

5. When does he have to check in? _____

_____

6. Why is Paweł returning to Poland? _____

_____

7. Why can't Laura go to Poland this summer? _____

_____

8. When is she coming to Poland? _____

_____

Połącz początki i końce zdań.

2

1. If you came to Poland,
2. If John comes,
3. If they drank this water,
4. If you don't go now,
5. If Mary didn't work in September,
6. If they see you,

A. she could go on holiday.
B. I could show you the Tatra mountains.
C. they'll kill you.

4. I'll tell him the news.
5. they could catch some disease.
6. you will miss the bus.

3

Wstaw **on, at, in** lub zostaw pustą lukę.

1. Where were you _____ last Monday?
2. I want to fly _____ the first of March.
3. It's a pity you can't come _____ December.
4. We went to the seaside _____ the weekend.
5. I met my husband _____ 1991.
6. My brother was born _____ the seventh of July, 1970.
7. What are you doing _____ this weekend?
8. We planted this tree _____ spring.
9. Will you come for a meal _____ Easter?
10. Let's meet _____ Friday.

4

Uzupełnij luki w dialogu odpowiednim słowem.

'Hello. How can I _____ (1) you?'

'Hi, I'd like a single _____ (2) to Paris.'

'When would you like to _____ (3)?'

'Next weekend.'

'Smoking or _____ (4)?'

'Smoking.'

'Would you like a window seat or _____ (5)?'

'A window seat if _____ (6). When do I have to check-in?'

'At least an hour before _____ (7).'

Przetłumacz na angielski.

5

1. Szkoda, że nie możesz zostać dłużej. _____

_____

2. Co za szkoda! _____

3. Żałuję, że nie jedziemy z wami. _____

_____

4. Trzymaj się! _____

5. Będę za tobą tęsknić. _____

6. Obiecałem wrócić przed weekendem. _____

_____

7. Lepiej to skończę. _____

8. Lepiej wsiądź do autobusu. _____

9. Nie zapomnij do mnie zadzwonić. _____

_____

SŁOWNICTWO

available [ə'veɪləbl] dostępny
born: I was born [aɪ wəz 'bɔːn] urodziłem się
Christmas ['krɪsməs] Boże Narodzenie
clean [kliːn] czyścić, sprzątać
Easter ['iːstə] Wielkanoc
flat [flæt] mieszkanie
if possible [ɪf 'pɒsɪbl] jeśli to możliwe
last [lɑːst] miniony, zeszły
   last Sunday ['lɑːst 'sʌndeɪ] zeszłej niedzieli
miss [mɪs] tęsknić
New Year [ˌnjuː 'jɜː] Nowy Rok

place [pleɪs] miejsce
regret [rɪ'gret] żałować
say good bye ['seɪ gʊd 'baɪ] pożegnać się
so long [səʊ 'lɒŋ] na razie
take care ['teɪk 'keə] trzymaj się
together [tə'geðə] razem
travel agent ['trævl‿ˌeɪdʒnt] pracownik biura podróży
weekend [ˌwiːk'end] weekend

podróż samolotem

aisle seat ['aɪl ˌsiːt] miejsce przy przejściu

arrivals [əˈraɪvlz] przyloty

boarding pass [ˈbɔːdɪŋ ˌpaːs] karta pokładowa

business class [ˈbɪznəs ˌklaːs] klasa business

check-in [ˈtʃek‿ɪn] odprawa

check in [ˌtʃek ˈɪn] zgłaszać się do odprawy

departure lounge [dɪˈpaːtʃə ˈlaʊndʒ] poczekalnia

departures [dɪˈpaːtʃəz] odloty

flight [flaɪt] lot

    single flight [ˈsɪŋgl ˈflaɪt] bilet na lot w jedną stronę

return flight [rɪˈtɜːn ˈflaɪt] bilet na lot tam i z powrotem

fly [flaɪ] lecieć

land [lænd] lądować

non-smoking [ˌnɒnˈsməʊkɪŋ] dla niepalących

passport control [ˈpaːspɔːt kənˈtrəʊl] kontrola paszportowa

runway [ˈrʌnweɪ] pas startowy

smoking [ˈsməʊkɪŋ] dla palących

take-off [ˈteɪk‿ɒf] start (*samolotu*)

window seat [ˈwɪndəʊ ˈsiːt] miejsce przy oknie

Klucz do ćwiczeń

Lekcja 1

1 1. am **2.** 'm **3.** is **4.** is **5.** are **6.** is **7.** 's

3 1. This is my friend Tom. **2.** He is from London. **3.** He is English. **4.** This is my wife Kate. **5.** She is from Manchester. **6.** Nice to meet you Kate.

4 1. on **2.** from **3.** from **4.** from England **5.** in **6.** on

5 1. Sorry/I'm sorry **2.** It's okay/alright.   **3.** Nice to meet you. **4.** Hi/hello

Lekcja 2

1 1. Am, 're **2.** is, isn't, 's **3.** Is, isn't, 's **4.** Are, are **5.** Is, is, 's **6.** Are, aren't, 're

2 1. 're **2.** are **3.** Is **4.** isn't **5.** 's **6.** Are **7.** 'm not **8.** 'm **9.** 're **10.** 're **11.** is **12.** 's **13.** Are **14.** is **15.** 'm **16.** is **17.** Are **18.** are **19.** is **20.** am

3 1. is **2.** Can **3.** please **4.** Is **5.** from **6.** is **7.** is not **8.** Can **9.** can't **10.** Can **11.** this **12.** thank you

4 1. Can you take me to 6 Oxford Street, please? **2.** Yes, of course, sir. **3.** Is it far? **4.** No, it is not far. **5.** Here we are. **6.** Thank you very much.

5 1. Goodbye/Bye. **2.** Enjoy your holiday. **3.** Thank you / Thanks (very much). **4.** Enjoy your stay in York. **5.** Here we are.

Lekcja 3

1 1. Where **2.** When **3.** Where **4.** What **5.** What **6.** When

2 1. 's got **2.** 've got **3.** has got, 's got **4.** have got, 've got

3 1. Where is the lift? **2.** It is on the right. **3.** Hello, I have got a friend with me. **4.** That is nice. **5.** Good evening, Mr Smith. **6.** Good evening. What is your name?

4 1. Excuse me. **2.** sorry **3.** Excuse me **4.** sorry

5 1. When is tea? 2. Where is my book? 3. My room is on the third floor. 4. I've got a reservation.

Lekcja 4

1 1. There is a supermarket near here. 2. There is a hotel in Regent Street. 3. There are three shops in Queen Square. 4. There are two shops on the corner of this street. 5. Is there a chemist's nearby? 6. Are there any newsagent's nearby?

2 1. Are there 2. There are 3. There is 4. there is 5. They are 6. There are 7. they are 8. Are there 9. There is 10. It is 11. There are 12. they are

3 1. Is it far? 2. Are there any shops on this street? 3. Is there a lift here? 4. Are there any hotels?

4 1. from 2. on 3. in 4. with 5. on 6. to

5 1. What's the time / Could you tell me the time / What time is it? 2. How do I get to the market? 3. Can/Could you help me? 4. Is there a record shop near here? 5. Cross the road and turn left. 6. Go straight on and turn left.

Lekcja 5

2 1. Do you live in Britain? 2. Yes, I live in London. 3. Do you like Britain? 4. Yes, I do 5. Do you like London? 6. No, I don't. 7. Do you want some apples? 8. No, I don't. 9. Do you want some grapes? 10. Yes, I do. 11. How much do you want? 12. Give me a kilo, please.

3 1. How many 2. How much 3. How much 4. How many 5. How much

4 1. any 2. some/a few 3. some/a few 4. some, any

5 1. him 2. them 3. it 4. her 5. us 6. they

6 1. (I'd like/ Can I have) A kilo of apples, please. 2. How much is a loaf of bread? 3. How much are pears? 4. Can you say that again / Could you repeat?

Lekcja 6

1 1. work 2. works 3. likes 4. get up 5. opens 6. gets up 7. starts 8. finish 9. go 10. meet

3 1. are you going 2. are you making 3. do you make it 4. does she want 5. are you seeing 6. does it arrive

4 1. This can't be your wife. It's impossible. 2. They must be in Cambridge now. 3. You must be very tired. 4. They can't be in the shop now. The shop isn't open. 5. There are some potatoes left. 6. There's some fruit left.

5 1. making 2. doing 3. does, do 4. doing, making 5. do, does

6 1. Can/Could I have a bit more salad? 2. This is delicious. 3. Would you like some mashed potatoes? 4. Could you pass me the salt? 5. Don't worry. 6. It's great/nice to see you again.

Lekcja 11

1 1. bad, worse 2. fatter, thinner 3. the most beautiful 4. the best, better 5. handsome, more handsome

2 1. _ 2. the 3. _ 4. the 5. _

3 1. Yes, he's got a brother and a sister. 2. His brother is younger and his sister is older than he is. 3. Yes, Paweł has two bothers. 4. They are older than he is. 5. Piotr is thinner than Paweł, and Tomek is taller. They both look like Paweł. 6. They're both good at sport, and Tomek is a very good singer 7. He is handsome, and not very modest. He is better at sports than Mark.

4 1. good 2. can't 3. can 4. Can 5. excellent 6. good 7. not 8. poor

5 1. Tom, Paul and Mark are brothers. 2. Tom is much older than Paul. 3. Mark is the oldest. 4. Paul looks a bit like Mark. 5. They are both very tall and thin. 6. Tom looks completely different. 7. He is shorter and fatter than his two brothers.

6 1. Cheers! 2. It's my round. 3. (Shall we have) Another beer? 4. Is that true? 5. How's your family? 6. That's funny.

Lekcja 12

1 1. arrived, walked 2. pointed out 3. studied, completed 4. was, was, remembered

2 1. He wasn't very late yesterday. 2. The chapel wasn't finished in 1500. 3. We weren't in England last year. 4. Judy and Mark weren't in Poland last holiday.

3 1. were you in London? 2. Were you there long? 3. were they yesterday? 4. Was it quiet?

4 1. a glass of milk/water 2. a loaf of bread 3. a piece of cake 4. twelve slices of sausage 5. two bottles of water/milk 6. two cups of tea 7. two spoons of sugar

5 1. Don't take it seriously. 2. I'm taking a shower. 3. I don't remember, do you take sugar? 4. This is my fourth piece of cake. 5. I live on the twentieth floor.

6 1. It's a piece of cake/ It's easy. 2. What would you like to drink? 3. Do you take milk? 4. Do you want me to bring you a glass of juice? 5. Do you want me to carry your bag?

Lekcja 13

1 1-C, 2-D, 3-A, 4-E, 5-B

2 1. He looked in his jacket. 2. There was about five pounds in it. 3. They went to a few pubs, and they ate a pizza. 4. They took a taxi back home. 5. He gave it to Judy in the pub the night before.

3 1. No, there wasn't much money in his wallet. There was only about five pounds. 2. No, they went to a bar called the Last Drop. 3. No, they bought one big pizza. 4. No, they ate the pizza on a bench ouside the takeaway. 5. No, they came home at around eleven or twelve.

4 [*przykładowa odpowiedź*] I arrived in Canterbery. First I had lunch. Then I visited the local museum. Afterwards I met Tom and we had dinner together. But before that he showed me a few interesting places and we saw the town centre. Later I took the train back home.

5 1. What did you buy yesterday? 2. Did you see Jim the day before yesterday? 3. Where did Mark lose his cat? 4. I felt hungry. 5. I took a bus home. 6. They took a taxi.

6 1. I'm worried. 2. I have no idea. 3. How are you feeling? 4. What's the restaurant called?

Lekcja 14

1 1. Isn't it Maria's dress? **2.** Didn't you see them yesterday? **3.** Why don't you understand me? **4.** Doesn't she live here? **5.** Why don't you try this dress on? **6.** Aren't we near your home?

2 1. comfortably **2.** comfortable **3.** wonderful/great/beautiful **4.** perfectly/beautifully **5.** delicious/great/wonderful **6.** delicious/great/wonderful **7.** great/wonderful/comfortable

3 1. like **2.** not **3.** Aren't **4.** me **5.** think **6.** look **7.** try **8.** fitting **9.** how **10.** great/fine **11.** them **12.** suit **13.** a bit **14.** Would **15.** bigger **16.** me

4 1. suit **2.** fit **3.** fit **4.** suit

5 1. What do you think about the film? **2.** Have a nice day. **3.** I'd like to pay by credit card. **4.** I'd like to pay in cash. **5.** What's the mark exchange rate? **6.** Could you give me smaller notes please?

Lekcja 15

1 • What are you going to do this weekend? • I'm going to drive to Eton. • What are you going to do there? I'm going to visit my aunt. She lives in Eton. • How long are you going to stay there? I'm going to stay there three days. • You're lucky. The weather is going to be very good. • Yes, it's going to be a wonderful trip.

2 1. Yes, they are. **2.** No, she didn't. Mark phoned the hotel to make the reservations. **3.** Mark doesn't want to drive to Edinburgh because it's too far. **4.** They're going to York today. **5.** No, they aren't. They're going to camp tonight. **6.** No he's not, because the brakes are dodgy. **7.** The weather's going to be perfect/wonderful/great.

3 1. Judy went home to have lunch. **2.** Paul got up early to be on time. **3.** Jane went to Britain to learn English.

4 1. Philip is going to borrow a book to read it. **2.** Jane and Joe are going to hire a car to go for a trip. **3.** Kate is going to buy meat to make dinner. **4.** I'm going to study medicine to be a doctor.

5 1. lend 2. borrow 3. borrowed 4. lend

6 1. What are you going to do? 2. I hate driving cars. 3. I saw it on television. 4. In the morning it's going to rain, and in the evening it's going to be sunny. 5. „Can I borrow it. ' 'I'm afraid not. 6. Look at that old house.

Lekcja 16

1 1. Yes, they will. 2. No, it won't. It will cost them one hundred and twenty pounds. 3. No, they won't. They'll be in Blackpool. 4. Yes, they will. 5. No, they won't. They'll go to the Lake District and then visit Blackpool.

2 1. I'll do it/I'll open it. 2. I'll carry them/I'll take them. 3. I'll take this one. 4. I'll tell her. 5. I'll drive.

3 1. Mark said he didn't like fruit. 2. Lena told us her bicycle was broken. 3. Martha told Paul he was charming. 4. She usually says it's too expensive. 5. Pat told me those shops weren't very good. 6. Mary says she doesn't often see the Smiths.

3 1. for 2. until 3. in 4. until 5. in/for

4 1. something 2. anything 3. nothing, anything 4. everything 5. nothing, anything

5 1. the twelfth of February nineteen eighty-one 2. the seventeenth of March nineteen twenty 3. the twenty third of November two thousand and one 4. the second of September sixteen thirteen 5. the seventh of July two thousand and five

6 1. It's very expensive. 2. What would you recommend? 3. That's odd. 4. We'll return the car in two days. 5. I'll take this room. 6. How much does this room cost per day?

Lekcja 17

1 1. put up, I'll make 2. rains, won't go 3. you'll have, stay 4. we'll leave, don't finish 5. go, you'll have 6. will open, is

2 1. warned 2. said 3. assured 4. advised 5. claimed 6. told

3 1. They'll pay twelve pounds. 2. They'll have to leave before midday/twelve. 3. If they don't, they'll have to pay extra. 4. She doesn't think it's very good. 5. He'll keep it in the safe.

4 1. Could you put the television off/put off the television please? 2. Don't switch the light off/switch off the light. I'm reading! 3. Do you know how to put the tent up/put up the tent? 4. We will have to find it.

5 1. down 2. in 3. off 4. on 5. back 6. up

6 1. It's safer to walk. 2. It's easier to make soup. 3. 'Is this a good hotel?' 'I don't think so.' 4. Do you know how to do it? 5. Hurry up! 6. You'll get soaked if you don't come in. 7. We'll have to get up earlier

Lekcja 18

1 1. I've never been 2. We've never visited 3. has painted 4. have enjoyed 5. has stopped 6. Have you ever visited 7. Has she ever travelled 8. Have they been 9. I haven't talked 10. She hasn't finished

2 1. /2. /3. /4. /5. / Yes, I have/No, I haven't

3 1. I have worked here all my life 2. We have visited five cities so far. 3. They have never visited us together. 4. She has not walked in the countryside before. 5. My father has not been to Paris before.

4 1. The, the, _ 2. the 3. _, _ 4. The, _ 5. the, the 6. _, _, _

5 1. Can I have another glass of water, please? 2. When will we get to the lake? 3. Stop worrying! 4. How far is it to London?

Lekcja 19

1 1. has broken 2. have you taken 3. I've written 4. haven't seen 5. Have you said 6. has known 7. haven't done 8. Has she read

2 1. since 2. for 3. for 4. since 5. since 6. for 7. for 8. since

3 1. should 2. should 3. Couldn't 4. should 5. could 6. could 7. shouldn't 8. might

4 1. Dear 2. Hi, how are you? 3. having 4. visited 5. visited 6. See you soon. 7. Love/Yours

5 1. anywhere 2. anywhere 3. somewhere 4. everywhere 5. anywhere 6. nowhere

6 1. John hasn't left the city yet. 2. I've written a letter to my friend 3. I haven't read anything interesting. 4. I've already seen too many museums. 5. We should eat something. 6. We might go to Africa. 7. Couldn't we stay here? 8. What should I do? 9. We could climb this mountain 10. It hasn't rained for two weeks.

Lekcja 20

1 1. left 2. has left 3. Have you read 4. Have you finished? 5. bought, was 6. went, was 7. has drunk 8. has lived 9. lived 10. did

2 1. Martha used to have many friends when she was a child. 2. My aunt used to live in Norfolk when she was younger. 3. I used to work too much at that time. 4. They used to exercise a lot when they were younger.

3 1. anybody 2. anybody, nobody 3. Nobody 4. Somebody 5. everybody

4 1. Alan is as tall as Tom. 2. Tony isn't as fat as Toby. 3. We aren't as hungry as you are. 4. They are as fit as we are.

Lekcja 21

1 1. No, it isn't theirs, it's mine. 2. No, it isn't mine, it's his. 3. No, they aren't mine, they're theirs. 4. No, it isn't theirs, it's ours. 5. No, they aren't hers, they're mine.

2 1. When will you get back? 2. I think we've got lost. 3. What did you get? 4. It's getting late. 5. We got there before six.

3 1. Not at all/No, go ahead. 2. I'd rather you didn't/Yes, I do. 3. I'd rather you didn't/Yes, I do. 4. No, not at all/No, I don't.

4 1. as cold as 2. as soon as 3. as far as 4. as big as

5 1. It's a pity (that) you bought it. 2. We have to hurry. 3. Here, have a glass of water. 4. I've got a headache. 5. Jump in. 6. What do you do/What's your job? 7. I'm a teacher.

Lekcja 22

1 1. You should go to the chemist's. 2. You'd better hurry up.

3. You must go to the doctor. **4.** You must go to a shop. **5.** You'd better report it to the police. **6.** You ought to rest. **7.** You should take them back to the shop. **8.** You ought to visit her.

2 **1.** to come later. **2.** told Judy to open the window. **3.** give her the book. **4.** asked Sarah to say something. **5.** to go there. **6.** forbade me to take it. **7.** to go out. **8.** told me not to buy it.

3 **1.** My sister has a temperature. **2.** She has a sore throat. **3.** And a runny nose. **4.** The doctor says she has the flu. **5.** I have a runny nose **6.** I have a headache. **7.** I have a slight fever too. **8.** My mother says that I have a cold.

4 **1.** You mustn't go out. **2.** You'll feel better in two days. **3.** I'll help you, if you like. **4.** You should/ought to take one every five hours.

Lekcja 23

1 **1.** to go **2.** to leave **3.** leaving **4.** to see **5.** asking **6.** to find **7.** locking **8.** to talk **9.** to lock **10.** to say

2 **1.** Is she **2.** Can you **3.** Has she been **4.** Do you like **5.** Did they **6.** Would you like to go **7.** Were you

3 **1.** will he arrive/is he coming? **2.** are you tired? **3.** did you see him? **4.** does it cost/is it? **5.** does he do? **6.** was it/did you find it? **7.** will we do there/are we going to do there?

4 **1.** off **2.** in **3.** on **4.** out

5 **1.** I'd like to book a room for three people for six nights. **2.** I promise to arrive on time. **3.** Give my love/regards to Mr Roth. **4.** Could/Can I have/I'd like a cup of black coffee? **5.** I'm sorry, Gerald is out at the moment. **6.** Could you call me back, Alan?

Lekcja 24

1 **1.** was cooking **2.** Was he watching **3.** were driving along **4.** were you doing **5.** were walking, talking **6.** was listening **7.** wasn't paying **8.** weren't watching

2 **1.** They want to go to a concert. **2.** Because they want to find out what's on. **3.** When he was walking in the mountains. **4.** He had to stay in bed for two days. **5.** He was talking to Mark and Judy for most of the time. **6.** There's an opera on at Covent Garden, a concert at the Barbican and a rock concert at the Wembley Arena. **7.** They're going to see the jazz concert at Ronnie Scott's.

▨ 1. if there's any opera on tonight? **2.** when it begins? **3.** where it is **4.** when the film finishes? **5.** if there are any tickets left? **6.** if there are any concerts on this weekend?

▨ 1. I fancy seeing a show. **2.** I'd like to go to the cinema. **3.** I'd love a glass of champagne. **4.** I feel like going to a concert. **5.** He wants to watch TV.

▨ 1. help **2.** tell **3.** on **4.** interested **5.** see **6.** on **7.** There's **8.** at **9.** his, such **10.** at **11.** When **12.** how **13.** finish **14.** if **15.** tickets

▨ 1. It was such a nice evening. **2.** It's such an interesting film. **3.** It sounds quite serious. **4.** Let's see. **5.** Let's go to this concert. **6.** What's on? **7.** What were you doing yesterday? **8.** I was reading all evening.

Lekcja 25

▨ 1. were talking, came **2.** were going, started **3.** was resting **4.** was sleeping, arrived **5.** were having, rang **6.** were you doing **7.** Was it raining, were **8.** Was she sleeping, saw **9.** didn't answer, was having **10.** wasn't thinking, was thinking

▨ 1. went **2.** were playing **3.** were **4.** were not singing **5.** was wearing **6.** thought **7.** was wearing **8.** looked **9.** was singing **10.** fell off **11.** hurt **12.** finished

▨ 1. Judy prefers talking on the phone to writing letters. **2.** Laura prefers the Italian to the German language. **3.** Jill prefers travelling by bus to travelling by plane. **4.** Tom prefers going to concerts to going to exhibitions. **5.** I prefer pears to plums.

▨ 1. You have to/need to buy tickets. **2.** You mustn't smoke here. **3.** You should book a seat. **4.** You have to book a table.

▨ 1. What music do you listen to? **2.** Where is your friend from? **3.** Where does this bus leave from? **4.** What are you talking about? **5.** What was he thinking about?

6 **1.** Did you like the music? **2.** What do you think of this film? **3.** I'll buy you another coffee. **4.** I'm bored. **5.** I'm not bored **6.** Perhaps you're right. **7.** We can go out, if you like/feel like it. **8.** What's the programme?

Lekcja 26

1 **1.** are opened **2.** are taken **3.** are fried **4.** are cooked **5.** are broken **6.** are fried **7.** is cut, fried **8.** is cut, toasted **9.** is buttered **10.** is served

2 **1.** Fresh vegetables are used here. **2.** The dinner is prepared in twenty minutes. **3.** The best wine is produced in France. **4.** The best cars aren't produced in Poland. **5.** The best pasta is made in Italy.

3 **1.** exact **2.** exactly **3.** honest **4.** honestly **5.** certain **6.** certainly

4 **1.** They speak slowly. **2.** Why don't you wait patiently for your turn? **3.** Has she stopped crying yet? **4.** My boyfriend can drive fast. **5.** You must do the job carefully. **6.** We haven't finished the work yet.

5 **1.** Excuse me, I'm looking for a cinema. **2.** There is not one in this street. **3.** Do you know if there is one near here? **4.** No, I'm afraid I can't help you. **5.** I've left a pen here. **6.** There is one on the table. **7.** Oh thanks, that's mine.

6 **1.** They're ready. **2.** I'm starving. **3.** What do you mean? **4.** I admit (that) it's not true. **5.** Mike is polite and patient. **6.** Helen is very romantic.

Lekcja 27

1 **1.** Did anything happen **2.** was murdered **3.** was killed **4.** was **5.** was robbed **6.** was stolen **7.** have **8.** opened/was opened

2 **1.** The letter was posted. **2.** The house next door was bought. **3.** We were fined a hundred pounds. **4.** This film was directed by Scorsese. **5.** Two thousand pounds was invested in the shop by Mr Cook.

3 **1.** had, would buy **2.** had, wouldn't feel **3.** knew, would tell

4. would like, knew **5.** would hurry up, were **6.** would buy, had

4 **1.** He's watching the news. **2.** Somebody was murdered. **3.** Three people were killed in a car-crash. **4.** One million pounds and some jewels were stolen from a bank. **5.** He'd give some money to his family and invest the rest. **6.** She'd stop working and buy a house in Jamaica. **7.** There's a sit--com on BBC1, a soap opera on ITV, *Gone with the Wind* on Channel Four and a Polish film on BBC2. **8.** They're going to watch the sit-com.

5 **1.** How did you know? **2.** The news is on. **3.** What would you do if you were me? **4.** We were fined for speeding. **5.** Nothing happened. Nothing at all. **6.** What's on television this evening? **7.** It's supposed to be interesting. **8.** It's supposed to be a good show.

Lekcja 28

1 **1.** He's flying to Warsaw. **2.** He wants to fly on Tuesday. **3.** No, he has an aisle seat. There were no window seats left. **4.** No, he's paying by credit card. **5.** He has to check in at least one hour before take off. **6.** He is returning because he promised to go back for his mother's birthday. **7.** Because she has to work in September. **8.** She's coming to Poland at Christmas.

2 1-B, 2-D, 3-E, 4-F, 5-A, 6-C

3 **1.** _ **2.** on **3.** in **4.** at **5.** in **6.** on **7.** _ **8.** in **9.** at **10.** on

4 **1.** help **2.** flight **3.** fly **4.** non-smoking **5.** an aisle seat **6.** possible **7.** take off

5 **1.** It's a pity/shame you can't stay longer. **2.** What a pity/shame! **3.** I regret/I'm sorry we're not coming with you. **4.** Take care. **5.** I'll miss you. **6.** I promised to return before the weekend. **7.** I'd better finish it. **8.** You'd better get on the bus. **9.** Don't forget to phone/call me.

CZASOWNIKI NIEREGULARNE

forma podstawowa	czas przeszły	imiesłów czasu przeszłego	polski odpowiednik
be [biː]	was / were [wɒz / wɜː]	been [biːn]	być
beat [biːt]	beat [biːt]	beaten ['biːtn]	bić
become [bɪ'kʌm]	became [bɪ'keɪm]	become [bɪ'kʌm]	stać się
begin [bɪ'gɪn]	began [bɪ'gæn]	begun [bɪ'gʌn]	zacząć
bite [baɪt]	bit [bɪt]	bitten ['bɪtn]	ugryźć
bleed [bliːd]	bled [bled]	bled [bled]	krwawić
break [breɪk]	broke [brəʊk]	broken ['brəʊkn]	złamać
bring [brɪŋ]	brought [brɔːt]	brought [brɔːt]	przynieść
build [bɪld]	built [bɪlt]	built [bɪlt]	budować
buy [baɪ]	bought [bɔːt]	bought [bɔːt]	kupować
can [kæn]	could / was able to [kʊd / wɒz_eɪbl tə]	have / has been able to [hæv / hæz bɪn eɪbl tə]	móc
choose [tʃuːz]	chose [tʃəʊz]	chosen ['tʃəʊzn]	wybrać
come [kʌm]	came [keɪm]	come [kʌm]	przyjść
cost [kɒst]	cost [kɒst]	cost [kɒst]	kosztować
cut [kʌt]	cut [kʌt]	cut [kʌt]	ciąć
do [duː]	did [dɪd]	done [dʌn]	robić

CZASOWNIKI NIEREGULARNE

forma podstawowa	czas przeszły	imiesłów czasu przeszłego	polski odpowiednik
draw [drɔː]	drew [druː]	drawn [drɔːn]	rysować
drink [drɪŋk]	drank [dræŋk]	drunk [drʌŋk]	pić
drive [draɪv]	drove [drəʊv]	driven ['drɪvn]	jechać
eat [iːt]	ate [eɪt, et]	eaten ['iːtn]	jeść
fall [fɔːl]	fell [fel]	fallen ['fɔːlən]	upaść
feel [fiːl]	felt [felt]	felt [felt]	czuć
fight [faɪt]	fought [fɔːt]	fought [fɔːt]	walczyć
find [faɪnd]	found [faʊnd]	found [faʊnd]	znaleźć
fly [flaɪ]	flew [fluː]	flown [fləʊn]	lecieć
forget [fə'get]	forgot [fə'gɒt]	forgotten [fə'gɒtn]	zapomnieć
get [get]	got [gɒt]	got [gɒt]	dostać
give [gɪv]	gave [geɪv]	given ['gɪvn]	dawać
go [gəʊ]	went [went]	gone [gɒn]	iść
have / has [hæv / hæz]	had [hæd]	had [hæd]	mieć
hit [hɪt]	hit [hɪt]	hit [hɪt]	uderzyć
hurt [hɜːt]	hurt [hɜːt]	hurt [hɜːt]	ranić
keep [kiːp]	kept [kept]	kept [kept]	trzymać

CZASOWNIKI NIEREGULARNE

forma podstawowa	czas przeszły	imiesłów czasu przeszłego	polski odpowiednik
know [nəʊ]	knew [njuː]	known [nəʊn]	wiedzieć
learn [lɜːn]	learnt [lɜːnt]	learnt [lɜːnt]	uczyć się
leave [liːv]	left [left]	left [left]	opuszczać
lend [lend]	lent [lent]	lent [lent]	pożyczać
lie [laɪ]	lay [leɪ]	lain [leɪn]	leżeć
lose [luːz]	lost [lɒst]	lost [lɒst]	gubić
make [meɪk]	made [meɪd]	made [meɪd]	robić
meet [miːt]	met [met]	met [met]	spotykać
pay [peɪ]	paid [peɪd]	paid [peɪd]	płacić
put [pʊt]	put [pʊt]	put [pʊt]	kłaść
read [riːd]	read [red]	read [red]	czytać
ride [raɪd]	rode [rəʊd]	ridden [rɪdn]	jeździć
run [rʌn]	ran [ræn]	run [rʌn]	biec
say [seɪ]	said [sed]	said [sed]	powiedzieć
see [siː]	saw [sɔː]	seen [siːn]	widzieć
sell [sel]	sold [səʊld]	sold [səʊld]	sprzedawać
send [send]	sent [sent]	sent [sent]	wysyłać

CZASOWNIKI NIEREGULARNE

forma podstawowa	czas przeszły	imiesłów czasu przeszłego	polski odpowiednik
shut [ʃʌt]	shut [ʃʌt]	shut [ʃʌt]	zamykać
sing [sɪŋ]	sang [sæŋ]	sung [sʌŋ]	śpiewać
sit [sɪt]	sat [sɪt]	sit [sɪt]	siedzieć
sleep [sliːp]	slept [slept]	slept [slept]	spać
speak [spiːk]	spoke [spəʊk]	spoken ['spəʊkən]	mówić
spoil [spɔɪl]	spoilt [spɔɪlt]	spoilt [spɔɪlt]	zepsuć
stand [stænd]	stood [stʊd]	stood [stʊd]	stać
steal [stiːl]	stole [stəʊl]	stolen ['stəʊlən]	kraść
swim [swɪm]	swam [swæm]	swum [swʌm]	pływać
take [teɪk]	took [tʊk]	taken [teɪkən]	brać
teach [tiːtʃ]	taught [tɔːt]	taught [tɔːt]	uczyć
tear [teə]	tore [tɔː]	torn [tɔːn]	drzeć
tell [tel]	told [təʊld]	told [təʊld]	mówić
think [θɪŋk]	thought [θɔːt]	thought [θɔːt]	myśleć
understand [ˌʌndəˈstænd]	understood [ˌʌndəˈstʊd]	understood [ˌʌndəˈstʊd]	rozumieć
wear [weə]	wore [wɔː]	worn [wɔːn]	nosić (ubranie)
write [raɪt]	wrote [rəʊt]	written ['rɪtn]	pisać

Słownik angielsko-polski

Symbol * przy czasowniku oznacza, że jest on nieregularny i znajduje się w tabeli czasowników nieregularnych na str. 329-332.

A

about (1) około; (2) o
  what about you? a ty?
accelarator pedał gazu
accept przyjmować
accountant księgowy
acid rain kwaśny deszcz
actor / actress aktor / aktorka
address adres
admit przyznać
advance: in advance z wyprzedzeniem
advice rada
advise radzić
afraid obawiać się
after po
afterwards potem
age wiek
ages wieki
  for ages bardzo długo
ago temu
air powietrze
aisle seat miejsce przy przejściu
alcohol alkohol
all wszystko
all right: it's all right nic nie
  szkodzi
almost prawie
along: drive along jechać
altogether razem
amazing zdumiewający
American amerykański

and i; a
animal zwierzę
another jakiś inny
antibiotic antybiotyk
anxious zdenerwowany
anybody ktokolwiek
anything nic; cokolwiek
anyway a swoją drogą
anywhere nigdzie; gdziekolwiek
apple jabłko
April kwiecień
area okolica
arm ramię
around około
arranged załatwione
arrival przylot; przyjazd
arrive przyjeżdżać
art gallery galeria sztuki
article artykuł
artist artysta
as far as aż do
as soon as jak tylko
as usual jak zwykle
ask pytać
aspirin aspiryna
assure zapewniać
at przy, w
at all wcale
at last w końcu, nareszcie
atmosphere klimat, atmosfera
attention uwaga
  pay attention uważać
audience publiczność

August sierpień
aunt ciotka
autumn jesień
available dostępny
away z dala
awful okropny

B

back (1) z powrotem; (2) plecy
bad zły, słaby
badminton badminton
bag torba
bake piec (*ciasto*)
bakery piekarnia
ball piłka
ballet balet
banana banan
bandage bandaż
bank bank
banker bankowiec
bar bar
basketball koszykówka
bath kąpiel
bay zatoka
be* być
  be out: she's out nie ma jej
  be on odbywać się (*koncert, itp.*)
beach plaża
beans fasola
  baked beans fasola z puszki w sosie pomidorowym
beautiful piękny
because bo
bed łóżko
beech buk
beef wołowina

beer piwo
before przed
  the day before yesterday przedwczoraj
before that przedtem
behind za, z tyłu
  behind schedule mieć spóźnienie
believe wierzyć
bell dzwonek
bench ławka
better: I'd better... lepiej bym...
bicycle / bike rower
big duży
bill rachunek
bird ptak
birthday urodziny
bit: a bit trochę
black (1) czarny; (2) bez mleka (*o herbacie*)
bless you na zdrowie
blister odcisk
blouse bluzka
blue niebieski
boarding pass karta pokładowa
bonnet maska (*samochodu*)
book (1) książka; (2) zarezerwować bilet
bookshelf biblioteczka
bookshop księgarnia
boot bagażnik
boots buty (*za kostkę*)
bored znudzony
born: I was born urodziłem się
borrow pożyczać (*od kogoś*)
botanical garden ogród botaniczny
both obaj
bottle butelka

bottom spód
bowl miska, głęboki talerz
box pudełko
box office kasa biletowa
boyfriend chłopak (*sympatia*)
brake hamulec
branch oddział, filia
bread chleb
break* zepsuć się, złamać
breakfast śniadanie
bridge most
brilliant wspaniały, błyskotliwy
bring* przynieść
British brytyjski
broken złamany
   broken down zepsuty
brother brat
brown brązowy
bruise siniak
buffet car wagon restauracyjny
build* budować
builder budowniczy
bureau de change kantor
bus autobus
bus station dworzec autobusowy
bus stop przystanek autobusowy
business class klasa business
busy zajęty, przepełniony
but ale
butcher's sklep mięsny
butter masło
buy* kupować
by the way a propos, swoją drogą
by: pay by credit card płacić kartą kredytową
bye cześć, do widzenia

C

cake ciasto
call nazywać
call zadzwonić
   call somebody back oddzwonić do kogoś
camp biwakować
campsite pole namiotowe
can móc
can puszka
cancer rak (*choroba*)
car samochód
carburetor gaźnik
carpet dywan
carry nieść
case (1) walizka; (2) przypadek
cash gotówka
cassette kaseta
castle zamek
cat kot
catch łapać
   catch flu złapać grypę
   I didn't catch that nie usłyszałem.
catch up nadrabiać
cathedral katedra
cause powodować
cave jaskinia
CD płyta kompaktowa
CD player odtwarzacz kompaktowy
cello / cellist wiolonczela / wiolonczelista
centimetre centymetr
certainly oczywiście
chair krzesło
chamber music muzyka kameralna

champagne szampan
change (1) reszta; (2) zmieniać; (3) wymieniać
channel kanał
chapel kaplica
charming czarujący
cheap tani
check sprawdzić
check in zgłaszać się do odprawy
check-in odprawa
cheerful radosny
cheers na zdrowie (*toast*)
cheque czek
chest pierś
chestnut kasztan
chicken kurczak
child / children dziecko / dzieci
chocolate czekolada
Christmas Boże Narodzenie
church kościół
cinema kino
city miasto
classical music muzyka klasyczna
clean (1) czysty; (2) czyścić, sprzątać
cliff klif
climb (1) wspinać się; (2) wspinaczka
closed zamknięty
clothes ubrania
clothes' shop sklep odzieżowy
cloud chmura
cloudy pochmurny
club klub
coach autokar
coast wybrzeże
coat płaszcz
coke kola

cold (1) zimny; (2) chłodny (*człowiek*)
collection kolekcja
college szkoła wyższa
colour kolor
come on wykrzyknik wyrażający irytację
come* przyjść
come* back wracać
come* in wejść
comedy komedia
comfortable wygodny
commercials reklamy (*także przerwa na reklamy*)
commission prowizja
common powszechny, zwyczajny
compact disc płyta kompaktowa
company firma, przedsiębiorstwo
compartment przedział
complete ukończyć
completely całkowicie, zupełnie
complicated skomplikowany
concert koncert
conductor (1) konduktor; (2) dyrygent
connection połączenie
convenient wygodny, dogodny
cook gotować
cooker kuchenka
cool lekki, przewiewny
corduroy sztruks
corner róg
cost* kosztować
cotton bawełna
cough kaszel
cough mixture syrop na kaszel
could: could you mógłbyś

country kraj
couple para
cousin kuzyn, kuzynka
cow krowa
crash stłuczka
  car-crash stłuczka samochodowa
credit card karta kredytowa
cricket krykiet
cross przejść
crowd tłum
crown korona
cry płakać
cup filiżanka
cupboard kredens
curry curry
curtains zasłony
cut skaleczenie
cut* kroić

D

dad tato
damn cholera (*przekleństwo*)
dark (1) ciemny; (2) ciemno
darts rzutki (*gra*)
date of birth data urodzenia
daughter córka
day dzień
dear drogi
December grudzień
decide decydować
decision decyzja
  make* a decision podejmować decyzję
deep głęboki
definitely zdecydowanie
degree stopień

degrees Celsius stopnie Celsjusza
degrees Fahrenheit stopnie Fahrenheita
delicious pyszny
denim dżins
departure lounge poczekalnia
departure odlot; odjazd
dessert deser
die umrzeć
  die of cancer umrzeć na raka
  I'm dying for bardzo mi się chce
different różny, inny
dining room jadalnia
dinner obiad
direct reżyserować
  directed by w reżyserii
direction kierunek
dirty brudny
disaster katastrofa
disease choroba
dish danie
  dishes naczynia
  do* the dishes myć naczynia
district dzielnica, region
doctor lekarz
documentary film dokumentalny
dodgy niepewny
dog pies
dollar dolar
door: at the door przy drzwiach
doors drzwi
doubt wątpić
doubt wątpliwość
  I have my doubts mam wątpliwości
drawer szuflada

dress sukienka
drink drink
drink* pić
drive przejażdżka
drive* prowadzić samochód
drive* past przejeżdżać
driver kierowca
drop kropla
drummer perkusista
dry suchy
duck kaczka
Dutch holenderski

E

each sztuka, za sztukę
ear ucho
early wcześnie
east wschód
Easter Wielkanoc
easy prosty, łatwy
eat* jeść
egg jajko
elbow łokieć
elderly starszy
else: something else coś jeszcze
empty pusty
end koniec
engine silnik
England Anglia
English Anglik, Angielka, angielski
   in English po angielsku
enjoy your stay in udanego pobytu w
enjoy one self dobrze się bawić
environment środowisko

even nawet
every każdy
   every day codziennie, każdego
   dnia
everybody wszyscy
everything wszystko
everywhere wszędzie
exactly dokładnie
exaggerate przesadzać
exam egzamin
   take* an exam zdawać egzamin
excellent świetny
exchange rate kurs wymiany
exciting podniecający, ekscytujący
excuse me przepraszam
exercise ćwiczyć
exhibition wystawa
expensive drogi
expert ekspert
extra dodatkowy
   pay extra dopłacić
extravagant ekstrawagancki, przesadny
eye oko

F

fail oblać
fair jasny
fall* off spadać
family rodzina
famous sławny
fancy mieć ochotę
   I fancy going mam ochotę iść
far daleko

far from here daleko stąd
fast szybki
fat gruby
father ojciec
favourite ulubiony
February luty
feel* czuć się
feel like it mieć ochotę na coś
ferry prom
fever gorączka
few: a few kilka
field pole
fill in wypełnić
filling sycące
final ostateczny
find* znaleźć
find* out dowiedzieć się
fine dobrze
fine ukarać grzywną
finger palec
finish kończyć
finished skończony
fir jodła
first (1) pierwszy; (2) najpierw
first name pierwsze imię
first time pierwszy raz
first-class ticket bilet pierwszej klasy
fish ryba / ryby
fit pasować
fit sprawny
fitting room przymierzalnia
fix naprawić
fizzy gazowana
flask termos
flat (1) płaski; (2) mieszkanie
flight lot

single flight bilet na lot w jedną stronę
return flight bilet na lot tam i z powrotem
floor piętro
florist kwiaciarnia
flour mąka
flower kwiat
flu grypa
fly* lecieć
fog mgła
food jedzenie
foot / feet stopa / stopy
football piłka nożna
for (1) od; (2) dla
forbid* zabronić
forecast prognoza
foreign zagraniczny
forest las
forget* zapominać
fork widelec
form formularz
formal formalny, oficjalny
found fundować, zakładać
France Francja
free za darmo
French francuski
Friday piątek
fridge lodówka
friend przyjaciel
friendly przyjacielski
from z
frost mróz
fruit owoc / owoce
fry smażyć
fun zabawa
funny śmieszny, zabawny

G

garage warsztat samochodowy
garden ogród
garlic bread chleb z masłem czosnkowym
gate stanowisko (*autobusowe*)
German niemiecki
Germany Niemcy
gesture gest
get* dostać
get* in wsiadać (*do samochodu*)
get* off wysiadać (*z autobusu*)
get* on wsiadać (*do autobusu*)
get* out wysiadać (*z samochodu*)
get* to dostać się do
get* up wstawać
gig koncert
girl dziewczyna
girlfriend dziewczyna (*sympatia*)
give* dawać
   give my love to przekaż pozdrowienia
glad zadowolony
   I'm glad cieszę się
glass szklanka
global warming globalne ocieplenie
gloves rękawiczki
go* iść, jechać
go ahead proszę bardzo
go* on kontynuować, dziać się dalej
go* out wychodzić
go* to bed iść spać
go* wrong źle się dziać, psuć się
goat koza
God Bóg
   my God! mój Boże

gold złoty
good dobry
good afternoon dzień dobry (*po południu*)
good at dobry w
good evening dobry wieczór
good morning dzień dobry (*rano*)
goodbye do widzenia
grand-daughter wnuczka
grandfather dziadek
grandmother babcia
grandson wnuczek
grape winogrono
grass trawa
graveyard cmentarz
great świetnie
Great Britain Wielka Brytania
Greek grecki
green zielony
green-grocer's sklep warzywny
greenhouse effect efekt cieplarniany
grey szary
group grupa
guess zgadywać
   let me guess pozwól mi zgadnąć
guest gość
guest house pensjonat
guitar / guitarist gitara / gitarzysta
guy facet

H

hair włosy
half pół

hand ręka
handsome przystojny
happen zdarzać się, dziać się
happy szczęśliwy
hat kapelusz
hate nienawidzieć
have* mieć
have* got mieć
have* no idea nie mieć pojęcia
have* to musieć
have: thanks for having me
   dzięki za gościnę
he on
head głowa
headache ból głowy
headline nagłówek
hear* słyszeć
heavy ciężki
   heavy rain ulewny deszcz
hello cześć, dzień dobry
helmet hełm
help pomóc
here tutaj
here we are jesteśmy na miejscu
here you are proszę bardzo
here's oto
her / hers jej
hi cześć
high wysoki
hill wzgórze
hire wynająć
hiring wynajmowanie
his jego
history historia
hitch-hike jeździć autostopem
hobby hobby
holiday wakacje
home dom
homemade domowej roboty

honey miód
hope mieć nadzieję
hopeless beznadziejny
horse koń
horse-racing wyścigi konne
hospital szpital
hot gorący
hotel hotel
hour godzina
house dom
house: the house wine wino
   beczkowe
housewife / wives gospodyni
   domowa / gospodynie domowe
how jak
how about może
how many ile
how much is / are ile kosztuje /
   kosztują
huge olbrzymi
humour humor
hungry głodny
hurry, hurry up spieszyć się
hurt* boleć
   my foot hurts boli mnie stopa
husband mąż

I

I ja
ice lód
idea pomysł
if jeśli
   if you want jeśli chcesz
   if possible jeśli to możliwe
ignition zapłon
ignore ignorować
ill chory

important ważny
impossible niemożliwy
impression wrażenie
in (1) w; (2) za
   in a few days za kilka dni
included in wliczony w
indeed istotnie
information informacja
inter-city (train) pociąg
interested zainteresowany
interesting ciekawy, interesujący
invest inwestować
it to
Italian włoski
Italy Włochy

J

jacket kurtka
January styczeń
jewel klejnot
job zawód
job: do a good job dobrze się
   spisać
journey podróż
juice sok
July lipiec
jump in wskakiwać
June czerwiec
just po prostu

K

keep* zachować, przechować
kettle czajnik
key klucz
kill zabijać
   killed zabity

kilo kilo
kind uprzejmy
king król
knee kolano
knife / knives nóż / noże
knock pukać
know* (1) wiedzieć; (2) znać

L

label tabliczka, etykieta
lake jezioro
lake district kraina jezior
lamp lampa
land lądować
lasagna lasagna, łazanki
last ostatni, zeszły
   last Sunday zeszłej niedzieli
late (1) późno; (2) spóźniony
later później
lawyer prawnik
least: at least przynajmniej
leather skóra
leave* (1) odjeżdżać, wyjeżdżać;
   (2) zostawiać
lecturer wykładowca
left (1) lewa strona; (2) pozostały
leg noga
lemonade lemoniada
lend* pożyczać (komuś)
lesson lekcja
let's: let's go to chodźmy do
letter list
lettuce sałata
life / lives życie / życia
   all my life całe moje życie
lift winda
lift: get a lift złapać autostop

light (1) jasny; (2) lekki
  light rain lekki deszcz
like lubić
  you like it podoba ci się
like this tak, w taki sposób
like: what's she like jaka jest
  what does he look like? jak
  on wygląda?
listen słuchać
listening słuchanie
litter śmieci
little mały
live mieszkać
live music muzyka na żywo
loaf / loaves bochenek / bochenki
local miejscowy, lokalny
lock (1) zamek; (2) zamknąć
long długi
  how long jak długo
loo ubikacja
look (1) wyglądać; (2) patrzeć
look for szukać
loose luźny
lose* zgubić
lost zgubiony
lot: a lot of / lots of mnóstwo, dużo
loud głośny
love kochać, bardzo lubić
love miłość
lovely uroczy
lucky szczęśliwy
luggage bagaż
lunch lunch
lunchtime południe, pora lunchu

M

M1 autostrada numer 1
made of zrobiony z
magazine magazyn (*pismo*)
main course danie główne
make of car marka samochodu
make* robić
make* a reservation robić rezerwację
man / men mężczyzna / mężczyźni
manager manager
March marzec
market targ
marry poślubić
  get* married wyjść za mąż / ożenić się
mashed potatoes tłuczone ziemniaki
matter znaczyć
  it doesn't matter to nie ma znaczenia
May maj
me mnie, mi
meal posiłek
mean* mieć na myśli, znaczyć
meat mięso
mechanic mechanik
medicine lekarstwo
meet* spotykać, spotykać się
menu menu
  set menu menu dnia
message wiadomość
  leave a message zostawić wiadomość
metal metalowy
metre metr
midday południe

middle środek
middle-aged w średnim wieku
Middle East Bliski Wschód
Midlands Środkowa Anglia
might: I might go być może
pójdę
mild łagodny
milk mleko
mind mieć coś przeciwko
do you mind czy masz coś
przeciwko
mind: never mind nic nie szkodzi
mine moje
mineral water woda mineralna
minute minuta
mirror lustro
miss (1) tęsknić; (2) przeoczyć,
nie trafić
you can't miss it nie można
go przeoczyć
mistake błąd
make* a mistake pomylić się
mix mieszać
modern nowoczesny
modest skromny
moment chwila
at the moment w tej chwili
for a moment na chwilę
Monday poniedziałek
money pieniądze
monument pomnik
mother matka
mountain góra
mountain range łańcuch górski
mouse / mice mysz / myszy
move poruszać się
Mr pan (*przed nazwiskiem*)

Mrs pani (*przed nazwiskiem*)
mug kubek
murder (1) mordować; (2) morderstwo
murdered zamordowany
museum muzeum
music muzyka
musician muzyk
must musieć
mustn't nie wolno
my mój

N

name imię
narrow wąski
nationality obywatelstwo
naturally naturalnie
near blisko
near here blisko stąd
nearby niedaleko
need potrzebować
nephew bratanek, siostrzeniec
new nowy
New Year Nowy Rok
news wiadomości
newsagent kiosk z gazetami
newspaper gazeta
next następny
nice fajny, miły, ładny
nice to meet you miło cię poznać
niece bratanica, siostrzeniec
night noc
no nie
nobody nikt
noise hałas
noisy głośny, hałaśliwy

nonsense nonsens
non-smoking dla niepalących
noon południe
normally normalnie, zwykle
north północ
Northern Ireland Irlandia Północna
Northern Irish północno-irlandzki
nose nos
nosy wścibski
not nie
not at all (1) nie ma za co; (2) ani trochę
not bad nieźle
not yet jeszcze nie
note banknot
notice zauważyć
November listopad
nowhere nigdzie
nuisance utrapienie
what a nuisance! a niech to!
nurse pielęgniarka

O

o'clock godzina
oak dąb
October październik
odd dziwny
of course oczywiście
office biuro
office worker urzędnik
off-licence sklep monopolowy
often często
ointment maść
okay w porządku, OK
old stary

how old are you? ile masz lat?
on na
one jeden
only (1) tylko; (2) dopiero
open (1) otwierać; (2) otwarty
opener otwieracz
opinion opinia, zdanie
or lub
orange (1) pomarańcza; (2) pomarańczowy
orchestra orkiestra
order (1) zamówienie; (2) zamawiać
other inny
otherwise inaczej, w przeciwnym razie
ought: I ought to do it powinienem to zrobić
our / ours nasz, nasza, nasze
outside na zewnątrz
oven piekarnik
over nad, przez
overcast zachmurzony
ow! ała!
owner właściciel

P

paint malować
palace pałac
pan: frying pan patelnia
pants majtki
paper (1) papier; (2) gazeta

papers papiery (*dokumenty*)
paracetemol paracetamol
pardon proszę, słucham

parents rodzice
park park
party przyjęcie, impreza
pass (1) podać; (2) mijać, przechodzić obok
passport control kontrola paszportowa
passport number numer paszportu
pasta makaron
path ścieżka
pay płacić
peaceful spokojny
peach brzoskwinia
pear gruszka
pence pens
pepper pieprz
per: per day na dzień, dziennie
perfect doskonały
perhaps może
person / people osoba / ludzie
phone / telephone telefonować
piano / pianist pianino / pianista
picnic piknik
picture obraz
piece kawałek
   a piece of cake coś łatwego
pig świnia
pine sosna
pink różowy
pity szkoda
pizza pizza
place miejsce
   place of birth miejsce urodzenia
plan plan
   make* plans robić plany
plane samolot
plant roślina

plastic plastikowy
plate talerz
platform peron
play (1) grać; (2) sztuka
player gracz
pleasant miły, przyjemny
please proszę
pleased to meet you miło mi
   cię poznać
plum śliwka
point out zwracać uwagę na, pokazać
Poland Polska
Poles Polacy
police policja
police officer oficer policji
policeman / men policjant / policjanci
policewoman / women poli-
cjantka / policjantki
Polish polski
polite grzeczny, uprzejmy
pollution zanieczyszczenie
pond staw
poor (1) biedny; (2) słaby, kiepski
poor you biedaku
pope papież
pork wieprzowina
post wysłać
postcard pocztówka
pound funt
pour lać
practical praktyczny
prefer woleć
prescription recepta
present prezent
president prezydent
pretty ładny

price cena
prime minister premier
prison więzienie
probably prawdopodobnie
problem kłopot
  no problem proszę bardzo,
  żaden kłopot
produce produkować
programme program
promise obiecywać
pub pub
pudding puding, deser
pull in zatrzymać (*samochód*)
put* kłaść, umieszczać
  put a tent up rozstawić namiot
put* in włożyć
put* off wyłączać
put* on włączać

Q

queen królowa
queue kolejka, ogonek
quiet spokojny
quite dosyć

R

race wyścig
racquet rakieta
radiator chłodnica
radio radio
rain deszcz
  it's raining pada
raincoats płaszcze przeciwdeszczowe
rather: I'd rather you didn't
  wolałbym, abyś tego nie robił

ready gotowy
really naprawdę
  not really raczej nie
receipt paragon, pokwitowanie
receptionist recepcjonistka
recognize rozpoznać
recommend polecać
record (1) płyta; (2) nagrywać
record shop sklep muzyczny
red czerwony
regards: give our regards to
  przekaż nasze pozdrowienia
regret żałować
relieve złagodzić
remember pamiętać
repair naprawić
repeat powtórzyć
report zgłosić
reservation rezerwacja
rest (1) odpoczywać; (2) reszta
restaurant restauracja
return zwracać, oddawać
return: a return (ticket) bilet
  powrotny
right (1) prawa strona; (2) dobrze
  you are right masz rację
ring* dzwonić
rinse płukać
river rzeka
  river bank brzeg rzeki
road ulica
roast piec (*mięso*)
roast beef pieczona wołowina
rob obrabować
robber złodziej
roll bułka
romantic romantyczny
room pokój
round kolej

my round moja kolej, ja stawiam
round okrągły
rubbish śmieci
    rubbish bin kosz na śmieci
rude niegrzeczny
runny nose katar
runway rozbieg
Russia Rosja
Russian rosyjski

S

safe (1) bezpieczny; (2) sejf
salad sałatka
sales assistant sprzedawca
salt sól
same: the same ten sam
sandwich kanapka
Saturday sobota
saucepan rondel
sausage kiełbasa
say* powiedzieć
    say good bye pożegnać się
scales waga
scarf / scarves szalik / szaliki
schedule rozkład jazdy
school szkoła
Scotland Szkocja
Scottish szkocki
scrambled eggs jajecznica
sea morze
seat siedzenie
    take* a seat usiądź
second (1) drugi; (2) sekunda
    for a second na sekundę
secondary school szkoła średnia
second-class ticket bilet drugiej

klasy
secretary sekretarka
see* a film obejrzeć film
see*: I see rozumiem
sell* sprzedawać
seller sprzedawca
sense zmysł
    sense of direction zmysł orientacji
    sense of humour poczucie humoru
September wrzesień
serious poważny
seriously poważnie
serve podawać
service obsługa
sex płeć
shall: Shall I go czy mam pójść
she ona
sheep owca / owce
shelter schronienie
shirt koszula
shock porażenie, wstrząs
    get* a shock zostać porażonym
shoe but
shop sklep
shop assistant sprzedawca
shopping zakupy
    do the shopping robić zakupy
short (1) niski; (2) krótki
shorts szorty
should: I should go powinienem pójść
show przedstawienie
shower prysznic
shut* zamykać
side strona

side dish przystawka
sign podpisać
silk jedwab
silly niemądry
silver srebrny
similar podobny
simple prosty
since od
sing* śpiewać
singer piosenkarz
single (ticket) bilet w jedną stronę
sir proszę pana
sister siostra
sit* down usiąść
sit-com komedia, sit-com
size rozmiar
skirt spódnica
slice (1) kroić w plasterki; (2) plasterek
slight niewielki, nieznaczny
slim szczupły
slow powolny
slowly powoli
small mały
smoke (1) dym; (2) dymić
smoking dla palących
sneeze kichać
snow śnieg
    it's snowing pada śnieg
so więc
so far (1) tak daleko; (2) jak dotąd
so long na razie
soaked przemoczony
    get* soaked przemoknąć
soap (opera) opera mydlana
sock skarpeta
sofa sofa

somebody ktoś
something coś
somewhere gdzieś
son syn
soon wkrótce
sore obolały
    sore throat chrypa, ból gardła
sorry / I'm sorry przepraszam
sound: sound fine brzmieć dobrze
soup zupa
south południe
Spain Hiszpania
Spaniards Hiszpanie
Spanish hiszpański
speak* mówić
spectacular spektakularny, dramatyczny
speech mowa
    make a speech przemówić
speeding przekroczenie szybkości
spinach szpinak
spoon łyżka
sportsman / men sportowiec / sportowcy
sportswoman / women sportsmenka / sportsmenki
spot miejsce
spring wiosna
spruce świerk
square (1) plac; (2) kwadratowy
staff obsługa, personel
star gwiazda
    film star gwiazda filmowa
start zaczynać
starter przystawka
starving umierający z głodu
statue posąg

stay (1) pobyt; (2) zatrzymać się
(*w hotelu*); (3) zostać
stay inside siedzieć w domu
steal* ukraść
steering-wheel kierownica
stereo sprzęt stereo
stereotype stereotyp
sticking plaster plaster
still (1) wciąż; (2) niegazowana
(*woda*)
stop kończyć
storm burza
straight prosty
straight on prosto
strange dziwny
stream strumyk
street ulica
string quartet kwartet smyczkowy
strong silny
study studiować
stuff rzeczy
subtitled z napisami (*z tłumaczeniem*)
such taki
suddenly nagle
sugar cukier
suit pasować, być do twarzy
suitcase walizka
summer lato
Sunday niedziela
sunglasses okulary słoneczne
sunny słoneczny
supermarket supermarket
supper kolacja
suppose przypuszczać
it's supposed to be podobno
jest to
sure pewny

surname nazwisko
surprised zdziwiony
surprising zadziwiający
Swedes Szwedzi
sweet cukierek
swim* pływać
swimming pływanie
switch wyłącznik
switch off wyłączyć
switch on włączyć
swollen spuchnięty
symptom objaw

T

table stół
table tennis tenis stołowy
tablet tabletka
take* (1) wziąć; (2) zażywać
take care trzymaj się
take* milk dodawać mleka
take* off ściągać
takeaway lokal z jedzeniem na
wynos
take-off start (*samolotu*)
taken: is this seat taken czy to
miejsce jest zajęte
tall wysoki
taste smakować
tasty smaczny
taxi taksówka
taxi rank postój taksówek
tea (1) herbata; (2) podwieczorek
teacher nauczyciel
team drużyna
telephone number numer telefonu

television telewizja
tell* powiedzieć
  tell the time powiedzieć, która godzina
temperature temperatura
  take* temperature mierzyć temperaturę
tennis tenis
tent namiot
terrible okropny
thank dziękować
thank you dziękuję
thanks dzięki
thanks a lot wielkie dzięki
that (1) tamten, tamta, tamto; (2) że
theatre teatr
their / theirs ich
then (1) potem; (2) więc, w takim razie; (3) wtedy
there tam
there you are, there you go proszę (*przy podawaniu*)
these days w tych dniach
they oni
thick gruby
thief / thieves złodziej / złodzieje
thing rzecz
think* myśleć
third trzeci
this ten, ta, to
throat gardło
thumb kciuk
Thursday czwartek
ticket bilet
ticket seller sprzedawca biletów
tights rajstopy
time czas
  on time na czas, punktualnie

have a good time dobrze się bawić
in time na czas
it's time to czas już, aby
timetable rozkład jazdy
tip napiwek
tired zmęczony
to do, na (*ulicę*)
toast tost, grzanka
toaster toster
today dzisiaj
together razem
tomato pomidor
tomorrow jutro
tonight dziś wieczorem
too (1) zbyt, za; (2) także
  me too ja też
top szczyt
tourist turysta
tourist information informacja turystyczna
towards the end pod koniec
town miasto, centrum
town centre centrum miasta
traditional tradycyjny
traditionally tradycyjnie
train pociąg
train station dworzec kolejowy
tram tramwaj
travel (1) podróż; (2) podróżować
travel agent pracownik biura podróży
tree drzewo
trip wycieczka
trouble kłopot
trousers spodnie
true: it's true to prawda
try próbować

try on przymierzać
t-shirt podkoszulek
Tuesday wtorek
turn skręcić
turn back zawracać
twice dwa razy, dwukrotnie
type rodzaj
typically typowo
tyre opona

U

umbrella parasol
uncle wujek
understand* rozumieć
unfortunately niestety
United States Stany Zjednoczone
university uniwersytet
unlucky nieszczęśliwy, pechowy
until aż do
unusual niezwykłe
up: be up (1) być na nogach; (2) być rozstawionym
us nam, nami
used: I used to be fit dawniej byłam sprawna
usual: as usual jak zwykle

V

vacancy wolne pokoje
valley dolina
valuables cenne rzeczy, kosztowności
vegetarian wegetariański
vegetarian dishes dania wegetariańskie

very bardzo
very much bardzo dużo
video recorder odtwarzacz wideo
view widok
a view of widok na
violin / violinist skrzypce / skrzypek
visit zwiedzać
vitamin C witamina C
voice głos
volleyball siatkówka

W

wait czekać
waiter kelner
waitress kelnerka
Wales Walia
walk (1) iść na pieszo; (2) spacer
wallet portfel
want chcieć
war wojna
wardrobe szafa
warm ciepły
warn ostrzegać
watch TV oglądać telewizję
water woda
wax-work museum muzeum figur woskowych
way droga
on the way po drodze
we my
wear* nosić (*ubranie*)
weather pogoda
weather forecast prognoza pogody
Wednesday środa
week tydzień

weekend weekend
weird dziwny
welcome: you're welcome proszę bardzo (*odpowiedź na*
„dziękuję")
well (1) dobrze; (2) a więc, no
cóż
Welsh walijski
west zachód
wet mokry
what co
wheel koło
when kiedy
where gdzie
while podczas gdy
whisky whisky
white biały
who kto
wholemeal razowy
whoops! wykrzyknik używany,
gdy coś upadnie lub gdy popeł-
ni się gafę
why dlaczego
wide szeroki
wife / wives żona / żony
win* wygrywać
wind wiatr
window okno
window seat miejsce przy oknie
windy wietrzny
wine wino
wine-drinker zwolennik wina
winter zima
with z
woman / women kobieta / kobiety
wonderful cudowny
wood las

wooden drewniany
wool wełna
word słowo
work (1) praca; (2) pracować
work działać
  it doesn't work nie działa
worker pracownik, robotnik
worried zmartwiony
worry martwić się
  don't worry nie martw się
worth warty
  jewels worth klejnoty warte
would: would like to chcieć
wrapper opakowanie
wrist nadgarstek
write* pisać
write* out a prescription wypi-
sać receptę
wrong zły
  what's wrong co się stało

Y

year rok
yes tak
yesterday wczoraj
yet już (*w pytaniach*), jeszcze (*w*
przeczeniach)
you ty, wy
you are right masz rację
young młody
your / yours twój, wasz

Z

zoo zoo